剩女奋斗记

粟子小卷 著

中国三峡出版社

图书在版编目（CIP）数据

剩女奋斗记／粟子小卷著．—北京：中国三峡出
版社，2011.11
　ISBN 978－7－80223－775－9

　Ⅰ．①剩…　Ⅱ．①粟…　Ⅲ.①长篇小说—中国—当代
Ⅳ.①I247.5

中国版本图书馆 CIP 数据核字（2011）第 211231 号

中国三峡出版社出版发行
（北京市西城区西廊下胡同 51 号　100034）
电话：(010) 66112758　66118838
http：//www.zgsxcbs.cn
E-mail：sanxiaz@sina.com

北京阳光彩色印刷公司印刷　　新华书店经销
2013 年 1 月第 1 版　2013 年 1 月第 1 次印刷
开本：710×1000 毫米　1/16　印张：13.5
字数：300 千
ISBN 978－7－80223－775－9　定价：28.00 元

目录

🌸 1 糟糕的偶遇

莲娜做梦也想不到自己会有艳遇，这不，已经 29 岁，马上就 30 岁的老姑娘了，此刻，她正坐在咖啡馆里等待闺蜜杨兰给介绍的一个男人。她已经记不清这是第多少个相亲对象了，总之，她已经麻木了。奇迹是不会出现的，像她这种"齐天大剩"还会有白马王子骑白马来接她吗？呵呵，她苦笑着摇摇头。

莲娜是这个大城市里一个小白领，月工资不高，刚好四千元，在这个处处高消费的城市她是弱势群体的一分子，自己租了一个小小的一居室，加上每月的吃喝，基本上没有什么多余的闲钱，以前也谈过那么几次不咸不淡的恋爱，总是找不到什么心动的感觉。别看莲娜是个搞统计的，小时候也是喜欢看看三毛、琼瑶小说的爱幻想的女孩，对浪漫的爱情也是很向往的，可是现实就是残酷，她从豆蔻年华一直到现在成了剩女，竟没有看见一个有点白马王子影子的男人！

好男人都躲到哪儿去了，这世界上根本就没有这样的男人！在自己跟前晃的男人，不是歪瓜裂枣，就是庸俗不堪……莲娜忍不住在心里骂道。她欠了欠身子，故作优雅地看了看落地大玻璃里自己的影子。她今天把头发盘了起来，这样可以露出修长的脖颈。莲娜不是那种美女级别的女人，可是她皮肤白净，五官精致，现在还可以看。莲娜还是忍不住有些心虚，毕竟 30 岁了，这种年龄上的劣势让她很难腰杆挺得笔直，哎，谁让她挑到现在还没有主啊，那就得在这相亲场子里煎熬吧……

"请问，是莲娜小姐吧？"一个男人的声音响起，莲娜闻声抬起头。

哇！怎么是个光头男人！这个杨兰太过分了，怎么介绍的是一个中年秃头的男人，把她莲娜看得已经这么不堪了，开始给她往中年男人堆里推了？

莲娜闭上惊讶的嘴，勉强点了下头。秃头男人坐在了莲娜对面，露出令莲娜难以接受的有些黑的牙微笑……

莲娜有些恶心地低下头，避免看见这张让她难堪的脸，心中愤愤地想着明天怎么找杨兰算账去。

男人自我介绍说自己是某公司总经理，有房，有车，还有个 17 岁的男孩，前妻离婚去了美国……

他很认真地开始问莲娜是不是已经 30 岁了，是不是还没结过婚？

得到莲娜肯定的回答，他很开心地笑了，而莲娜很想哭，这个男人的意思很明显，不想再要孩子，而生个自己的孩子，是莲娜最大的心愿，和这种男人结婚，她就被剥夺了这种权利。这是她根本无法忍受的事情。她想，就算自己被剩到 40 岁，也有条件人工授精生自己的孩子啊！这个男人太让人难以忍受了，她准备起身告辞。

"我，我很喜欢莲娜小姐的气质和条件，如果我们真的有缘，我会考虑让你出门有奥迪，婚房我们可以新买个别墅，不想上班就不用忙碌了……"

啊！这是莲娜做梦都梦不到的生活哦，她不由得仔细看了看这个秃头男人，身上的西装笔挺有型，看样子价钱不菲，里面的白色衬衣，品质高档，领带很花哨，颜色里面有紫色，这是莲娜最不喜欢的色彩，他的包是莲娜认识的名牌，怎么这么高档漂亮的包要和这么令人讨厌的秃头联系在一起呢！

哇，如果能嫁给他那豪宅、名车都有了……

可是不行，看来她不是那种只要有钱，眼睛一闭就可以的女人，不！不！不！

她宁愿累死、穷死、饿死，也不能做眼睛一闭换一堆钞票的女人。

莲娜微微地一笑，轻轻地用食指把耳边的头发轻拂到耳后。这个动作把这个秃头男人彻底征服了，张总后来跟介绍人杨兰说，看到莲娜这个动作，他的心突然剧烈跳动起来，他认为莲娜就是他的梦中情人！

"张总，对不起，我，我突然想起来，还有一件急事需要处理一下……"

莲娜很有礼貌地说完，站起身就要走了，张总也站起身，很快地买了单跟在莲娜的身后一起走出来。莲娜穿了一件黑色的春秋连衣裙，外面是一件灰色风衣，穿出了她婀娜多姿的身材，一条白色的丝质围巾很随意地围在脖子上，未施脂粉的脸像玉一样白。

走出咖啡厅，她整个人的风采让张总更满意了，他眼中充满掩饰不住的欢喜。

"那，莲娜小姐我送你回去吧。"

张总走到一辆宝马跟前，把车门打开让莲娜上车。

"不用了，我打车回去就可以了。"

张总热情地一定要送莲娜，可莲娜就是不同意，本来她想等这个秃头开车走了，她再到自行车棚里把那个四处都响的破自行车骑出来。为了节约钱，她是骑了半小时的车，又提早半个小时来赴这个约会的。可是，这个张总实在对莲娜太满意了，马上就想当护花使者，这可急坏了莲娜，她可不想让这个富有的秃头知道她住在那个脏乱差的小区，万一这个秃头想上她家看看，那就更糟了。

莲娜不得已只有招了酒店前排队的第一辆的士，勉强上了车。张总殷勤地送莲娜上车。

"走了……"莲娜说。

"去哪儿？"瘦瘦的司机问。

"往前开吧……"莲娜顺嘴说。

"喂，开慢一点儿。"

莲娜命令司机，她转头艰难地看着后面……终于，那辆宝马从酒店里驶出来，然后迅速地超过的士，朝远处开去。

"快，从这里转弯……"莲娜命令司机。

"弯，弯？这要弯到哪里去？"瘦瘦的司机诧异地问。

"啊，我有个东西落在酒店里了，回去找……"

的士又开回酒店，莲娜心疼地给司机付了起步价钱，迅速下了车。

几分钟之后，司机又去最后排队了，他心里那个气，排了半天队，没赚上钱，又被顶到最后排了。他刚停好车，一抬头看见莲娜骑了一辆破破烂烂的自行车从他车子旁边经过，他的嘴角泛起一个蔑视的讥笑，正好被莲娜看了一个正着，她心里一阵慌乱，匆忙急蹬几脚……莲娜用的力气太猛了，也许自行车老化了，生了锈的链条"嘎嘣"一下断掉了。莲娜差点从自行车上摔下去，这下莲娜在那个出租车司机的眼里糗大发了，莲娜听见了身后传来的讥讽声。她气得脑袋发晕，朝自行车猛踢了一脚，哎呀，偏偏这么巧，这个自行车倒下去的同时正好撞向一辆快速从酒店停车场行驶过来的大排量摩托车上……

速度很快的摩托车一下子被倒下的自行车带翻在地了，莲娜匆忙想把自行车拉回来，可用力过猛，她也刹不住脚，整个人一下子砸在自行车、摩托车和那个人身上了。

"啊……"一声惨叫。

莲娜倒在地上几秒钟，然后，她动动手脚，还好，手脚没事儿，只是手蹭破了一点儿皮，可是，等她定睛看那个被摩托车自行车压在下边的人时，着实吓了一跳，可以感觉到这个人疼得已经快昏厥过去了。

"喂，喂，你还好吧，你还好吧？"

莲娜想把他从摩托车下拽出来，可是这个人人高马大的，莲娜根本挪不动他。

"啊！别拽了，老子快疼死了！快把摩托车从老子的腿上挪开啦！"

他凶狠的声音让莲娜吓得浑身发颤，她没办法，只好求那个刚才蔑视她的司机了。那些正在等客的司机从车里跑出来，几个人七手八脚地把摩托车从他的腿上挪开……妈呀，有血流出来了，几个人想把那个骑摩托的男人拖起来，可是，他站不起来，他们嘟囔着："腿断了，腿断了，别让这个女人跑了……"

有人打电话报警，有人看着莲娜，怕她跑掉，莲娜吓得腿肚子都软了。

警车很快来了，还有救护车也来了……

莲娜一屁股坐在地上，医药费、误工费、补偿费……还有，还有……莲娜想跑都跑不了啦，她的身份证号、工作单位、电话号都被交警记录在案了。

这个受伤的人对警察说叫他"阿豹"吧。他的面容莲娜都没有看清楚，因为，他留着一把络腮胡子。

警察问他职业，他疼得嘶嘶的沙哑着嗓子："我是自由职业者，画画儿的，没单位……"

2　抢救

　　莲娜根本跑不了，和交警，还有那个叫阿豹的男人一起上了救护车……

　　在医院，进行了一系列的检查和拍片，阿豹的腿断了，要马上住院手术……医护人员给开出了住院单，阿豹用愤怒和怨恨的眼睛恶狠狠地瞪着莲娜，莲娜一看要马上交住院及手术费两万，头马上一个变两个大！她的整个存款才五万不到，支出两万，那可怎么受得了，她只好厚着脸皮，忐忑不安地问阿豹："你，你的医保……"

　　她的话还没说完，阿豹就干脆地回答："我是自由职业者，没有任何商业保险和医保，你就用现钱支付一切……嘶嘶……我的一切住院费用，请人照顾我的费用你一起取出来，我在这里没有一个亲人和……朋友……嗷……疼死老子了……还有吃饭你也要管……怎么还不进手术室，老子痛死了……快去交住院费，老子要做手术……别想跑，你的一切都被记录在案，老子要是残废了，你就等着老子收拾你吧！"

　　阿豹一气说了这么多，然后疼得躺在急救室的病床上嘶嘶的呻吟……

　　"快啊，快去交钱。"护士也催着莲娜去交钱。

　　莲娜知道她要是敢跑，这个叫阿豹的男人会瘸着腿满世界抓她，她会死无葬身之地的。哎！一想起这起莫名其妙的交通事故，她就恨那个秃头张总，不，还应该恨那个讥讽她的司机，还有这个叫阿豹的男人，他为什么要在那个时候快速地骑什么摩托出现在那里。

　　她急急地走去缴费处，没办法，只有大出血了，只求医生好好做手术，别让这个阿豹瘸了，让她瘪瘪的钱包遭受最小的损失……

　　在刷卡最后按确认时，她的手不免无力了一下，这是她这辈子刷卡刷出去的最大数额，这是她存了好久的为了出嫁的钱。

　　推病床的时候，阿豹不停地骂人，那个暴怒的程度真的让莲娜害怕。

　　这时有手机声从阿豹的一堆衣服里传出来，莲娜疑惑地从阿豹有破洞的牛仔裤里掏出手机看了看，来电显示这个电话是个叫薛丽的人打来的。

　　莲娜马上把电话伸到阿豹跟前，阿豹吃力地看了看来电显示，很烦躁地接了电话："喂，什么……什么东西……什么破东西在我那儿？你不要再打电话来了，老子腿痛得死去活来，你爱和那个有钱的乌龟王八蛋在一起就在一起吧，别再来烦老子了，滚蛋！"

　　阿豹恼怒地把手机摔在病床边，护士把手机递给莲娜。

　　"手术室里不能带手机，你给拿着。"

　　手机又响起来了，还是那个叫薛丽的打来的，手机一直在响，阿豹冷着脸，无动于衷，可是莲娜可以感觉到阿豹冷脸下的暗流涌动。

"喂，喂……"莲娜接电话想着怎么说明情况。

"喂，你是谁？你是阿豹的新欢？叫阿豹这个狗东西听电话！"

一个年轻女孩儿清脆的声音从电话那头传来。

"哦，阿豹啊，他现在躺在床上，不能接电话……"莲娜连忙解释，可是她觉得这句话说错了。

"你是哪个狐狸精？阿豹和你在床上鬼混？妈的，让他接电话……"

女孩恼怒的声音莲娜简直招架不住。

"不行……他现在不能接电话，他躺在那里，不能动弹……"

"什么？你这个不要脸的臭女人！你说什么屁话，你把他搞的动不了了？你们这一对狗男女！"

女孩狂怒地开骂："还说我是物质女搞有钱的男人，他这个穷光蛋搞女人一点儿也不少……假清高什么，不就一个穷画家吗？你要，你就接着把他当宝吧，你们这一对狗男女！"

"喂，你瞎说什么？他现在正躺在医院手术室里做手术，他出了交通事故，腿断了……"莲娜气急败坏地一通说。

"什么？腿断了？！活该！一定是你这个野女人坐在他的摩托车上和他调情飙车弄的吧！"薛丽恨恨地说完，把电话给挂了。

阿豹被推进手术室，莲娜坐在外边的椅子上彷徨无比。她心头涌起惊涛骇浪，好想这是个噩梦，醒来就没有这事了，那一大把债务也不是真的，可是这是正在发生的事……她左想右想，不行，还是要把阿豹的女朋友薛丽找过来，只要他们俩人的误会消除了，可以商量把照顾阿豹的事儿让薛丽担当，她莲娜付照顾费用都行。

薛丽一开始看是阿豹的电话就不接，可是，莲娜不停地打，不停地打，把薛丽搞烦了，也终于接了电话。莲娜在电话里把事情原原本本地说了一遍，薛丽最后好像有些被说动了，她答应过来看看阿豹。

过了半个多小时，薛丽开着越野车来了。这个女孩儿很年轻啊！也就二十三四岁的样子，漂亮、精致，像个小精灵一样。莲娜注意到，她背着一个LV的包，如果是真的，要一万多块钱呢！

"你就是那个把阿豹搞残废的衰女人啊！"薛丽张口就问莲娜。

"呃，我，我叫莲娜。"莲娜有些不自然地迎上去，心虚地说。

"呃，你让我很意外。你这么老，也不是大美女，应该不是阿豹喜欢的菜呀！"薛丽很不屑地撇撇嘴，毫不客气地说着。

"哎，你这小姑娘怎么这样说话？我说过，我不认识他，只是今晚骑自行车在酒店门口正好撞上你的阿豹。我们是这种关系，你不要乱猜！"莲娜有些恼怒地说。她有些不想得罪这个女孩，她还想和她达成协议，让她来照顾阿豹。

"你，去酒店骑什么破自行车？不是穷的连打车的钱都没有吧，阿豹被你这种人碰到，那可是倒霉死了！"

这个狂妄的年轻姑娘称莲娜这个快30岁的女人为老女人，真的是太过分了！不过莲娜也没办法反驳，谁让她就快30岁了呢？能有什么办法呢？看着眼前这个青春得直冒泡泡的小女人，她无话可说。

"本来经济危机老外们都纷纷收紧腰包，阿豹就指着老外买他的画儿，穷的叮当响，这下好了，又碰上这么档子倒霉事儿，而你又是个穷人，从你那儿估计他是拿不到几个赔偿了！哎，他怎么这么倒霉呀，我都替他发愁！"说完这几句话，薛丽的脸上才出现了为阿豹难过的表情。

"哎，你是他的女朋友，出了这事儿，你也多陪陪他，让他精神也愉快点儿，不要更加苦闷，好吗？"莲娜小心翼翼地说，盼望薛丽点点头。

"不行，我和他已经分手了，今天不是来照顾他的，是来要钥匙，我有些私人用品在他那儿，要拿回去。"

"呃，你们分手多长时间了？爱情没有了，总有些同情心吧，多来看看他，帮他一把总是可以的吧！"莲娜赶紧接着说。

"哎，不行，我们分手已经快两个月了。我如今的男朋友，根本不可能让我出来疯跑，要是知道我和别的男人这么密切，那他非嫉妒死不可。你不要这样要求我，这些是你闯出来的祸，你自己担着，别往不相干的人身上推啊，别再说这些强人所难的话了，把阿豹的钥匙给我。"薛丽伸出手问莲娜要阿豹的钥匙。

"不行，我不知道你说的是不是真的，万一你把他值钱的东西卷跑了，我可负不起这个责任！"莲娜把钥匙捏在手上，谨慎地对薛丽说。

薛丽一听莲娜的话，不由得笑出声来，露出像贝壳一样洁白的牙齿，真的好美呀，连身为女人的莲娜都被这个美丽的女孩儿所诱惑。

"你放心，阿豹穷得叮当响，他是有一块钱花两块的主儿。你看，我这个LV包就是他买的，一万多，快两万块钱呢。他的钱，来得快，去得也快。和这么一个人生活在一起，女人太没有安全感了，何况找老公要找个家境殷实的主儿才靠谱儿，这几个月，阿豹卖不出去画儿，我们租的房子也快到期了，下面几万块钱的房租也付不起了，我都不知道阿豹接下来要住到哪儿去，该不会被房东赶到大街上去住吧！这太悲惨了，我也是没办法呀！"薛丽皱了皱眉，嘟着嘴说。

"那也不行，不是我的东西我不能处置。这样，等明天阿豹醒过来，我和他说一下，怎么处理我听他的！"莲娜加重了语气。她有些愤怒，薛丽背个包就快两万了，而自己刚把自己卡上的两万块血汗钱交进医院，是为了给阿豹治病，这个讽刺还真是大！

"那好吧，我走了，你尽快和阿豹说一下。"

薛丽转身就走了，只在医院走廊里留下了她那美丽的背影。

"喂，阿豹真的没有上什么意外险之类的商业保险？"

莲娜满怀希望地追上去问薛丽,薛丽叹口气摇摇头。

"应该没有,他很自信,他说他年轻强壮,28 岁还用不着这些,所以他没有买任何保险。看看,是不是,阿豹这种人活得太清高了,自恃有才,把谁都不看在眼里,觉得自己无比强大,这不,这次的事故打了他一个响亮的耳光。好了,你要出'血'了,撞什么人不行,非撞一个没有买任何保险的人。"

这时她包里的手机响了,她匆匆地接起电话。

"哎,我就在附近,马上就过去了,真讨厌,晚上就想我了……"

3 整理阿豹的房间

莲娜正趴在阿豹病床边上呼呼睡着……突然觉得自己脸上被一个布之类的东西粗鲁地扫过,伴随着一阵很不友好的男人粗声。

"快,快拿夜壶来,老子要撒尿,憋死老子了!"

莲娜惊醒过来,她睁开模糊的双眼,看见那个满脸胡须和长头发的男人正生气地挥舞着白色的枕套在"招呼"她。

莲娜有些慌的"哦"了一声,急忙在病床下乱摸,手碰到一个凉冰冰的夜壶,给他递过去。阿豹也顾不得什么不好意思,在被子里对准夜壶就声音很大的尿起来,那个响亮的声音让莲娜难堪不已。

莲娜发现这时天已经快亮了,阿豹的右脚被石膏裹得严严实实,身上穿的是医院的病号服,他强壮的身体把病号服很满地撑起来。

"快给我买早饭去,我饿死了,买五个大肉包子,然后要一大碗小米稀饭,一个卤鸡蛋。"阿豹大声吩咐莲娜。莲娜刚醒过来还有些迷糊,没有动弹。

"快呀,怎么还杵在这里发愣,对了,出去给我买牙膏牙刷还有毛巾……"

阿豹继续发号施令,莲娜清醒过来,可是她还是没动弹,刚才那个姿势趴久了,她的腿是麻的。

"你看你,就是个没有头脑的傻女人,也只有你这种女人才会那样发飙在街上乱踢自行车,把别人无辜撞伤了。我要是残废了,你准备管我一辈子吧!"

阿豹越说越激动,口沫横飞的,头上青筋毕露,样子像要吃人一样!

"哦,我洗洗马上给你去买。"莲娜轻轻地说。她挪动脚步准备出病房,房里的另一个男病人吃惊地看着他们,因为阿豹叫的分贝太高了,把他吵醒了。这是个手臂被撞断看样子 30 岁左右的小伙子。

莲娜下楼找卖早点的店铺。

莲娜匆匆地把这些东西拎上楼,然后去公用盥洗室刷牙、洗脸……

她洗完后给阿豹打了一盆温水小心地端进去,现在已经快冬天了。

"呀,这是什么牌子的破牙刷啊!"

阿豹很烦躁地把牙龈刷出血的那个牙刷杵到莲娜面前，霸道地问。

"哦！这里小卖部只有这样的，你就将就一下……我今天帮你从你家里拿些日用品，还有你要些什么东西写个清单，我帮你跑一趟……"

洗漱完毕，阿豹开始吃饭，他真的是有些饿了，大口大口地吃着饭，嘴巴吧唧吧唧的发出来很响的声音。

莲娜也很饿，她准备吃自己的这一份。可是有一双眼睛饥饿地望着她这份早饭，把莲娜看得不好意思吃了。同房里的另一个病人没人给送饭，也没有人来照顾他，他左手打着石膏，吊在胸前。

"呃，这个，我看没人给你送早饭，所以给你也买了一份，你要是不嫌弃，就吃了吧！"莲娜心好，她见不得别人受苦，她把饭端到那个男人面前。

那个斯文的男子感激地说了声谢谢，说自己叫肖文，莲娜说自己叫莲娜，有什么可以帮忙的打声招呼，不要客气。

"吃完了！"阿豹瓮声瓮气的声音传来，莲娜赶忙跑过去帮阿豹收拾。

"你快把你要的东西写一下，我帮你拿来，我还要回去洗澡换衣服，昨晚到现在我一直待在医院……"

"嗯。"阿豹用鼻子哼了一声，算是同意了，他开始写清单。

"呃，昨晚，你前女朋友薛丽来看你，说要去你那里拿她的东西，我说要问问你的意见……"

莲娜话没说完，正写东西的阿豹把笔和纸一起狠狠地扔在地上。

"把那个贱人的所有东西都扔出去，不许她再出现在我面前！"

阿豹狂怒的样子吓坏了莲娜，另一边吃饭的肖文也被吓了一跳。

莲娜快速地回到自己那小小的一室一厅租住房，赶快洗澡换衣服，动作利索地收拾屋子，弄完了又给薛丽打了一个电话。

阿豹住的离莲娜有些远，等莲娜到那里时，薛丽已经等了半个多小时。薛丽抱怨说莲娜太慢了，莲娜说你自己去挤下公共汽车看看。

这是一套两室一厅的房子，装修很有品味，屋里客厅挂了好几幅油画，在靠近阳台的地方还放了两个画架，上面还有两幅未画完的水彩画。

薛丽打开一个大衣橱，哇，一排各式各样的女人时装跃然眼前。

薛丽把这些衣服抱出衣柜放在大床上，一件一件挑。

"你们在一起多久了？"

莲娜不好意思说同居多久了，她比较含蓄地问薛丽。

"一年多吧。"看不出薛丽说这话时的感情色彩。

看来阿豹的钱都变成了薛丽这些名牌时装了。

薛丽挑了一些衣服，还有很大一部分她并没有打包。

"这些？"莲娜有些迷惑地问。

"哦，这些都过时了，我不要了，你把它们扔掉吧。"

洗手间不算大，但很干净整洁，一面大镜子前放着琳琅满目的各种化妆品。薛丽拿了一些，剩下的就说不要了，扔了吧。莲娜看见另一边，是些男士用品，也是一些高级品牌，莲娜赶紧用一个塑料袋装了一些洗漱用品，果然，阿豹用的牙刷是名牌的很贵的那种，太浪费了！

"喏，把这个拿上。"薛丽从那些瓶瓶罐罐里选出一瓶古龙男用香水。

"阿豹和老外打交道，习惯和他们一样喷香水。"

这个臭男人还喜欢喷香水，生活品质还蛮高嘛。

这时，屋里的座机电话响了起来："哦，你好，房子是快到期了，明天，明天我让阿豹给你个答复看是不是继续租好不好？"薛丽说完挂了电话。

"你今天回医院问问阿豹，他还租不租这个房间？要是他还想住在这里就把房期延一下，实在没钱了，给我打个电话我可以给他付一年的房租。"

"我带你一段？你现在是直接到医院去阿豹那里？"薛丽打开车门问道。

"不，你要是顺路把我捎到华西小区，我有个朋友在那里，我要先去那里。"

"怎么？是你男朋友那儿？"薛丽问。

"不是，是我女朋友那里，我现在还没有男朋友呢！"

"怎么？还剩着？你有多大了？"薛丽有些不屑地问。

"我，我29岁，30岁还没到，你呢？"莲娜心虚地反问薛丽。

"呵呵，你是30岁的老剩女啦，我今年25岁。"薛丽打着车子，准备开车。

"你是做什么职业的？"莲娜小心地问。

"我？呵呵，我现在没有职业，我大概快结婚了，以前是做室内设计的。"

"哦。"薛丽是可以依赖男人的人！莲娜不知道是该鄙视她还是该羡慕她。

车在三环上飞驰着，莲娜看着车流，思绪陷入无限遥远的云端。

🌸 4 好友杨兰

在楼下按了杨兰家的门牌号，杨兰开了单元门，莲娜走进去，背着包裹上楼梯。

"妈呀，你背了这一大包裹来，里面是什么？是不是给我送一床棉被子？"

杨兰帮莲娜卸下包裹，转身时杨兰看见莲娜的眼睛里盈满了泪，她一下愣住了。她俩是大学同学，一起来这个城市"漂"着，杨兰比莲娜势利多了，没房没车的坚决不嫁，恋爱也是谈了一箩筐，可是，没有一个有结果。

这不，现在她也步入到剩女的行列了，开始在离婚和死了老婆的男人圈里打转转，年轻小伙子已经和她们不在一个档次里掰扯了。杨兰比莲娜混得好，在公司她已经是个中层干部，所以可以接触到像张总这个层面的人物。其实张总是杨兰现在正在交往的郑副总的一个商业朋友，这个张总对郑副总有着某种资源上的优势，郑副总要巴结张总，所以杨兰赶紧把莲娜介绍给张总，肥水不流外人田，这个张总比郑副总有钱有势，可是长得不敢恭维，不然杨兰可能会自己上阵去追求张总。从昨天晚上的反馈来看，张总对莲娜很是满意，可是莲娜的电话从昨晚到现在都没有打通，急得杨兰心直痒，这下可好了，莲娜自己来了，可该好好问问，可怎么莲娜流眼泪了？

"喂，怎么了？哭什么？不是那个张总，怎么了你吧？"杨兰小心地问莲娜。

"不是，我昨天晚上遇见鬼了！我撞人了……那个讨债鬼正躺在医院等我花大把的钱整治他的腿呢。"莲娜委屈地哭出声，眼泪也哗哗的。

"什么？你撞人？你，你开车？"杨兰有些莫名其妙。

"不是汽车，我是骑自行车……撞的……"莲娜抽抽噎噎地说。

"什么？就你那破的四处嘎嘎响的自行车把人撞得住院了？"

杨兰惊得眼珠子都快掉出来了！

"嗯，腿断了，昨晚做完手术，现正躺在床上。"莲娜抹了一下眼泪，在杨兰的沙发上坐下来。

"是个什么人？要是个老人你就倒死霉了！"杨兰担心地说。

"哼，比撞个城里老太太还麻烦！你知道，我撞的是个正当年的大小伙子，可是，他是个什么保险都没有的流浪汉加粗野画家，有文化但没有教养的刺头，哎呀……"莲娜委屈地述说着。

"哎，你怎么搞的？这事儿张总没说呀！"杨兰很迷惑地说。

"还提那个秃头，就是因为他我才被害得这样惨！你说也是，见完面就开车走呗，还非要殷勤地送我回家，我不要吧，他还赖在那里不走。没办法，为了不跌份儿，我只好假装打的士走咯，等他的车子走了，我打的士转回酒店来骑我的破车，刚骑到酒店门口，我斜穿一下下，车链条断了，我就生气踹了一脚，车倒下了。这个讨厌的匪男阿豹就快速地骑着大摩托冲了过来，结果，我没啥事儿，自行车撞到摩托车，那个阿豹的腿就被摩托车压断了……"

莲娜悲愤地讲着昨晚的经过。

"咦，你也是节约过头了，相亲干吗骑个破自行车？这下好了，被他讹上你了，破财了吧！不知道怎么说你好！你这种小家子气还不是一点儿半点儿，到这个大都市来了这么久也没有多少改变，看来指着你自己是改变不了你的命运的！"杨兰指着莲娜的头，轻轻地敲了两下。

"哎，你看，昨晚那个张总怎么样？是我们老郑的好朋友，很不错，资产怎么也有几千万了。"杨兰有些献媚地说。

"对了，你没跟我说是离婚有小孩儿，而且中年秃头这么一个主儿。"

莲娜不高兴地说，她再怎么惨，目前还不至于归到中年有孩子的老男人圈内。

"哎，莲娜，你现在不要再盲目乐观了，我们已经不幸地归入30岁老姑娘剩女的行列了，不能再清高了！不是吓你，那些20出头的妙龄女人都开始追求老郑和张总这样的'老男人'了。有事业，有金钱，有些小女人宁愿当二奶，也愿意巴着老郑呢！我们现在有什么优势再'端着'？"

杨兰喝了口茶，语重心长地对莲娜说。

"不，我不会为了钱而结婚！"莲娜连忙说。

"啧，这你就不懂了！像我们这把年龄的女人要想正常找对象太难了，男人太小，你根本不知道他是不是潜力股，我们不可能用几年的时间赌他们长大，何况30岁左右的男人，眼睛都盯着20出头的小姑娘，我们没戏！剩下的都是些没有什么希望的剩男，比比这些剩男，老郑和张总是极有优势的结婚对象了，你不需要奋斗了，他们就是精英，是社会财富的拥有者，而且，我们的年龄和他们的期望值正好符合，所以，他们正是我们目前最好的选择……"

杨兰还没说完，莲娜打断她的话："我对张总不来电，不喜欢他这种类型的男人，不行。"

杨兰马上接上她的话："你别不知道珍惜！这个张总很俏呢！家境殷实，事业做得很好，我们老郑有些生意还指着他呢！离婚的老婆是个高官的女儿，人现在美国，没有什么麻烦事儿，他的儿子在贵族学校读书呢，以后也要出国留学，也不会让你带。你说，你嫁给他就过上少奶奶的生活有多么好啊！"

"哼哼，有钱人的填房日子不会是你想的那么好过的，我又不爱他，怎么可能为他过那种没有自己孩子的无聊生活，我又不是钱迷。何况，结婚后他会不会给我大把大把的钱还未知呢。这种一眼望到头的日子多么可怕，我不想过。"莲娜有些不高兴地反驳。

"不会，张总很大方，这我们都知道。上次，他和以前那个女人分手时，把给她买的价值十几万的首饰都送给她了，其他花在她身上的钱也有不少，他真的不小气！"杨兰急急地解释说。

莲娜听了更是摇摇头，这种拿钱打发女人的有钱男人，和她根本不是一个世界的人，她不想再有牵扯。

5　病房趣事

莲娜驮着大包，在小区门口叫上一辆人力三轮车朝附近的菜市场骑去。

进屋还没歇两分钟就开始淘米做饭，然后洗肉、虾，择菜。

她正忙着，手机响起："你个衰婆娘，现在几点钟了？还不送饭来？中午随便订的快餐，饭硬得要把老子的胃弄烂了，连个汤都没有……我都没吃几口，现在饿得前心贴后背。你害老子腿断，动弹不得，还想饿死老子？快点滚过来，把给老子的伤害补偿十万拿来，老子马上拿这个钱请看护，给我做饭……"

11

　　阿豹凶得在电话里大吼，好像他的气愤一股脑地从电话里直接电击到莲娜的身上。妈呀，莲娜这段时间急得忙昏了头，忘了还有伤害赔偿这码子事儿了！

　　警官好像说了，等过几天，等一切责权明了，就会有医疗和伤害赔偿的具体责任书下达，天啊，莲娜就这么五万块钱，医疗这块都不知道够不够。

　　爸爸妈妈那里肯定不能说，说了让他们着急，万一急出病来可怎么是好。可是，这样一大笔钱，让莲娜怎么去筹措？阿豹还在电话里大吼。

　　莲娜急急忙忙弄好饭，把饭装在一个大保温桶里，然后把阿豹的一些洗漱用品也装在一个塑料袋里，急急地走下楼。

　　莲娜骑上破车，歪歪扭扭地朝医院的方向骑去。

　　莲娜一走进阿豹的病房，看见阿豹的眼睛快冒火了。

　　"快拿尿盆来，老子快憋炸了！从明天起给老子雇个看护来，拉屎撒尿太不方便了！"

　　莲娜赶紧从床底把夜壶拿给他。阿豹果然是憋久了，她有些内疚，阿豹现在这样躺在病床上不能动，确实应该找一个看护，可是要多少钱呢？一想到钱，莲娜头就疼！

　　莲娜端盆水给阿豹洗了手，准备吃饭。她把饭拨出来，把菜和虾放进碗里，最后留了一个虾在自己碗里，她也要营养，不然，她也会受不了的。

　　阿豹接过碗大嘴一张，一大口就进了肚子，他应该真的饿极了。

　　莲娜端起另一碗自己的饭准备吃，可是那双眼睛又是那样地看着她，她看见肖文正望着她，肖文的桌子上只有一包开了封的饼干和一袋酸奶。

　　"来，我今晚带多了饭，你也吃一些。"莲娜把自己这碗饭端到肖文的手上，肖文有些不好意思地说自己不饿，可是他的眼神显示他饿极了。原来下午护理员来订饭时，他出去了一会儿，没订上，现在他准备自己上外面的小馆子吃饭去。

　　莲娜说："外面现在在刮风，万一着凉或是晚上被别人又碰伤了就不好了，快吃吧，别客气了。"

　　肖文这才感激地点点头，莲娜帮他把床头的饭桌支起来，把勺子放在他的手里。

　　阿豹吃完自己的饭，说要喝汤，莲娜赶紧过来。

　　"那个，时间太忙，没有做汤，你将就一下，我给你倒碗温开水。"

　　莲娜的声音像受虐待的小媳妇一样，没办法，谁让她不占理呢。

　　莲娜倒了温水给阿豹，也给肖文倒了一杯。她看了看装饭的包，里面还剩有两个肉饼，她就拿起一个来自己慢慢地吃了，这时，她真觉得饿了。

　　"哎，哎，我，我，你快叫一个男看护来，快，快……"阿豹突然脸憋得通红，手舞足蹈的，让莲娜去叫男看护，莲娜有些摸不着头脑。

　　"你有什么事？我在这里，你叫我就是了。"

　　"不行，叫男的来，快呀……"阿豹不停地喊，最后脸都扭曲了。

"告诉我就行了，我来……"莲娜还是摸不着头脑。

"我要拉屎，你怎么帮我，快叫个男人来……"

阿豹终于把这句让人难为情的话吼出来，莲娜一听脸红得像煮熟的大虾，她仓皇地跑出病房，向护士办公室跑去。

"护士，有没有男护理在，我们1号3床的病号要大便，你们有没有男的，去帮帮忙？"莲娜语无伦次地对那个值班的年轻女护士说。

"他呀，目前不能移动，喏，你把这个让他用。"女护士把一个女用尿盆递给莲娜。

年轻女护士说完，接着做手头的事儿，根本没有抬头看莲娜。过了一会，她见莲娜没接尿盆，莲娜正羞得满脸通红，不知所措地看着尿盆发呆。

"快拿去啊！愣在这里干吗？"

"我，我不是他的直系亲属……不好意思……"莲娜不好意思地说。

"那有什么，现在他是病人，有什么不好意思的，你看护他，每天还要给他擦身子，洗私处，不然，他身上会起褥疮的。"

莲娜通红着脸，把尿盆拿在手里，急急忙忙地朝病房跑去。

等阿豹看清莲娜手上拿着那个女用尿盆时，脸都绿了。

"不要，我不要女人的尿盆，让一个男人来扶我去洗手间，快！"

阿豹憋着，脸上通红，不停地挥舞着手，声音很大。

"不行，护士说了，你现在还不能移动，一定要在床上，所以，你就拿这个用吧。"莲娜也通红着脸说。

"就是你这个衰女人，我这样都是你害的，你害得我没有尊严，像个女人坐月子一样在床上拉屎撒尿，这下你心满意足了？你这个讨厌的衰女人，快去找男人帮我上厕所……"阿豹喊得满楼道都是回音。

莲娜没办法，又跑去护士办公室找护士，年轻女护士不耐烦地撇了撇嘴，转身走出护士办公室来到病房。

"跟你说清楚，你现在的情况就是不能随便移动，大小便就是得在床上解决，来，我帮你弄，你，看清楚了，下次就会弄了。"

她对莲娜说着就去拉阿豹裤子上的松紧带，阿豹下意识地用手护住，可是他一下放了一个响屁！就这么一下，阿豹一下子不闹了，他窘得耳根子都红了。

年轻女护士皱了皱眉，可是她没有捂鼻子，只是继续帮阿豹脱裤子，接着把那个女用尿盆塞在阿豹的屁股下面……阿豹赶紧用病号服盖上私处，莲娜脸望着别的方向，可是刚刚还是用余光看见了一团黑乎乎的东西，她难堪得想钻地洞！

"出去，你们都出去！你们在这里，我拉不出来。"

阿豹连羞带恼怒地挥手赶她们走。

"你要听话，等会儿让她给你擦身子，别感染上褥疮。"

年轻女护士着重吩咐了一下阿豹，然后走出病房，莲娜也跟了出去，肖文犹

13

豫了一会儿，也跟着莲娜出去了。

走出门之前，他们听见阿豹劈里啪啦的一阵响屁，他真的是憋不住了……在走廊里，莲娜轻轻笑出眼泪来……

这是她自从出事儿以来第一次笑，可是，可以想象，这个笑有多么苦涩！

肖文也禁不住笑了起来，这一笑，两个人好像没有那么生分了。

"谢谢你，你两次这么照顾我，我不知道该怎么感谢你！"肖文说。

"不客气，顺手的事。"莲娜摇头。

"对了，怎么没有人来照顾你呀？"莲娜问肖文。

"呃，我这是周五上班挤公共汽车下车时不小心跌下门摔骨折的，因为不是工伤，所以没有人照顾。我父母在农村老家，所以没来，我也不想告诉他们，怕他们担心。"肖文轻轻地述说着他的住院经过。

肖文说自己是在一个不大的网络公司做技术工作，有时就像最底层的工人一样，每个月拼死拼活的也就拿个六七千元，可是，这些钱在这个大都市能干什么？买房子更像是做梦一样，现在和别人拼住，一个月一千多块的房租，还休息不好。合租是没办法的，别人带女朋友回来，被骚扰的不胜其烦，刚想找个地方搬出来，这下好了，胳膊断了，得休息好几个月，不知道公司会不会让他走人，因为公司不大，一个萝卜一个坑，他现在这样，也不知接下来会怎么样。

"哎，你和这个阿豹，是什么关系？他怎么老是对你这么凶？太不尊重你了，我好像觉得你们以前是不认识的？"肖文有些不好意思地问。

"哎，我也是很倒霉呀！"

莲娜好不容易有了一个倾诉对象，把出事儿的经过述说了一遍。莲娜还说了自己一个月就赚四千多块钱，存款五万块已经给了医院两万了，这个阿豹在医院还得要花多少钱还没数儿呢！还有照顾他的护理员还要找，不知道要多少钱请一位，还有每天的伙食费……还有要给阿豹的伤害赔偿！

莲娜说得眼圈都红了，肖文也很同情莲娜的遭遇。

"喂，喂，拉完了，你，你这个，莲娜，你来处理一下。"

病房里的阿豹粗着嗓门大叫莲娜，莲娜赶紧跑进病房。

哎呀，一股臭气在病房里飘散，阿豹通红着脸，他已经不知道用什么办法擦了屁股，把满满的女用尿盆推到他屁股旁边，他自己也熏得用手堵在鼻孔上。

莲娜屏住呼吸赶紧把屎盆子端下床，把铺位拉拉。然后端起屎盆子一溜小跑到屋角的洗手间里倒掉了，真的好臭啊！她跑到窗户边，把窗户都打开。

她挥了挥手，就这个动作把阿豹给惹烦了。

"你是不是很讨厌我呀？要不是你这个衰女，我会这样不能动弹让你伺候？"

阿豹脸上的络腮胡子气得一颤一颤的，他觉得自己这个糗样子太受侮辱了。他真的是很恨这个女人，飞来的横祸让他在床上裹得严严实实的像个粽子一样，也可能会成为一个瘸子，按他的心性，他恨不得杀了这个衰女人，好在她当时没有爬起来就跑，要是那样，他阿豹可真的是倒死霉了，撞他的又不是汽车，没有牌号，没有记录，她跑了还不是跑了，可是她傻得没敢跑，可是这也不是他原谅她的理由！

本来薛丽背叛他和一个煤老板跑了，他的自尊就受不了，他为她用了多少心思，为她花钱，把自己卡里的钱都用干了，还欠了银行一万多，没钱了，薛丽那个俏脸蛋，变脸比翻书还快，妈的！女人都不是好东西，包括这个叫莲娜的女人，骑个破自行车还能撞断他阿豹的腿，他倒霉得连喝水都会塞牙吗？

6 和肖文达成协议

"我，我没有，你不要多心！"莲娜赶紧放下手，开始收拾刚才的碗筷。

"啊，对了，今天我和薛丽去你那里，她收拾了她的东西，我给你带了你的洗漱用品来，在这个塑料袋里，还有什么东西遗漏了你告诉我，我再给你拿过来。"莲娜一边收拾一边对阿豹说。

一提到薛丽，阿豹的脸色马上变得惨白，他的手有些哆嗦。

"哦，对了，你的房东打电话，薛丽接的，说你的房子到期了，你还租不租？薛丽说问你，如果没钱租了，她可以帮你租一年……"

莲娜没看见阿豹的脸色已经成了猪肝色。

"你个衰女人，提那个贱女人干吗？"

阿豹大声吼叫起来，莲娜后悔自己触痛了阿豹，赶忙道歉。

"对不起，我不该说这些让你烦心的事儿，对不起，对不起……"

莲娜急忙给阿豹端了杯温水让他平息一下愤怒。

阿豹喝了几口水，喘了几口气，看了看莲娜。

"那，这样，你不是马上要给我伤害赔偿吗？你先给我五万，帮我去租个稍微便宜的房子，至于最后赔多少，余下的款你再陆续给我……"

阿豹看见莲娜大张着嘴，像看见鬼魂似的。

"怎么？你在听吗？明天我就要五万，你打我卡上，我把卡号告诉你，然后，我把收条给你……"

"我，我没有这么多钱。我存款一共三万块，昨天住院已经划走了两万，接下来，我还要管你住院的伙食，还要给你找护理员，我一个月工资四千块，我现在没有这么多钱给你……"

"啊，气死我了，你这么穷还敢撞人！你是准备当老赖，赖掉我了？"

阿豹简直气疯了："我不管，你让你老公来付这些费用！"

莲娜低低的声音："我没有结婚，没有老公。"

"那让你男朋友来帮你付……"

"我也没有男朋友……"

"喂，你多大岁数了，老剩女一枚，那也工作不少年了，总有些存款吧。"

"我29岁，怎么啦？老剩女关你什么事儿？工资低，在这个大都市能有多少存款，光知道说我，你多大岁数？不知道买些意外险啊，也没有社保，给我造成多大麻烦?!"

莲娜听阿豹一口一个老剩女，心中像烧了一把火，她老剩女关他屁事儿，老提别人心中的痛。

"我28岁大小伙子要买那些东西做什么，你不撞我，我身体棒棒的，赚钱吃饭，要你来管?!"阿豹吼叫。

莲娜藏了点儿私心，悄悄少说了两万，不然怎么办？要是这些钱都给了阿豹，剩下的医院费用，还有供他吃饭的各种费用可怎么办？她可是不愿意向别人借钱，包括自己的父母，当然，他们也没有什么钱。

"啊，你是说，你没有钱，什么也不想管了，连我残废了也是自己倒霉?"

"没有啊！我没有说不管你，该付你的费用我一切都会付给你的。我现在没有这些钱，剩下的一万块钱我得管你这阵子的吃喝拉撒睡，还有要给你请一个男护工，我还要上班赚钱，不然怎么还你以后的赔偿。"

阿豹惊叫："啊，你这不是软刀子杀人嘛！等你慢慢赚钱还给我，那不得等我老死，穷死，瘫死?"

"不行，你现在打电话给你朋友和你父母想想办法，赔偿我的钱要一步到位，我可不想被你拖死，现在，我没钱租房，你让我这个瘫子一出院就无家可归，睡到大街上啊！"阿豹拼命地挥手，气愤得直摇头。

"那个薛丽不是说可以帮你付一年房租吗，一年后，你的腿也好利索了，不就可以出去赚钱了，我也缓过劲儿来了，我可以每年还你两万块钱……"

"你说什么呢？你让老子去吃那个女人的软饭？你脑子锈住了？别怪我没有提醒你，再说这么没脑子的话别怪我扇你，我阿豹没有让女人养的习惯，那样我还有什么脸面活在这个世上?"

阿豹怒容满面，莲娜想要是自己现在站在阿豹的面前，阿豹真的会一巴掌扇过来的吧。

"对不起，我以后不会再说这种话。"莲娜赶紧跟阿豹认错，她觉得阿豹这点儿很男人，不禁对他有些好感。

"你还是先想办法给我五万块钱，这样，我可以先缓一口气。"

"我真的现在没有五万块钱，这样，我先把你的东西打包，找个地方放起来，等你腿好些了，出院时，你先搬到我那里进行恢复训练，这期间你不是还要人照顾吗？我照顾你，吃饭什么的你就不要额外支出了，我做饭，我们两个人一起吃，这样不是解决了我们之间的问题？我再尽力想办法多赚钱，想办法尽快筹钱还给你，你说好不好?"

莲娜灵机一动，这些都是好办法，这样可以节约一笔钱。

"不行，我最多在医院住十几天，这样瘸着出院连住的地方都没有，那哪儿行啊！马上给我钱，我租个养伤的地方，其他赔偿费你要陆续到位！"

阿豹死犟着脑袋就是不同意，莲娜说了无数的好话也不行，就说马上给他找房，还要钱，他现在一名不文，卡上还欠着银行一万多。

莲娜收拾好碗筷，走出病房透口气，她的脑子现在是木的。

她站了一会儿，有个人影无声地来到她身边，陪着她一起叹气。

"呵呵，我比你还惨，是不是？"莲娜轻轻地苦笑一声，无奈地摇了摇头。

"你请男护理的费用可不小，其实阿豹的情况目前请了男护工也是浪费钱，还不如你请我吧，你就管我的饭，做一个人和做三个人的饭是一样的，我这只好手可以白天黑夜帮忙护理阿豹，你就管我三餐饭就行了。呵呵，你放心，我吃的不多！"肖文轻轻笑了，他说话总是轻轻柔柔让人觉得很亲切。

"真的？你愿意这样做？"莲娜感激地对着肖文的脸说。

"嗯，愿意，我觉得你炒的菜很香，很好吃……"

"那好吧，我们就这样交换，谢谢你，肖文。"

莲娜像捞到救命稻草一样用手去握肖文那只好的手，肖文有些不好意思，脸红了，他的嘴角露出一丝微笑。

7 莲娜·心思

星期天，阿豹让莲娜回家去把他的手提电脑拿到医院里来，再去给他办一个无线上网卡，拿来一个 MP3，还有一对哑铃。

在不影响莲娜行程的情况下，肖文也让莲娜去他和别人合租的房子里拿来手提电脑及一些必需品。说实话，肖文和阿豹是两个极端，肖文用的东西极其简朴，连洗发水都用的是蜂花之类的老牌子，衣服不多，鞋子很少。莲娜想人和人就是不一样，阿豹是属于搞艺术的，一下想这样一下想那样，指使莲娜不停地转；而肖文是那种理性高于一切的人，干什么都很有计划，一丝不苟。虽然和他们接触不深，可是，两个人的路数莲娜也摸到一点了。

莲娜答应帮阿豹物色房子，可是她心里并没有真正认同给阿豹租房子。绝不能为了一个房子她就破产。她打定主意把阿豹接到自己租的小一室一厅，到时，她买个小折叠床在客厅里睡，这样，她可以就近照顾阿豹。

别看莲娜很心善，但她也有自己的馊主意，而且很执着！

星期天她是在阿豹和肖文的病房里趴在床边将就的。星期一早上六点钟她就起来了，帮着他们收拾一下，然后下去买早点，拿上楼照顾他们一起吃完，自己也胡乱吃完早点，帮他们中午在医院食堂订了中午饭，就匆匆地骑上她的破自行

车往公司跑。

为什么莲娜要骑这么破的自行车呢？因为，她以前买了好几辆新自行车都被偷了，买一辆，丢一辆，后来，她气急了，从路边一个小修车摊买了这部又破又难看的自行车就再也没被偷掉了，唉，这辆车已经用了好几年，舍不得扔了。

在杨兰和李婷（莲娜另一个剩女朋友）眼里，莲娜是个很抠的女人。

莲娜也不想抠啊！可是赚钱少，每年还得存点儿钱，还要给爸爸妈妈一些赡养费，虽然不多，可是她觉得，爸爸妈妈养育了她，她挣钱了，就要赡养他们，这是她的义务。其实，莲娜给她爸爸妈妈的钱，他们都替她攒着准备她出嫁时给她当嫁妆，不多，也就三万多块钱。

平常人家的女儿，都是精打细算养出来的，除非嫁给一个大款，经济地位才有可能发生翻天覆地的变化，那么，这个张总就是来改变她命运的那个人吗？张总的影子在莲娜的脑子里闪了几下，不，这不是她想要的生活。

莲娜来到公司，公司里面一切照旧，莲娜现在干的是万金油的工作，她在大学时学的是行政管理专业，现在顺带干统计的活儿。她的职位职责很模糊，上司就是类似办公室主任的角色。

吃午饭时，她拨电话给肖文问他们吃饭了没有，中午的伙食怎么样，肖文说还可以，一切照旧，晚上问他想吃什么，他说什么都可以。

阿豹在电话中很不高兴地说，医院中午饭很难吃，没有油水，晚饭他让莲娜买只鸡，还有，他要吃蚝油生菜、炒花菜。

莲娜趁午休时，赶紧拨通了李婷的电话，李婷是她原来公司的同事，两人很熟，她现在一家外贸公司做办公室副主任这么个差事，28岁，现在也剩着，好像最近也在频繁地相亲。

"喂，李婷，姐们，最近相对象情况怎样？"莲娜直接问。

"现在相了一个30岁的硕士，搞技术的，人很木讷，工资八千左右，家是农村的，好像负担很重。哎，你说看本人吧，马马虎虎，可是没有后盾，我们要是买房吧还差着一大截呀。"李婷压低嗓子在电话里报告情况。

是啊，两个人都是从外省来的，想在这个大都市里买个婚房太困难了，可是，没有婚房永远觉得是这个城市的浮萍，没有根基！

李婷跟莲娜说过，她对生活没有过高要求，只要有个付了首付的房子，哪怕婚后两人一起供房子，她都可以接受，可是就这样的要求也很难找呀！这个城市两室一厅的首付已经达到60多万了，他们的工资存款远远达不到啊！

🌸 8　薛丽给钱

这天下班，莲娜匆匆地从菜市场买了菜给阿豹和肖文做晚饭。

已经是初冬了，洗菜的水很凉，冰得人手直发抖。莲娜买了牛肉，炒了嫩嫩的牛肉片，还有青椒豆腐干、香菇油菜和一个白菜豆腐汤。

现在她要用两个大保温桶装饭菜才装得下，这是他们三个人的晚饭呢。

每次吃完晚饭，莲娜还得洗阿豹和肖文换下的内衣裤，阿豹一点儿不领莲娜的情，认为这些都是莲娜应该做的，谁让她把他弄成这样。肖文根本洗不了衣服，莲娜就顺手帮他洗了，肖文很感激，就很勤快地帮阿豹干些力所能及的事儿。阿豹对肖文很冷淡，他认为莲娜请肖文这个病人来照顾自己就是不舍得出钱，莲娜是个吝啬鬼，而肖文也是个小气鬼，为了蹭三餐饭，宁愿拖着个烂胳膊来给他接屎盆子，不像个男人，所以在病房，阿豹不爱理会肖文。肖文做了几次努力，看阿豹不爱理会自己，所以除了帮助阿豹拉屎撒尿，他也不去理会阿豹，两人在病房都只埋头在自己的电脑上，互相不太理睬，只有莲娜来到病房，病房里才会有些生气。

莲娜快步走进病房时愣住了。

只见地上摔烂了一个玻璃杯，吃饭的不锈钢碗也被扔在了地上。

阿豹凶着个脸，胸膛一起一伏正在骂人。他面前站着一身名牌的薛丽，薛丽手上拿了一摞钱，看样子有三万块。

"你拿着你的臭钱从老子面前滚蛋，立刻消失！"阿豹红着脸凶狠地说。

"阿豹，你就听我几句话，我离开你，是我不对，用那种方式……可是你也要面对现实啊！你那么清高，大卫的画廊一年给你保底 30 万，还有 10% 的提成，你的画儿在画廊卖得不错，做得好你一年也有 50 多万的赚头，可是你为了你自己的所谓艺术创作，说终止就终止合同，还赔给大卫那么多违约金，弄得自己像个穷光蛋一样。现在，你又被一个不着调的女人弄成这样，你还踹的不行，我跟你这样混下去，都要喝西北风了。为了你我去求大卫，还被你骂，还打了我一巴掌。我告诉你，现在经济危机了，大卫说幸好合同终止了，不然他赔大发了，现在谁还买画儿呀？老美们吃饭都成问题，大卫的画廊都要破产了。你就踹吧，现在你不名一文还这么嚣张，我可怜你，给你几个钱，你还这么糟践我……"

薛丽话还没说完，阿豹又顺手甩了一瓶矿泉水过来，薛丽惊叫一声头一歪躲过了，可是站在她后面的莲娜没躲过，正中额头，不过长距离奔袭的矿泉水瓶到了莲娜那里势头减弱，往下坠的当口砸到莲娜，还好不算严重。

"哎呀！"莲娜还是痛得叫了一声，忍住没把保温桶掉在地上，肖文赶快过来把桶接过来，放在身后的窗台上。

"滚，滚！从今往后，我就是上街要饭，也不会用你一分钱，你就跟着那个煤老板混吧，我们已经分手了，互不相干了！把你的臭钱拿走……"

阿豹大声骂薛丽，气得想爬起来再给她一个耳光，可惜他现在动弹不得！

薛丽气得把钱扔在地上转身就走了，一边走一边说："好，好！我再也不来看你了，再来看你，我就不是人……"

薛丽气得把门摔得山响。

"你，莲娜，快，把这个臭钱给她还回去，快去，快去呀！"阿豹圆睁着眼捶着床沿对莲娜吼道。

莲娜委屈地揉了揉额头的包，捡起地上的三摞钱追出去……

薛丽正埋头朝外面的车走去，莲娜追上她，轻轻拍了拍她的肩膀，薛丽回过头来，莲娜惊奇地看见薛丽精致的妆容下，有泪光在闪烁……莲娜有些惊讶，她觉得薛丽就是那种喜欢钱的物质女，可是，薛丽眼里的泪水也隐隐约约地证明了，她还是爱阿豹的吧！

莲娜轻轻地把钱塞到薛丽手里，真的，这个钱让莲娜很感慨，她现在是多么需要钱啊，可是，让她去像薛丽那样眼一闭就傍一个有钱的男人，就像那个秃头张总，这个眼睛她是闭不上的！

薛丽接过钱想了想，"要不你替他收下？他现在手里没钱，银行里还欠着一万多块钱，这样以后他的信誉会受损的，虽然你会给他伤害赔偿，估计也不会这么快，我不喜欢他这么一个铁骨铮铮的大男人，被一分钱憋死。"薛丽低着头自顾自说了这些话。

莲娜还是觉得为难，不想接。

"其实，这些钱都是阿豹的，以前，他给我的零用钱，我没花完攒下来的，看你手上好像也不太宽裕，这些钱，你看为阿豹能做些什么就做些什么好吗？"

薛丽已经有些恳求的意味了，莲娜想了想，觉得可行。

"这样，你不是知道阿豹的卡号吗？你自己把这钱打到他的卡上，先还银行的钱，估计违约金加罚款得扣除两万，剩下的一万，随便阿豹自己支取……"

看莲娜说得在理，薛丽点了点头，觉得这是个不错的办法。

"嗯，这样也好，那，我把阿豹托付给你，你就好好地照顾他了！"

薛丽把钱装在包里，上了车，在寒冷的夜风中匆匆驶去。

🌼 9　莲娜想赚钱

莲娜走进病房，见阿豹还在气得喘粗气。

"饿了吧，我给你洗洗手，我们吃饭吧。"莲娜打来温水让阿豹洗手。

"钱给那个女人了吧？"阿豹粗声地问。

"其实薛丽还是很惦记你的，不要把别人的关心……"莲娜想劝一下阿豹。

"住嘴，我的事儿不要你管，你只管把赔我的钱快点给我就 OK 了！"

阿豹不客气地回复道，莲娜一看不好再说什么，就闭了嘴。

三个人闷闷地吃了饭，莲娜又收拾、洗衣服，累得够呛。肖文在莲娜旁边不停地帮一点儿小忙。

这些日子以来,肖文对莲娜的心思悄悄产生了一些变化。肖文前半年谈了好几年的女朋友现在和他闹分手又复合的滑稽游戏!为什么呢?因为肖文买不起婚房,在这个大都市里,没有婚房是很可怕的事儿,住在出租房随时有被房东驱赶的可能,即使及时交上房租,每年房期到了,房主就开始涨价,你不想给,那就准备搬家。找房的辛苦和打包搬家的心情真是无法用语言来描述。每年都这样,肖文的女朋友王慧怕了,哭着对肖文说,无论怎么样借债也要弄出首付,买一套房子,她再也不想这样搬家了!

可是肖文还有弟弟读大学要供出来,他哪里来的钱?他农村家里很穷,在这个大都市,谁又会借给你一大笔钱啊!当然,可以向银行借,可是要抵押担保呢!肖文一名不文的银行哪会理他呢?女朋友家也是一般人,当然几十万还是可以拿出来的,可是,也只是可以买个偏远的小户型,可女朋友的爹妈说了,拿钱可以但房子只能写女朋友王慧的名字,房子婚后肖文也得一起还房贷,生下来的小孩儿如果是男孩儿以后就跟王家姓,因为王慧在他们王家也是独生女!

肖文听女朋友王慧说完这些一下子变了脸色,这不是倒插门了吗?肖文什么也没有说,回去苦恼了七天,拿出的最后解决方案就是分手。他无法在那个屈辱的条件下结婚,可女朋友王慧已经28岁了,分手她也成了个剩女,而且王慧姿色一般,要是再找,也不会是什么好姻缘。后来女朋友王慧就哭得泪人似的,说小孩儿可以随肖文姓,但以后肖文的钱要全都贡献出来,以后换大房,要把她父母接来一同住,她要赡养他们,给她父母养老,肖文的父母以后由他弟弟管。

肖文不知道女朋友王慧是这样的自私女人,只管自己父母不管他父母。他决心一定,立马搬离他们同居租住的出租房,自己和别人拼租房子了,这种女人太可怕,他惹不起,躲得起。现在女朋友王慧到处找他,他很害怕暴露现在自己住的地方,每天像反跟踪似的警觉,怕王慧跟到他的出租屋和他纠缠不清。

他手上现在有十万块钱的存款,是女朋友王慧不知道的钱,是平时干私活时自己攒的!他觉得万幸,要是王慧知道了他这些私房钱,问他要这些年来的青春损失费他可惨了!现在的情况是:肖文硬要和王慧分手,而王慧不干,还缠着他,因为她把青春给了肖文,在肖文这里她还值些钱,在别的男人眼里她就是个没有什么姿色、工资不高的平庸大龄剩女,在婚姻市场没有一点儿竞争力。想想肖文也许是个潜力股,只要把肖文和他的父母隔离开来,这个男人还是可以成为结婚对象的,所以她还舍不得放弃肖文!

肖文这些天看见莲娜这种实在女人比王慧不知道强了多少倍,对一个冤家都这么负责,那以后对结婚对象的家人应该会很仁慈了。这种女人的奉献精神相当打动肖文,肖文有些动心了!

"你最近很累吧,还要把我这个不相干的人搭上一起照顾,真的不好意思!"

肖文很亲切地往莲娜身边凑,莲娜直起腰,轻轻地笑了一下。

"没关系,我挺得住,哎,不好意思,你知不知道哪儿有可以兼职的工作介

21

绍给我，我想多赚点儿钱……"

莲娜揉了揉眼睛，有些疲惫地问肖文。

"啊，在电脑方面你懂得多吗？嘿嘿，我只懂我自己工作范围的事儿，或许，有些活儿可以利用业余时间做！"肖文老实地说。

"哦，这些我不懂，我也只是能用电脑处理一些数据，别的不太精通。"

莲娜从医院出来往前骑着车，她看见很多人来来往往地在海大体育馆那里进出。

这时就看有个女小贩快速地从莲娜身前跑过去迎接一个中年男人。

"快，荧光棒不够卖了……"女小贩急急地说。

"哎，我不是在花街多批发了600根吗？这个演唱会要演三天，还可以赚好几千块钱，你快叫小毛来帮着卖。喏，这里还有500根。"中年男人气喘吁吁地说。

"嗯，我拿200根去西门，你拿300根去东门，先卖五块钱一根，看情况，人少了卖三块钱一根，对了，今天你进的货是五毛一根还是六毛一根？"

"六毛，现在都是这个价……"男人应道。

"你动作快点儿。"女小贩急忙说，他们分了荧光棒，小跑着往体育场跑。

六毛的进价按三块卖利润是多少，按五块卖利润是多少，莲娜在心里快速地算了一下，同时，她骑着车跟着那女小贩。

只见女小贩站在那里弄亮一把荧光棒就亮开嗓子叫卖起来，立刻有很多男孩儿女孩儿围过来……叽叽喳喳，生意很好。

哎！卖这个好呀，听他们说演唱会还有三天？那我莲娜明天也可以去花街进一些荧光棒来卖呀！莲娜激动起来。她算了算，要是她这几天晚上可以快速赚个几千块钱就好了。这些天，要维持三个人的生活开销，还有阿豹的医药费……她的钱像流水一样哗哗地流，只出不进让莲娜很焦心。

现在只要能赚钱管他什么小贩，她都干！

第二天，莲娜早上上班，中午没吃中饭，午休时她飞快地骑着那辆破自行车往花街小商品批发市场跑去。这个小商品批发市场很大，穿过无数卖化妆品、时尚首饰、皮包、鞋子服装、各种装饰亮片、小五金件的摊位后终于找到了荧光棒，这里真是应有尽有啊。

经过一番讨价还价，终于有家小老板禁不住莲娜的磨功，答应五毛给她600根，莲娜花了300块换回一背包沉沉的荧光棒。

她看看表，快到上班时间了，她背着沉沉的背包，飞快地骑上车，把荧光棒先运回家，然后又急急地骑车往单位跑。

紧赶慢赶，还是迟到十分钟，主任很不高兴地批评了她几句，她有些不好意思地低下头，什么也没有辩解。

其实，莲娜平时很敬业的，只是最近总有些心不在焉地做些错事儿，想想谁出了这么严重的交通事故，要赔这么多钱，要负这么多责任，能不神思恍惚呢，莲娜已经做得很好了，在单位谁也不知道莲娜出的这档子事儿。莲娜是个要强的女人，自己的事儿，会自己担当的，虽然，她会在好朋友面前痛哭叫冤，可是擦干眼泪，她会用自己柔弱的肩膀去担当。

10　阿豹的紧箍咒

莲娜脚不沾地儿跑进菜市场买菜，然后又骑回家，简单地做了两个菜。

她把饭和菜装进大保温桶里，穿上一件厚羽绒服，今晚她要站在寒冷的夜色中叫卖荧光棒，所以必须穿多点儿，她觉得自己像个捆得死死的粽子，再背上装着600根荧光棒的沉重的背包，围着大围巾，哎，行动都不便了。

这些行头太沉重，她上了两次车都没上去，最后，她把车推到一个花坛前稳着，然后自己坐到车座上，慢慢地才能把车子骑动了，好尴尬。

肖文正在门口无聊地转着等待莲娜送饭来，阿豹早已经饿得前胸贴后背了，一看见莲娜的身影阿豹就骂骂咧咧地说莲娜这个衰女人现在越来越懒散了，每次送饭都这么晚，饿得他的脑细胞都不知道死了多少！

看见背着大包两手拿着保温桶累得张大口直喘气的莲娜，肖文惊得赶紧帮莲娜把手上的保温桶拿过来。

"包里是什么东西？"肖文有些好奇地问。

"哦，这里面是600根荧光棒，我今天下午才进的货，马上我要去海大体育馆，今晚著名香港歌星在那里有演唱会，我去批了这些货，看今晚上能不能卖出去，赚点儿钱！"莲娜当宝贝似的把这包东西小心地放在桌子上。

他们俩在不停地看荧光棒，谈怎样赚钱，阿豹在一边忍不住了，嚷嚷着自己饿坏了，莲娜快开饭。莲娜洗了手，照顾阿豹和肖文吃饭。

她自己胡乱吃了几口饭，放下饭碗就要走，说再不去就晚了。

阿豹慢悠悠地说了几句话："就你这样业余卖卖荧光棒几时能把欠我的伤害补偿还给我，喏，快拿去看看，这是今天收到的责任下达书，除了医药费，你要补偿我伤害费、误工费、营养费等等九万零三千元，喏，这份是给你的正本，拿去看。"

阿豹把几张纸推到莲娜眼前，他那狡黠的眼睛不停地眨着。

莲娜手有些颤抖地拿过那几张纸，果然，纸上那刺眼的数字在莲娜的眼前不停地晃动，晃动……

莲娜觉得自己也有些晃动，一阵晕眩，纸从她的手指缝里掉了下来，她一个趔趄差点儿摔倒，肖文眼疾手快地一把扶住莲娜，莲娜有些迷糊。

肖文赶紧给莲娜倒了一杯水，莲娜喝了几口，过了一会儿才缓过劲儿来。

23

"你怎么了？哪儿不舒服？"肖文有些担心地问。

"哦，我中午没有吃饭，一直饿到现在，刚才吃得急了点儿，低血糖，没关系，喝几口水就好了……"

"好吧，我会赔给你的，但是以我的经济能力，真的不可能一下赔到位，请你多给些期限，我赚钱一定会尽快还给你的。"

莲娜是个实在人，不像有些人只会辩解和逃避责任，是人，就要为自己的错误负责，坦然接受命运的挑战。

"你好好养伤，不要担心，有我吃的就有你吃的，这些钱，我会尽快还给你。我去卖荧光棒啦，结束后我回来收拾碗筷和保温桶，给你擦身子，你等着……"

莲娜急匆匆地围上围巾转身跑出去了。

阿豹的一句话追着她："还是找你父母商量凑一凑，别一个人逞强了！"

莲娜骑在破自行车上伤心地流下了眼泪。

知道自己要赔阿豹钱，可是这样一大笔钱明明白白地摆在她的面前，莲娜还是有些害怕。十万，她自己从来没有过这么多钱，要靠她这个单薄的肩膀去抵挡，那不是要了她的命吗？她一个月就那些死工资，这笔钱要赚到猴年马月？自己还没有出嫁就欠了这么一笔巨款，她怎么办？本来就是个老剩女，还有这笔债，真要压得她一辈子喘不过气儿来？看来这辈子是要嫁不掉了！

莲娜神情有些恍惚地骑着车，机械地朝海大体育馆骑去。

11 初当违法小贩

一路上人流像海浪一样朝体育馆涌去……

莲娜到了地方马上忘记了忧伤，她把自行车骑到人多的地方，把背包解下来，拿出荧光棒开始吆喝。

"荧光棒，五块一根！快来买呀，颜色多，质量好……"

莲娜起劲儿地吆喝，这是她昨天听那个女小贩吆喝的词儿，她也现学现卖。

呵呵，还真有人聚拢过来，开始你买三根，他买五根的，很快莲娜的生意开张了，莲娜一下子忘掉了阿豹和那些压得她翻不了身的巨款。

"荧光棒，五块一根！快来买呀，颜色多，质量好……"

可能是昨天的媒体报道，今天来的人比昨天晚上还要多很多，另外今晚还是周末，来买荧光棒的人越来越多，有些人一把一把地买，莲娜很兴奋，一边不断地找钱，一边吆喝叫卖。

很快她卖掉200多根，慢慢地进场的人开始少了，演唱会已经开始了。

这时小贩们开始降价，一根卖三块钱，莲娜又陆陆续续地卖掉将近100根。

这时，有人喊城管来了，那些在四处卖各种小东西的小贩们快速地收拾东西开始四处躲避。莲娜根本一点儿经验也没有，等她把背包袋子扣好时已经有一个城管到了她的身边。

"你是无照摊贩？"年轻城管凶凶地问莲娜。

莲娜魂都要吓掉了。

"不是，我不是无照摊贩，我是来看演唱会的……"

莲娜赶紧撒谎，她是个不会撒谎的人，可是面对这个城管，想起自己刚刚卖的那300多根荧光棒，已经赚了一千多块钱，她可不希望这些钱被城管拿走，所以她马上撒了一个谎，如果不是夜晚，她的脸红一定会暴露她的谎话。

城管有些犹豫，从莲娜的穿戴来看她一点儿不像小贩，她穿得很整齐，乳白色的羽绒服很干净，气质也不像，只是好像在远处模模糊糊地看见莲娜在收钱。

"你把包包打开，我看看里面装的是什么……"

城管犹豫地说。莲娜一听有些怕了，要是打开还不露馅了，不能，绝不能打开！莲娜心一横背起背包就往里走，里面是卖票的窗口和入场口。

莲娜一边走，那个城管一边跟着要莲娜打开包接受检查。

莲娜走到演唱会售票窗口，那城管还跟着，莲娜一咬牙，拿出钱包，问售票员最便宜的票多少钱一张？

售票员说已经开场了，票价打六折，180块一张。

莲娜肉痛了一下，说买一张180元的票。拿了票，莲娜偷偷地看了那个城管一眼，城管一看莲娜真是观众就悻悻转身走了。看一看昏暗的广场上刚才到处都是小贩热热闹闹的场景，现在稀稀拉拉的，只剩下几个运气不好的小贩被抓个正着，那些人和城管高声地叫喊着，说城管无权收缴他们的物品。一声声的争吵声搅得莲娜心惊肉跳的。

走进体育馆的大门，莲娜被震耳欲聋的尖叫和喊声吓了一跳！

这是个人称"情歌王子"在港台大陆非常有名的歌星，据说，追随他的歌迷在华人之中有很多，莲娜看了看，女性占了大部分。

真是不看不知道，一看吓一跳，那么多的女歌迷眼含热泪，喊得声嘶力竭，摇晃着手中的荧光棒，大声地合着情歌王子的歌声一起唱……

这些人像被催眠了，被台上那个衣着光鲜的情歌王子击中了，随着他的一举一动互动回应着，她们的脸上闪动着幸福的笑容。

莲娜也没有找个位子坐下来，她看见有几个小贩正四处转悠，有拿着荧光棒的，有兜售饮料、小瓜子的……

莲娜也赶紧把背包里的荧光棒拿出来叫卖，她一开始还是卖五块钱一根，还真的有人买，在这个疯狂的时刻，买东西的人根本不用思考，买了就挥舞起来，莲娜的生意还真是不错。莲娜把那些赚来的钱，仔细地塞到羽绒服里的拴到腰带上的腰包里，她有种很兴奋的感觉。这些是真金白银啊，真的，她现在对花钱买演唱会的票子进来兜售一点儿也不后悔了！

莲娜不停地吆喝着，演唱会继续进行着，到后半场卖不动了，因为，该有的人都有了，不买的人就是不买。

莲娜松了一口气，开始倦怠下来，她坐到角落里的一个位子上。

背包里还剩下100多根荧光棒没有卖出去，莲娜大概估算了一下，除去成本，她大概赚了近两千块钱！呀！太好了，明天还要多批一些来卖！

莲娜想起自己刚刚赚来的这些钱，浑身充满了干劲儿。

快十一点钟时莲娜回到医院病房，因为周末，她会守在阿豹的病床前过一夜……这时的阿豹已经眯着眼睛，流着口水睡着了，一本美学书歪在枕头边。

莲娜帮阿豹收拾好书本，帮他把枕头理顺，阿豹睁开眼睛，莲娜轻轻地帮他从坐姿顺到睡姿，阿豹顺嘴说自己渴了，她又马上给阿豹倒了些温开水。

肖文正在床头看书，见莲娜回来了，他轻轻起身，坐到旁边凳子上。

莲娜对他笑了笑，也端了一杯温水给肖文喝。肖文清秀的脸上是感谢的笑意。

"怎么样？今天第一次做小贩收获如何？"肖文很担心地问。

"今天做得很好，没想到这么顺利，我明天还去，这里你帮我多担待些！"

莲娜很感激肖文对她的帮助，不管阿豹怎样冷淡，肖文都很耐心地对待阿豹的无理要求。

对阿豹肖文很讨厌，可是，做这些事儿（伺候阿豹）他实际上得到的好处大于他受到的冷落，从成本上来讲，肖文是很合算的。这些天他被莲娜照顾得很舒服，莲娜做的饭菜是肖文从娘胎出生以来觉得最可口的，他妈做的菜从来没有多少油水！都是过水煮的！

莲娜是个实在人，做菜很有天赋，而且她很大方，为了阿豹和肖文能好得快些，那些鸡鱼肉蛋只要是时间允许都会想着法子弄给他们吃。肖文知道，这些菜肴花费是不少的，莲娜对他们这么舍得，可以看出莲娜是个会过日子、心地善良的女人。平衡各个方面的条件，莲娜做老婆应该是个很不错的人选，可是莲娜很穷，没有存款，还欠了阿豹这么大一笔钱，这是肖文很犹豫的地方。如果追求莲娜，那么他是不是就要帮莲娜一起还这笔巨款呢，那他口袋里的十万块钱就要一分不剩了，他又会滑入无产者的泥沼中，这是他无法接受的事实，很穷的人手上有了十万块，和一名不文的感受是截然不同的！

对他这种没有任何背景，又没有金钱的人来说，拥有莲娜的成本太大了，肖文很无奈，在这个城市里，他所有的生活都是在高成本的煎熬下继续着的，他对莲娜很关心，可是又不能以牺牲自己利益为前提来考虑，很纠结呀！

莲娜对肖文只是同情和关心，肖文的存在只是帮她解了燃眉之急，别的什么男女关系她可一点儿没考虑。

阿豹这个大麻烦搞得她现在晕头转向，什么别的都不想。杨兰这时来的这个电话一下子把她拉回到现实之中。

"喂，什么？哦，我刚才手机没电了，你打了一晚上，没有这么夸张吧，什么要紧的事儿？快说吧！"莲娜一边和杨兰说电话，一边收东收西。

"什么？老郑约张总明天一起出去游玩，张总要我也一起去？去两天？"

"喂，我说杨兰，我明天很忙，没有时间，你和老郑说一下，我就不去了！"

"什么？张总说要和我建立恋爱关系？"

莲娜一说出这句话，肖文的身子就一震，阿豹也没睡着，听见莲娜在这边大声地说出这句话也凝神仔细地偷听着。

"我不是明确拒绝张总了吗？"莲娜很不明白这是怎么回事儿。

杨兰说那天张总可能说得不是很明白，莲娜也没有让张总很明白，可能是双方没有充分地了解，再给彼此一个机会，多接触一下就可能不会这么想了！

"我可恨死这个秃头张总了，要不是他，我也不会出车祸，把别人撞到医院，欠下十万的巨款……"

"什么？十万是个小数目？哦，你说我只要和张总好，百把万他都能给我？"莲娜听杨兰这么说声音一下提高好几分贝。

话一出口，一时间莲娜觉得自己太失态了！

她急急忙忙地跑出病房，跑到病房的楼梯拐角处继续和杨兰说电话。

杨兰对莲娜现在这种态度非常着急！

这里有她为巴结老郑而献殷勤的原因，也有为莲娜找好归宿的急切心情，在杨兰这个准剩女的眼里除了金钱地位，什么爱情都是浮云！人会慢慢成长的，一路走来，随着年龄的增长，她得出一个结论：爱情真他妈的是矫情的东西！已经30岁的女人，青春将逝，已经没有资格再和傻小子花前月下，男人真正的经济实力才是硬道理，现在只有抓住这青春的尾巴，为自己做最后最好的投资。

莲娜对着手机和杨兰说自己没时间，她确实没时间，明天还要去进货，今天她的货都快卖光了！

莲娜不相信自己只能嫁或穷或老的男人，她想靠自己的能力去拼命奋斗，老话不是说，吃得苦中苦方为人上人嘛！只要她还有一口气她就不认输！

即使她找不到爱情，她也不会和谁凑合过，这就是她现在朴素的想法！

现在她目前的难关是阿豹，她要解决这个棘手的问题。

回到病房，阿豹已经睡着了。肖文假装闭着眼。

莲娜轻手轻脚地收拾碗筷去洗手间清洗。肖文听着莲娜的每一个动静，心中不停地翻卷着汹涌的波涛……

12 委屈

莲娜一大早起来，在医院病房伺候两个男人吃完早饭就急急地走了。肖文想和她多说几句话也没有机会。

回到家，莲娜马上把衣服放进洗衣机，开到自动档，洗衣机就哐当哐当地洗起来。这些天她内心深处有些感激肖文，肖文确实帮了她不少忙，现在有什么事儿莲娜都是和肖文联系的，有什么状况都先告诉肖文。阿豹的烂脾气从没有好过，他就是很恨莲娜把他弄成这个鬼样子，吃喝拉撒都得在床上，太煎熬了！

　　莲娜面对阿豹的烂脾气总是默默承受着，谁让她犯的错呢，是她把阿豹撞成这个样子的，她觉得忍受阿豹的埋怨和嘶吼是她必须承受的。

　　洗完衣服，她又赶紧去菜市场买菜煮饭，在煮饭的间隙衣物已经洗好甩干了。她这次做了很多饭，把晚饭的分量也做出来了，她想晚饭就让肖文去医院的微波炉里热热吧，她吃完中饭就要去批发市场买荧光棒了。

　　莲娜吃完饭就和肖文交代晚饭的事儿。

　　"我说你应该找你的家人商量一下，别自己死扛着，好像是我逼你去做违法小贩的，我是个大恶人，把你弄得可怜兮兮的，你现在就像个怨妇一样！"莲娜正和肖文交代着事情，听阿豹突然来了这么一句。莲娜愣了一下，眼中突然涌出泪水，肖文看得真真切切，可是她马上把它们顺手抹掉了。

　　"怎么赔偿你是我自己的事儿，你只要允许我分期付你钱就行了，至于我怎么赚钱你不用管！"说完莲娜推门快步走了。

　　留下愣愣的肖文和有些意外的阿豹，因为莲娜从来都是很和善的，轻声细语的，从来没有发过脾气，可是，这次好像她受到了伤害。

　　人是有尊严的，莲娜边走边抹眼泪。她觉得阿豹这么说她就是在狠狠地伤害她，做小贩她不觉得没面子，可是别人这样瞧不起她，误解她，她就觉得委屈！

　　她这么拼死拼活的，没有听到一句理解的话。可是，能怎么办呢？谁让她只是一个普通人家的孩子，她没有家财万贯呢？可以硬气地一下子赔别人这笔钱呢！

　　"没有钱不是你的过错，可是赖账就是你的罪过！"

　　莲娜没有办法，她只有更下力地想办法赚钱，赚钱！赚钱才是硬道理！

　　莲娜呼哧呼哧地赶到批发市场的门口，就听见口袋里的手机狂响起来。

　　谁呀？莲娜不得已翻身下车，从口袋里掏出手机来看，呀！是李婷。

　　对了，上次李婷说周末要来找莲娜一起去看房子，莲娜忙得把这茬儿忘了。李婷说明天约莲娜一起去看房展会。

　　过了这个村没这个店儿，明天这次房展会就结束了，李婷着急要买房子呢！

　　莲娜很为难，这些天她忙得脚不沾地，喘口气都难，哪儿有时间陪李婷看房展会。可是，李婷是自己这么好的朋友，不陪她去有些说不过去，她想了想，决定今天多进货，把明天的货也一起进了，明天就给肖文和阿豹在医院旁边的小馆子里把中饭和晚饭订好，然后送到病房就行了，她明天白天就可以陪李婷看房展会，晚上再去体育场卖荧光棒。

　　明天就当是休息了，这一段时间她累得够呛，也权当她休息放松一下了！

　　果然，这天晚上的演唱会特别火暴，因为是周末，来的年轻人比昨天多得多，人山人海的，莲娜不停地吆喝不停地叫卖，不停地四处观察，随时准备躲避城管。可今天没有城管出现，想必城管们周末都休息去了，小贩的叫卖声此起彼伏，广场上非常热闹，等她买打折票进场时，她已经卖掉400多根荧光棒了！

莲娜今天晚上带了700来根荧光棒，虽然一开始背在背上很重，可是卖得很快，摸着腰间渐渐鼓起来的钱袋，莲娜觉得再苦再累也值得了。

等到下半场已经市场饱和卖不动了，莲娜这才坐在角落里休息喝水。莲娜松弛下来，她靠在椅背上把头仰起来，听着优美的旋律，思绪飘摇久远……

不知何故，莲娜听这个歌星翻唱《绿岛小夜曲》这首歌时眼中一下子盈满了泪水，她没有擦拭，一直让泪水恣意的流淌，流淌……是感慨这美丽的爱情距离自己如此遥远，还是可怜自己孤独无助？可能都有，莲娜现在已经分不清这泪水是为什么而流，只是让自己躲在这个角落里静静的流泪可以把自己淤积在胸口的痛苦宣泄出来，在这里表现软弱没有人看得见。

莲娜静静地沉浸在这美妙中，身子随着旋律轻轻地摇动，像在空中飘忽的羽毛般自由地飞翔，飞翔……

13 婚房时代

莲娜这晚睡得很熟，几乎一个梦都没有做。早上她是被一阵清脆的电话铃声惊醒的，看着还在闹腾的手机，莲娜拿起来看了看，是李婷。

哎！莲娜舒了一口气，还好不是阿豹和肖文，现在只要手机一响莲娜就有些心惊肉跳，生怕是阿豹那里又出了什么事儿，怕接到阿豹那吼叫连连的电话，接了那种电话莲娜一天心情都不会好的。

"哎！你在哪儿呢？我已经出门了。"李婷电话里的声音很悦耳。

"呃，我也快出门了，你就在国贸桥下老地方等我吧。"

莲娜赶紧跳下床，赤脚走到简易衣柜前找今天要穿的衣服，莲娜很爱干净，小小的家里被她擦得一尘不染，木地板能照见人影。

莲娜穿了一件灰白色的薄小羽绒服，紧身石墨蓝牛仔裤，一双黑色平底靴子，整个人看起来很清爽利落。

莲娜没有想到这一天竟是充满了戏剧性的一天！

莲娜快步走着，远远看见李婷和一位年轻男子站在一起。莲娜猜测这个人就是李婷新交的男朋友。

"怎么这么慢，我们都等得心焦死了！别人都进去了，我们来晚了！"

莲娜看见人们拥向国贸，人们都是去看房子，买房子。

在这个到处大兴土木的繁荣时代，普通老百姓却买不起房子了！

房子牵动着整个中国人民的神经，因为它与 GDP 紧紧相连。与国民经济有着千丝万缕的联系，当然与李婷、莲娜这种普通老百姓更是紧密相连，谁不知道老百姓的一套房子连着几代人的心血，上百万的价格啊，谁能潇洒地一掷千金买上就走，反正像李婷这样马上要婚配的青年靠自己的收入是买不起的，拿工资的人家那都是翻光老底，砸锅卖铁几代人一起凑起来的，凑到的还只是房子的首付，接下来每月按揭才是真正痛苦折磨的开始，因为房奴也不是这么好当的。

房奴们自愿把紧箍咒紧紧地套在自己细细的脖子上，从此开始省吃俭用，这痛苦的过程要等待漫漫30年才解得了套。

房子原来是这么奇怪的东西，它不仅仅只有"住"这么一种功能，它所承载的东西很多很多，可谁又能把它说得透彻呢？

可是房奴也不是谁都当得上的，这不，莲娜想当还当不上呢！

她的总存款不久前是五万，现在已经变成两万多，这一阵阿豹和肖文的伙食费及各种乱七八糟的杂乱费用已经又花掉了几千元，莲娜的钱在急剧地减少，生存是她目前需要解决的第一问题。

"喏，我来介绍一下，这是小王，我男朋友！"

"这是莲娜，我好朋友！"

李婷为两人做了介绍，李婷长得娇小玲珑，脸圆圆的，看外表比实际年龄小一些，其实转年就29岁了，莲娜看着李婷很感叹！

要不是这高高在上的房价，李婷原来的男朋友黄波不会为了当这个城市的上门女婿而抛弃李婷，他们两人已经在一起五年了呀！

这个硕士男小王，长相一般，个子一般，穿的一般，什么都一般，实话说没有给莲娜留下什么印象，莲娜朝他点点头，他也微微地点了下头算是打声招呼。

李婷一晃一晃地挽着小王的胳膊，可小王好像不太喜欢李婷这样和他亲热，手臂让李婷挽了一会儿就拉下李婷的手，让她自己走。

莲娜觉得就这么一个动作，可以看得出这个小王不是很在意李婷。毕竟相识三个月就因为房子涨价凶猛而不得不谈婚论嫁，他们之间的感情会有多深呢？

三个人随着人流进入房展会的会场里。展会里人多，待了没多久身上就燥热不已，李婷鞋跟太高，所以她老是想借助别人的臂膀，莲娜忽然觉得这很契合李婷的人生，她老想借着别人的力量改变自己的命运。

城区的楼盘现在已经都涨到三万多一平方米，这些房子他们这些工薪族根本没办法买，就是买60平方米的小户型首付也是不小的一笔钱。

他们只好把目光投往城外的卫星城。那里好些的也要一万八、两万至两万五，只要是挨上城铁的地方，房价就噌噌往上涨。

莲娜一看一问就没有兴趣再问下去，不管怎么样询价，售楼小姐报出的楼盘均价都是令人瞠目结舌的价码，真是涨得惊人，死贵死贵的，反正结果就是一个——买不起！

小王手里拿了一个计算器，一个一个楼盘的问过去，然后飞快地算出每套房子的首付、按揭每月付多少，那种熟练的程度真是让人感叹！

他是越算越烦恼，越算越懊悔，所有他跑过的楼盘又都涨价了！以往他是坚定地相信楼价会跌的主儿，他原来的女友就是拼命让他买房结婚，可他坚定地说再等等，房价一定会大跌的。结果女友等不了，和别人为了经济适用房结婚了，而房价到目前也没有如他预期的跌下来！

那个前女友临走时和他打赌，说房价一定会涨的，就等着后悔吧！他当时狂怒地骂那个女人目光短浅，为了房子要走就走，这种女人他不稀罕。最后他还发誓，是的，他说房子要是再涨，他宁愿裸奔！可是现在他慌了，房子涨大发了，他的大跌预测落了空！

李婷和他就是为了房子才匆匆走到一起的，他心慌慌地准备这次无论如何咬牙要出手了！再等下去他会疯掉的！

小王现在就是一个准备甘心被套牢的准房奴。

"我妈说，房子朝向一定要坐北朝南。"小王不忘强调这个最高指示。

"谁不想坐北朝南天天晒到太阳，可是朝向好的房子，一下要贵多少钱你好好算算，真是的！"李婷很不高兴小王的腔调，什么都是他妈说。

"我妈说，不管什么原因，一定要买这个朝向的房子，不然风水不好，新婚住进去不吉利，所以，房子的面积可以缩小，可是朝向不能变的。"

他们两人就在过道上你一言我一语的辩驳起来。

李婷说要买大一点儿的房子，小王就说大一点儿的房子要在很远的地方这些钱才够首付，所以让李婷多出一些，李婷说自己是女方不应该出钱买房。

小王说那好你不出钱房子就是婚前财产，不会写你的名字。

李婷一听就不干了，说什么自己出钱可以，首付只出三分之一的钱，房子一定要写自己的名字，可是出了这些钱之后，家电她就不买了！

小王问为什么？

李婷说房子是增值的东西，家电一买出来就贬值，她要把钱用在刀刃上。

小王说，他出三分之二没有问题，可是结婚后他的父母要一起来住。

李婷说那我父母也要来时怎么办呢？

小王说长住可不行，这些钱都是他父母所有的积蓄，花在他们这个房子上以后当然要靠他来养老呀！

李婷气哼哼地说，自己也是独生女，这些钱也是父母给的积蓄，女儿也有赡养父母的责任，何况，结婚以后她也要拿工资供楼，凭什么光是公婆来住呀？

莲娜感觉很尴尬。这些很私人的问题当着她这个外人来谈很不好。

可也见得，他们之间根本没有什么爱情，只有讨价还价的利益关系，"房子是关键"跟幸福生活的本意已经南辕北辙，这种婚还有什么结头。

"我当然要成为房主之一，要是你结婚后万一出轨，房子没我的份，我只能是扫地出门的结果，到那时，我人老色衰什么都没有了，那可不行，我不干！怎么着，最后还有一半房产，我也算没有倒霉到底呀！所以，房本一定要写上我的名字！"李婷斩钉截铁地对小王说。

莲娜第一次发现李婷还有这么世俗的一面。

也许是因为"房子"李婷被前男友甩了，她神经受到强烈刺激才变成这样的？现在李婷和小王他们两人的现状就像是贫贱夫妻百事哀的前兆，房子是谁多付钱谁就有话语权，随后的婚后生活，经济状态显然达不到他们设想的高度。

莲娜不看好他们这对儿目前的关系，觉得有点儿像开玩笑，就好像搭伙过日子的草台班子，而且他们之间根本没有维系牢固感情关系的东西。只有房子！难道这就是新时代的婚姻特质？

已经中午了，偌大的场馆里没有开始那么多人了，有些人已经被发展商带到现场看楼盘去了，有些人出去吃饭了。

莲娜觉得很饿，就说一起出去吃个饭吧。

他们三个一起往外走。沿着街道走了不远莲娜看见有个餐馆，外表看起来很干净，窗明几净的，莲娜说就去这里吧。李婷说好，可是小王说想去吃碗面，他喜欢吃面条。

他说着就带领她们往前走，一直走……

李婷受不了了，她说自己脚太痛了，不想走了！小王还是坚持把她们俩领进一家马兰拉面馆。坐定之后他叫了三碗拉面，然后就候着，什么也不说了。

没有了？莲娜想怎么着还应该要两个菜的，可是小王什么表示也没有，李婷好像知道就是这个结果，所以很不好意思地低头看鞋子，什么话也没有说。

这个男人看来很抠啊！这也可以表示，这个男人对李婷不是很宠爱，对自己心爱的女人怎么能这么刻薄呢？何况还有自己这个第一次见面的客人呢。

难道现在就开始把自己当成准房奴了？想想这也可以勉强说得过去吧。可不，为了买房，可不是得节衣缩食吗？理解万岁吧！

可是莲娜很为李婷不值呢！莲娜抬头看李婷，李婷难堪得脸红到耳根子。

吃完饭小王说再回去看看转转，说不定还有好的便宜的楼盘没看见呢。

李婷马上欢呼雀跃起来："好，好，好……"

他们刚走到桥下，一辆去××卫星城的楼盘正组织客户上车去现场看楼。

小王拉着李婷赶紧排队，说今天去看看这个现场楼盘也好。这个房子可以考虑。莲娜很不情愿地被李婷拉上了车。

很快，车子装满了去看房的客户。跟车的售楼小姐拿着一个对讲机说，第五趟看楼车出发了。

14 一个煎饼果子五十万

这是个旁边有一条小河的楼盘，这可以算是一个很大的卖点了。楼盘工地被圈起来正在开发建设，有些楼快封顶了。

现在又有了一个更激动人心的消息，过三年，计划中的城铁要从这里经过。哇！房地产开发商立刻坐地提价，这个地方现在已经叫价两万三一平方米了。

他们刚走进售楼大厅，就看见买房客们围着售楼小姐们叽叽喳喳，熙熙攘攘的大厅里人满为患，一股热浪涌来……

到处是三三两两的买房人拿着印制精美的各种房型图围着售楼小姐问这问那，神情急切，精神亢奋。喔！这是今天准备签合同的人，这些人已经是拿着两万订金正在签合同的准房奴们哟！

买房置业当然是人生一项了不起的大事儿了，房奴们能不大嗓门嚷嚷吗？这种时刻人生能有几回呢？所以这些成年人表现得很亢奋，也很惶惑！

小王和李婷还有这些新加入的买房客是下一次开盘的新买主，这二万三的价格他们已经没有资格竞争了。来的这些新加入者面面相觑，不敢相信这个残酷的现实，都到了城外城了，还要这个价？还没有现房了，这不是要人命吗？

小王和李婷的脸色都变绿了，想在城里买房的愿望是彻底破灭了！

在这个特别的氛围里，人很容易随波逐流，觉得自己抢不到的东西就是最好的！他们都有些后悔自己为什么没有早些到来，不管买得起买不起，他们就是晚到者啊！人声鼎沸的售楼现场，呈现出销售异常火暴的态势……

突然传出一声尖利的哭喊声："一个煎饼果子值了50万了，这下你满意了，你是个饿死鬼投胎呀，饿这么一下你都忍不住，你赔这多出的50万，你这个倒死霉的饿死鬼呀！"

大家闻声看去，一对年约30岁左右的青年男女正在吵架，那个消瘦的女人，气得快疯了，用颤抖的手指着那个像犯了巨大错误的胖胖的男人说着，骂着……

稍后，人们才知道原委：原来他们也是马上要结婚的大龄青年男女。他们已经排到队，摇到号了，前面买房的千辛万苦已经吃过了，好不容易今天怀揣着两万块钱来签购房合同的，就差最后这么一签就买房成功了。可等到正式签购房合同时，这个小伙子有些犹豫了，又想签，又不甘心签，出现头晕眼花心慌气闷的现象，心不甘！还是觉得房价贵了些，非常非常犹豫，心里就一个念头："也许今天签了明天房价马上就跌了！"这是每个买房者的心病嘛！这么大一笔血汗钱，搁谁身上都会心发慌，手发抖。

他想冷静一会儿，就找了个借口说肚子饿了，先出去买个煎饼果子吃……

33

两人出去买了个煎饼果子吃，女人苦口婆心的劝说坚定了他买这个房子的最后决心！

"买了，决定买了！坚决买了，买定了！"

当他们激动地快步跑回售楼大厅要签购房合同时，刚才接待他们的售楼小姐说，他们刚刚出去的那会儿功夫，另一对儿年轻夫妇已经交了两万订金把那份购房合同签掉了！如果他们还想买这个楼盘，那得等新楼开盘了，那时的价格已经上调，确定上调的幅度是每平方米涨价 5000 元。

好嘛！两人赶紧一阵狂按计算器，妈呀！几个月后买一模一样的房子他们要多付 50 万元！一个煎饼果子在几分钟之内净增值 50 万元！

莲娜听得头晕，看那个女人难过得快哭昏过去了！

疯了，房市疯了，人们的神经也快绷不住了，看着那个女人，大家都有兔死狐悲的感觉……是啊！如果再不果断点儿，那个 50 万元一个煎饼果子的故事可能就要发生在自己的身上了！多可悲呀！

15 小王 "被裸奔"

也不知道他们是怎么被车子拉回的房展会，经历了那个煎饼果子事件，小王和李婷都好像被霜打了一样，有些垂头丧气，反正也赶不上二万三那拨了，所以有些买房客像莲娜他们一样草草地看了一下建筑工地的外观就撤退了。

回到房展会的门口，刚下车，他们就被一些围在一辆车子周围高举着牌子的人吸引过去了！仔细看时，只见牌子上写着：××开发商不讲信用，××楼盘坐地涨价。原来这个楼盘排号时说好开盘时房价只涨一千元钱，可今天去签合同时一下子房价涨了两千五，房奴们一下子爆发了，不干了，大家要找开发商老板出来说话。可是，售楼现场见不到老板，现场一下子僵持在那里。

人们不签合同，就是要老板出来说话，想问问凭什么这样信口开河，坐地涨价，这可是一笔不小的购房费用啊！涨得莫名其妙，让人心痛！有人给房客们放小道消息说这个楼盘的老板在房展会呢，便有些人来到会场堵老板，要一个说法。

莲娜和小王还有李婷看了一会儿，准备穿过熙熙攘攘的人群朝场馆里挪去，这时，一个怀了孕的年轻女人，拽住了正要离开的小王大叫起来："你这个臭小子，你今天终于让我抓住了，你收回对我的侮辱，你的预言应验了吗？房价没有大跌而是猛涨了，涨得你藏在犄角旮旯里的钱已经买不到城里的房子了吧？你今天一定要实践你的诺言，脱光了裸奔，裸奔！"

她这样一搞，把李婷、莲娜吓得不轻，大家都懵了！

原来这个年轻女人是小王一年前的准未婚妻，这个女人在以往的青春岁月里已经为小王打过三次胎，最后一次又怀孕时这个女人不想再打掉孩子了，就逼着小王买房娶她，马上结婚。可是小王以房价太高，这时结婚生子不合时宜为由，硬逼着这个女人打掉肚子里的孩子，这个女人当时绝望得快疯掉了，她含泪心碎，毅然决然打掉孩子离开了小王，很快相亲结婚了。

这不，她现在已经结婚，怀孕超过六个月了，过着有房子没有爱情的婚姻生活，无所谓幸福与否，可是，她有了合法的丈夫，可以合法的怀孕生子，只是在漫漫的长夜里，她的心被啃咬着无名的疼痛，她咬紧牙关把小王恨得牙根儿直痒痒，是的，她的青春年华奉献给了小王，可是她却嫁给了一个大她十几岁的男人，过着并不如意的婚姻生活，这些她认为都是拜小王这个无品的男人所赐。她已经没有了幸福，日子就这么痛苦地过着，所以她恨这个男人！今天她和妹妹及准妹夫出来看妹妹的婚房，一下子在人群中看见了小王，还看见了他身边的李婷和莲娜，反正这里头有一个是小王的新女人，她脑子嗡的一下，新仇旧恨涌上心头，嫉恨的毒药开始发酵，不，她要报复，她要让这个糟蹋了她青春的男人今天出丑，羞愧，无脸见人！

她离开时小王骂她的那些无法入耳的羞辱之声此时就在她耳边嗡嗡作响，她不还回去她这一辈子就过不平衡，这个无品男人要付出代价！

"姓王的，你……你这个臭小子……不是说房价会大跌吗？还让我等个一年两年的吗？让我肚子里的孩子也再等一年两年出世吗？你当时不还赌咒发誓说，到时房价不跌你就脱光裸奔么？"

小王的脸刷的变得惨白，他下意识地想逃。

他们三个人一起上前揪住小王，就开始拉扯他的衣裤，那个孕妇不管自己已有身孕，愤恨地上前一把薅住了小王，立刻，小王的脸上映出血痕。小王被扒光了衣服，他只能惊恐地紧紧抓住自己的小裤衩，最后他身上只留有一件小裤衩和一双黑袜子。

小王在大家的眼神中瑟瑟发抖。有人开始围过来，有人开始拍照。

李婷吓得惊声尖叫，莲娜被这种突发事件弄得不知所措。

从这个孕妇的骂声中莲娜还是把来龙去脉弄了个大概，她内心觉得小王有些活该，谁要他这么草率地处理事情，伤害了这个无辜的女人，可是很多东西是人们无法掌控的，包括小王对房价的恐惧，这是谁也说不清楚的。小王像个大海中随波逐流的可怜小鱼，不管他怎样挣扎，他被卷在这个漩涡里无法自拔，他无法相信自己在众目睽睽之下被人强行扒光了，他眨着有些茫然的眼睛，可怜兮兮地看着那个曾经和他相亲相爱的女人挺着个大肚子，肚子里装着别人的孩子，脸上写满仇恨，歇斯底里地咒骂他……

他的思维有短时间的短路，他有些不明白自己身处何方，要往哪里去了……周围全是眨巴的眼睛，眼睛……嘀嘀咕咕的嘴巴，嘴巴……

他怎能知道房价会像火箭一样不停地往前冲？估计神仙也不知道，他只是觉得房子这样涨下去一定会崩盘的，他无法说服这个女人和他一起等待房价的下降，可是，这个女人不知道他的内心有多么痛苦和彷徨，女人等不住了，其实现在小王也撑不住了，他对房价大跌的信心已经动摇了！

他眼看着自己的女人，他钟爱的女人为了房子走了，离他而去，他的心有多痛？他知道自己买不起她要的房子。他只有期望房价降下来，降下来，他就可以娶这个他爱的女人，可是她等不了，房价等不了，他有什么办法？他只有眼睁睁看着她离去！

小王精疲力竭地被李婷拖到某一会议室一把椅子上不停地大口喘着气。他的眼神发散，整个人像垮掉的面布口袋一样。

莲娜看他这个可怜样，不禁有些同情，接了一杯温水，递到小王手里。

小王一连喝了四杯水才喘匀了气，然后他一声不吭地坐在那里发呆……

李婷只知道小王以前有个未婚妻，已经到了谈婚论嫁的地步，只是因为房子的事儿他们才闹崩了。大龄青年哪个没有一部恋爱血泪史？至于什么具体情况，小王没讲，李婷也不好问，毕竟他们认识才三个多月，无法深入太多，何况，这是别人心灵深处的隐私。

李婷和前男友，也是因为房子闹得不欢而散，血泪一大把，她不会也不可能把具体细节告诉小王呀。可是，今天小王的隐私伤痛却以这样惨烈的戏剧性情节上演，而且是这么赤裸裸的，太刺激神经了，一般人都是受不了的。

正在尴尬时分，突然，会议室里的灯光大亮，人们走进会议室，三三两两的人们开始在四处空着的椅子上落座。

不久，有主持人在试麦克风："喂，喂，喂……大家坐好，都找位子坐好了，我们今天要请某地产大鳄，著名的房地产开发商，这个行业的领头人，为大家演讲，为大家精辟地分析最近房地产发展的走势，以及房价的涨跌起伏趋势……"

这时，一个雄赳赳气昂昂穿西服的中年男人走上讲台。

哦，这就是大名鼎鼎的地产大鳄，他的房价上涨的论调被房奴们深恶痛绝，可是，不幸的是，他每每预测房产要涨价，果然过不了多久房子的价格就像他的应声虫，节节攀升，节奏每每都是按着他的预测不离不弃的配合，不断地向前冲，向前冲。房奴们对他是深恶痛绝，可是，这些都不影响他在地产界权威的盛名。

从开始到结束，从理论到实践，地产大鳄在台上滔滔不绝，最后他得出的结论是，房价目前是不会跌的，不仅不会下跌，还会上涨，上涨……

莲娜一听权威说房价短时间内不会下跌，还是会涨，她的心就拔凉拔凉的，照这样下去，估计她一辈子也买不起房子了，反正各种矛盾纠结，不是说一个降房价就解决得了的，最后她就记住一条，专家说的这一条就是，你是刚需就买吧，等房价降下来再买的理想不可能实现了。

莲娜正叹气呢！突然，身边坐着的小王眼神不对了，他大喊一声，把还没有系带的皮鞋从脚上扒下来，朝台上那个地产大鳄使劲儿扔过去。

他失控地大叫一声："去死吧！"

两只鞋子像两颗子弹飞向地产大鳄，地产大鳄冷不防被臭鞋袭击了。还好，地产大鳄眼神一闪瞥见两个黑乎乎的东西向他飞来，他机敏地一转身，鞋子擦肩而过，没打中。

会场一片哗然，人们纷纷回头来找这个扔鞋子的家伙，见是一个不起眼的小伙子，他气得满脸通红，嘴中语无伦次地喃喃自语，神情激动，不能自控地想冲上台来，有个女人连拽带拉地把他拉出会场……有人鼓掌，有人惊叹，现场一阵大乱……

一场精彩的演讲被小王的鞋子打断了，搅和了，所以，精彩戛然而止。

在不远的角落里，莲娜看见小王只穿着黑袜子狼狈地坐在地板上，李婷神情沮丧地站在他身边不停地说着什么，小王什么也不说，只是低着头发愣。

刚才那个地产大鳄的上涨理论，让小王已经疲累不堪的神经再也受不了了，当时他觉得自己已经无法呼吸，只是模糊的看见台上的那张大嘴不停的说着上涨，上涨……他仿佛一下被一个巨网罩住了无法脱身，整个人像魔住了一般……被硬生生架在一个火山口上烘烤着，怒火熊熊燃烧……

小王穿好鞋子无力地和李婷说，他今天很累了，想要自己一个人待着不受人打扰，不用李婷送他了，他先走了。然后他向莲娜微微地点了点头，脸上带着五条血痕，低头自己走了，留下面面相觑的李婷和莲娜默默无语。

李婷有些欲哭无泪，莲娜把李婷扶到一边的椅子上坐下，默默地拍着李婷的肩膀无声的安慰她。

这时，莲娜的手机响了。

"喂？"莲娜轻轻的喂了一声。

"喂你个屁，你这一天混在哪里啊？今天就给我吃这些乱七八糟的东西？"阿豹那个火药味十足的声音在电话里叫嚣起来。

莲娜今天经历了这么些戏剧般的情景，早把这个阎王忘到脑后了，现在一听他的声音，心一下子揪了起来，阿豹又开始发作了。

"那个，我不是安排小饭馆给你们送饭了吗？"莲娜赶紧回答。

"好了，饭先不说了，我的房子你找了没有，房东今天已经开始撵我了，你在那里瞎磨蹭啥？"

莲娜这阵忙得脚不沾地，把这个茬子给忘了。哎呀，怎么办呀？

"你快给老子过来，立刻来这里解决掉！"阿豹狠狠地把电话给挂掉了。

16 肖文发怒

莲娜和李婷气喘吁吁地跑进医院病房，推开门看时，阿豹脸红脖子粗，正和薛丽争吵得不可开交。

"你给老子滚远点儿，我说了，我的事儿不用你来掺和，你该干啥干啥去！"

一见面薛丽和阿豹便理论起来，莲娜赶到正好看见这唇枪舌剑的一幕。

看见莲娜到了，坐在病床上的阿豹马上松了一口气。

"好了，莲娜来了，明天你马上帮我搬家，把这个问题落实了，薛丽你走吧，以后都不要再来了，看见你我就头疼，心情不爽，为了我好好养病，你以后就不要再出现在我面前了。"

阿豹马上抓到莲娜这个救星，说完身子一躺，挺在病床上不再看薛丽一眼。

看莲娜过来了，薛丽马上冲莲娜说道："莲娜你来得正好，你说，阿豹出院住在哪里？你给他找好房子了吗？条件绝对不能比现在住的房子差，他腿的恢复需要大空间来锻炼，你带我过去看看。"

莲娜一听薛丽这么说，脸马上涨得通红，她根本没有时间和钱给阿豹找房子，她的打算就是把阿豹搬到她自己住的小一室一厅去，卧室让给阿豹住，她自己在客厅搭个临时简易床凑合一下，她真的没有钱给阿豹租房子啊。

"我，我……"莲娜有些说不出口，阿豹要是听她说出这打算来，会不会气得从床上蹦起来甩她一个响亮的耳光？

薛丽要马上和莲娜去看房子，没办法，莲娜只好咬牙硬着头皮说："其实……我没找……我……我是想把阿豹接到我那里去住，我才……有时间好照顾他，不然，阿豹出院没人管，可怎么办？"

莲娜的话一说出口，病房里一片寂静，谁都没有说话。

薛丽有些惊呆了，这个莲娜看着普通，可是心里想的什么呀！难道要阿豹和她同处一室？孤男寡女，这怎么可以？退一万步来说，薛丽内心深处可是万般不舍得离开阿豹这么优秀的男人，现在是无奈和这个煤老板在一起，可她知道他们之间只有钱，哪里有什么真情？阿豹可是她的精神支柱呀！

阿豹是个潜力股，这个她比谁都清楚，上次大卫那个画廊签阿豹的价格就说明阿豹不是个小角色，他不会永远被埋没，他还需要时间打磨，挣扎一两年，过了这道坎儿，他的前程是一片辉煌！

想想阿豹怎么也便宜不到这个叫莲娜的如此平凡的女人。阿豹最不济也是她薛丽的备胎，还轮不到莲娜这个女人。

"谁说没人管，我来管，你给阿豹找个保姆就行了，不需要你这样贴身照顾，你这不是变相要和阿豹同居吗？"

"我……我真的没钱再给阿豹租好房子，你放心，阿豹住我的卧室，我买张折叠床住在客厅里就行了！"莲娜无奈地解释。

"就你这样的穷老女人还想勾引阿豹，你也不撒泡尿照照自己的样子。没人要的剩女，心机还很深呢！"

薛丽张口就骂上了，女人对别人要夺自己心爱的男人自然是深恶痛绝的。

莲娜被薛丽骂懵掉了，张口结舌不知道自己该说些什么，一副可怜相。

病房一阵沉寂。这时有人说话了："这位小姐不要乱说话，你这样的语言太侮辱别人的人格了，不文明！"

坐在另一个病床上一直默默无语的肖文这时开腔了。

"这位女士，你口口声声叫别人穷人，老女人，告诉你，你才是这里最没有资格说莲娜小姐的人。"肖文有些激动地说。

"我们在这里的哪个人，可以做到白天上班，下班后还要做饭送过来，然后匆匆忙忙拖着疲惫的身体去批发市场批发荧光棒在寒风中不停地叫卖，没有人可以做到。可是莲娜这样做了！她为了什么这么拼命？去透支自己的体力和时间？她是为了担负起自己的责任？你说她是穷光蛋，是，在这件事情上她完全可以以歪就歪，反正自己是穷光蛋，要钱没有，要命就一条；她就不付医药费，她就不来医院照顾你，管你吃饭，伺候你，当个老赖！你又能把她怎么样？可莲娜是怎么做的？她用她微薄的力量积极地做着善后，以自己最大的努力去弥补受伤害一方的损失，尽力让阿豹吃好，心情好。你们也看到了，阿豹这个臭脾气，每天都心情不爽，好像全世界都欠他的，他不仅仅是气莲娜把他弄伤了，恐怕更主要的是你这个前女友的所作所为吧！你对阿豹伤害最深，现在来看看你是怎样的女人呢？自己男人遭难了，没钱了，你就撇下他跑得远远的另攀高枝，搞别的有钱男人，你不说说，你花的钱有几分是自己用血汗挣来的？以前你靠阿豹养活着，现在阿豹倒霉了，你又靠别的男人养活着，你充其量就是寄生虫一个，所以，你现在有什么资格在这里对莲娜说三道四？你对阿豹的伤害是在他的心灵深处，无法医治，而莲娜对阿豹的伤害是可以用药医治好的……"肖文的声音不高，可是句句敲打在病房里每个人的心上。

"照你的说法，我们这些穷人只配住在阴沟里？我们就是住在阴沟里也比你住在皇宫里强，因为我们心安理得，我们有自己的生活，不劳你来指责，连阿豹都对你的行为不齿，可见，你在这里是不受欢迎的人。"停顿了一下肖文继续说："阿豹，你也该体谅下莲娜的苦心，她这么善良，这么善解人意，就凭她这么拼命地对待你，你也不应该再这样对她，你对她招之即来挥之即去，不尊重她的人格和劳动！她每天都这么累，还为我们细心地做这些可口的饭菜，你看，我们吃了她做的饭菜都胖了。对你的霸道、呵斥她都默默地忍受着，其实，在人格尊严上她不欠你一分一厘，你以后不要再埋怨她了，不要再给她压力了……"

"也是，你们孤男寡女的住在一起也不合适，这样，我住的那套房子，另一间的房客已经买房搬出去了，房东正在招房客，那个卧室不小，我们客厅还挺大的，莲娜你可以考虑租下来，阿豹出院以后，那间大的卧室我可以和阿豹同住，像现在一样，晚上我还可以这样照顾他，我住的那小间你来住，你给我们煮饭，洗衣，打扫房子，情况还像现在一模一样，房租和你自己租的那房差不多，经济上不会比现在花费太多，你看呢？"

肖文轻轻地问莲娜，他清秀的脸上满是真诚，莲娜给肖文拿东西时去过肖文住的地方，客厅确实比她的大两倍呢，不用多付房租，可以一举三得的效果，莲娜当然求之不得呢！

　　"阿豹，那个房子我去看过，客厅挺大的，不会耽误你康复锻炼，那个大阳台足够你画画用的，我给你收拾得温馨些，应该很舒服的，可以吗？"

　　莲娜听了肖文的一席话，眼中盈满泪水，她的苦肖文都看在眼里，她紧绷的心立刻变得有些柔软。

　　阿豹低着头没有言语，是的，肖文说的每一句话都敲打在他的心上！对薛丽他是痛恨交织的，自己这个样子其实罪魁祸首是薛丽，如果不是薛丽在他落魄的时候对他背信弃义，让他颜面尽失，让他耻辱地挣扎着，那些日子他不可能行尸走肉般地活着，也不会每天在酒吧借酒浇愁……那天晚上也不会在酒吧里喝酒，然后骑快车，被莲娜撞得那么惨。薛丽以这种残酷方式打击了一贯雄心万丈的自己，他突然对自己产生了怀疑，几近放弃自己。那段时间他没有兴趣拿起画笔，没有勇气在没有薛丽的空房子里独自待着，这次意外车祸，让他莫名其妙地和这两个不相识的人弄在一起，他们同处一室，一起吃饭，互相支撑地活着，活着……

　　其实，现在要是马上让他出院，让他一个人待在一个豪华的房子中胡思乱想，光想想这种情景，他就觉得真的比死还难受啊！

　　和肖文这些天的共处，他已经习惯了肖文很安静地待在一边，在他需要帮助的时候，喊他一声，肖文就麻利地帮他办到了！还有莲娜，他每天都在悄悄地期盼莲娜带好吃的家常便饭来……不得不承认，那些饭做得很香……让他想起妈妈的味道。

　　面对莲娜的泪眼，阿豹不由得心慌起来。他慌乱地点点头。

　　"就听莲娜的，莲娜你处理就行了，我累了，要睡觉了，薛丽你走吧，以后不要再来了，我不想再看见你！"

17　李婷瞧不起莲娜的小生意

　　薛丽恼羞成怒，脸红脖子粗地骂肖文狗拿耗子多管闲事。

　　阿豹沉着脸呵斥薛丽，让她离开病房，一切由莲娜去处理。莲娜对阿豹小声地说了句谢谢，转身拜托肖文细心照顾阿豹，她马上要回家取荧光棒去体育馆叫卖，今晚是演唱会的最后一天，生意一定会好的。肖文答应了。

　　莲娜带着李婷走出病房。

　　"你真有艳遇，一下碰见两个帅哥！"李婷很是羡慕地对莲娜龇牙咧嘴地笑。

　　"你喜欢他们哪？那换你去撞阿豹，我让给你呗，十万元的赔偿呀，我可不喜欢这样的艳遇！"莲娜赶紧摇摇头，拉着李婷去坐公共汽车。

"我才不要这十万债务呢，我现在要买房正愁钱从哪里来，哎，莲娜你几时开始做小贩了，生意怎么样？能赚钱吗？你今晚带我去看看，怎么当小贩赚钱，我也想去学学，要是好赚，以后我也晚上去业余做小贩，多赚些钱呗！"

"好啊！你去看看，要是想干，我们以后一起搭伙做小生意呀！"

她要一边干着，一边找寻机会，希望可以找出赚更多钱的路子。这或许就叫穷则思变，莲娜已经开动了要多赚钱的神经系统，她要开始大干苦干了！

今天她们来晚了，很多歌迷都开始进场了。莲娜赶紧拿出荧光棒开始叫卖。今天来的小贩也特别多，可能是前几天荧光棒卖得很好，小贩们发展了更多的亲戚朋友们都来叫卖，就像莲娜也把李婷带来一样，人多，货多，荧光棒就不如前两天好卖了，而且货一多小贩们就开始贱卖了，大家互相拆台，以前一开始可以叫卖五块钱一根的荧光棒现在三块钱一根还不好卖呢。

"大甩卖啊，大甩卖……"莲娜不停地叫卖，李婷却不好意思地缩着。

"喂，你不是想赚钱吗？那快叫喊呢。抓一把在手上晃悠，别不好意思，这里又没有人认识你，快喊呢！"莲娜不停地鼓励李婷。

"嗯，不行，我喊不出来，太掉价了，我李婷好歹是一个白领，这做小贩的活儿，我干不来，真的，无法张嘴。干这个多辛苦啊！你看你，喊了这么久也没有多卖出几根，也根本赚不了什么钱嘛，我看，你这做小贩的事儿，到此为止吧！我们拼死拼活读完大学是为了什么？可不是为了当这种没有技术含量的小贩的，莲娜，我劝你想别的赚钱方法吧，这个发不了大财的，你看看那些个发大财的人，哪个不是有背景、有后台的，做生意要攀上那些路子才行，做这个没有尊严，赚的是血汗钱，还是小钱，不值当的，我们走吧，再想想别的赚钱路子！"

李婷袖着手，弯着腰，手上抓着一把荧光棒，脚下的高跟鞋直愣愣地杵着，她很累了，她穿着这么高跟的鞋子站在这里叫卖荧光棒真的是显得很滑稽。

莲娜在心里摇头，哎，她们两个人的想法真的是南辕北辙，找赚大钱的路子？到哪里去找啊！她现在卖一根是一根的钱，这就是实惠，这就是收获！

莲娜刚想对李婷说让她回去，她的手机响起来了，是杨兰打来的。

"喂，你在哪里？在家吗？我来接你。"杨兰说。

"哦，我不在家里。"莲娜赶忙回答，她怕杨兰直接到她家去。

"那你在哪里？我去接你。"

"你来接我干什么？我在海大体育场门口卖荧光棒，李婷也在，有什么事儿，改天再说，我很忙呀！"莲娜说完就挂掉电话，赶紧又接着开始叫卖荧光棒。

又热闹了一阵子，大部分歌迷陆陆续续走进体育场。广场上的歌迷已经不多了，剩下的小贩们显眼起来。

这时，有人大叫："城管来了，快跑啊！"小贩们一听到城管这两个字儿，迅速收好自己手上的货物然后奋力逃开。莲娜一听城管来了，马上把荧光棒塞进背包里，抬腿就跑，她穿着一双平底鞋，轻便合脚，跑了几步就快脱离危险了，回头发现李婷不在身边，再往远看时，只见李婷被一个健硕的城管抓住了，因为李婷手上拿了十几根荧光棒，正在那里瞎晃悠呢。

看见莲娜撒腿就跑，李婷心一急，也拔腿想追上莲娜，可是她心慌，脚上更慌，踮着够尺寸的高跟鞋，踮着脚扭着脚跑了没几步，脚下一歪，高跟鞋的鞋跟一下子被扭断了，李婷扭了脚脖子，跑不了了，她的脚下可笑地一高一低悬着。

一见李婷被抓住了，莲娜就跑回来救李婷。

"你，把背着的包包打开，如果里面没有荧光棒我就马上放你们走。"这个城管非常肯定李婷和莲娜就是无证小贩，他抓住李婷的胳膊就是不放。

李婷的脚一高一低，她可怜地哀叫着说，自己不是小贩，就是来看演唱会的歌迷，这些荧光棒是买来看演唱会用的。

旁边几个被抓住的小贩开始歇斯底里的咆哮，有些小贩则苦苦的哀求。李婷和莲娜却拿不出演唱会的门票，城管的眼中就开始现出得意来。

"我们在广场的北面，你快来找我们，把门票带上，我们演唱会的门票不是在你的包包里吗？快点，快点来，城管说我们是无证小贩，要抓我们罚款，真的是很可笑呢！"李婷大声对着电话说，并不停地指出她们所在的方位，城管听到李婷说这通电话越说越真，脸上开始有些不自信起来。

这时，有辆华丽的奥迪小轿车停在他们旁边，车门开了。只见从里面走出一个打扮入时的女人，看起来身份很神秘，一股无形的压力朝众人袭来……

她大大方方地向他们走过来，镇定地看了看城管不动声色地说："我来接我这两个朋友看演唱会，你有什么问题吗？"

她脸上笑着，可是语气给人暗藏杀机的感觉，好像很有背景，深不可测。

城管一看这个女人的来头不小，就放了抓住李婷的手，很不甘心的转身走了！

"快，快，走了，上车，快上车。"

李婷弯腰捡起扭下来的后跟儿，一高一低，一颠一颠地快速小跑到奥迪跟前拉开车门就钻了进去，生怕有人要抓她进拘留所。

奥迪华华丽丽转个一个圈儿，在夜色中汇入到车流中去了。

18 别墅

"杨兰，你开的谁的车，真的很豪华呀！"李婷不住地左右看，羡慕的不行。

"哦，老郑新买了部宝马，这部旧车就借给我开了玩儿。"杨兰不经意地说。可是，莲娜和李婷都能从她的语气里听出得意来。

"哎，你真的和姐们不是一个阶层了，连旧的都是名牌，有钱人就是不一样啊！杨兰你太牛了！"

杨兰不置可否地笑了一下。

"可是，有的人看见有钱人就躲得远远的。莲娜，你对张总怎么这么狠心呢？也真是的，你越是冷淡他，他越是稀罕你，人就是贱，你看昨天张总巴巴地望着你去，念叨了一天，今晚还是巴巴的让我来接你，我可说好了，今晚你一定要给足我面子，到了张总别墅做客你一定不能对别人冷淡，好歹有个笑脸。不瞒你说，这个张总真的很有实力，你要是喜欢他，嫁给他，我和老郑都得仰仗你的鼻息，让你三分。"杨兰一边开车一边对身后坐着的莲娜说。

"真的？有这么好？莲娜，你终于脱离苦海了！"

"我不喜欢他，我还是别去了，你送我回家吧。"莲娜一听要去张总的别墅马上就打退堂鼓了。

"怎么？你疯了？这么好的金龟婿你不要，该不是你看中那个叫肖文的穷小子了？"李婷惊得眼睛鼓鼓地看着莲娜。

"哎，不是见到有钱人就要嫁啊，还要看看双方合不合适，我又不了解他，何况，他比我大这么多，不合适。"莲娜连连摇头。

"哎，莲娜，你快答应吧，别让你那个情哥哥，不是，应该是情大叔太难堪啦，你看你，感情不都是培养出来的吗？你现在这么难，那个被你撞在病床上的讨债鬼叫什么阿豹的，正等着你的大笔赔偿呢！你要是和这个大款好了，那你的债不就是他的债吗？这个灾祸不就是和他约会时弄出来的吗？那他也有责任，他大笔一挥，你头顶上的大山不就甩到太平洋里去了吗？真的，看来，他是你的贵人，你一出事儿，就有个货真价实的大款让你傍，多舒畅啊！"

李婷的话被杨兰打断了。

"人家张总是以结婚为目的和你交往，你还得感谢我这个媒人呢！我在张总面前说了多少夸奖你的好话，莲娜，真的，我觉得你是个好姑娘，真的希望你嫁一个有经济实力的好男人，不要再受苦了！"杨兰真心的说。

"哼，他说结婚后只要是不生孩子，什么都好说，他怎么能说出这么自私的鬼话，他凭什么不让他后娶的妻子生育孩子，做母亲？就这一条，我和他没得谈，太霸道了，没有后代，我捧着一堆钞票过日子有什么意思？何况，我又不是这么爱钱的女人，这个张总还是找别的女人吧，别在我这里浪费时间了。"

莲娜不屑地摇了摇头，把背靠在舒适的真皮座椅上，闭上眼睛，叹了一口气。

"嗨，你先答应他呀！等结婚了，你再说要孩子他哪有不答应的理由？"

"对，对，李婷说到点子上去了，先答应他不要孩子，到时候有了，我才不信他不要自己的亲骨肉，还是李婷聪明。"杨兰大加赞赏。

"喂，杨兰你不够姐们，这么有钱的大款你怎么不想着我李婷呢？你也帮衬帮衬我么。你说我是不是你的好朋友？"李婷有些不满地埋怨杨兰。

"咦，你不是有了新男朋友吗？不是两人还要买房，急急地想结婚了吗？嘿嘿，是不是有情况了！"杨兰有些揶揄李婷道。

"呸，你这个乌鸦嘴，姐们可不会做这个奉子成婚的丑事儿！何况，现在谈的这个小王估计人品不好，今天才知道那些个情况，和他的结局不好说呀，太复杂了，你问莲娜，她今天和我们一起去的，那些出来的状况像演戏一样一样的，讲给你听你都不会相信，可是，却是真的发生了呀！"李婷心有余悸地说。

"哦？什么情况快给我说说，也让我戏剧一把。"杨兰起劲儿地说。

李婷和莲娜就你一言我一语的开说了……

杨兰听的都快笑岔气儿了，连连笑问，真的吗，真的吗？莲娜当时没想到要笑。可是现在这会儿，气氛很轻松，想想那些令人瞠目结舌的画面和细节真的很搞笑。

她也大笑起来，李婷可是笑得比哭还难看呢。

杨兰一边开车一边介绍："这个别墅是张总三年前买的，当时花了500万，现在升值了，1000多万市值呢。400平方米呀。"

"啊，1000多万呢，我们现在才买那么点儿小房子，估计那点儿钱只够买他别墅一间厨房呢！现在还可怜兮兮的首付都不够呢！"李婷马上羡慕起来。

车来到闹中取静的一片豪宅前。别墅大门口修得金碧辉煌，门口有好些个保安在执勤。杨兰摇下车窗，对门口的一个保安说了一个房号，保安按下对讲机对里面的会所通报。

过了一会儿里面来了电话，保安放行了，车开动时，保安向她们立正敬了个礼。

"哎，住在这里被人这么捧着，那种高人一等的心理立刻就会膨胀呀！"李婷羡慕地说。

"呵呵，那人家莲娜还不愿意来这里当女主人呢！"杨兰说。

"哎呀，莲娜你别傻了，有这么好的机会，要抓住啊！"

"对，对，对，莲娜你一定要好好把握，别任性了呀，我们这种剩女，贬值最快，再不决断点儿，一辈子都嫁不出去，那多么悲惨呢。"李婷语气悲凉，神情也很悲戚。

车里一时有些压抑，杨兰想转正也不是那么容易的，最难缠的是老郑那个宝贝女儿小红，只要她爸爸一交朋友她就要想方设法的拆散，那想出的各种整治老郑外面女人的方法真是缺德。可是，老郑和杨兰又拿她没办法，你要是想严厉地教训她，她就哭着到处诉苦，说爸爸为了取悦外面的女人开始虐待她，只要她一闹，老郑就没有不投降的，这是他的亲骨肉啊，是他的法定继承人，谁撼得动她的地位呀。

可是，杨兰肚子里打着狠主意呢，这要是哪天杨兰转了正，成了老郑夫人，一定赶紧生个儿子，那时再收拾这个嚣张的小红那不是小菜一碟，她要狠狠地下手，把自己所受的屈辱一一还回来！

🌸 19　殷勤富豪

张总的门前有个小花园，旁边停了几辆车，其中有一辆崭新的宝马。

杨兰说这部车就是她家老郑新买的。

为了和张总他们拉近关系，老郑最近也换了车，不然显得太寒酸了。

李婷不争气地跑到新车前，还用手不停地上下抚摸着。

"真豪华！杨兰。"

杨兰有些得意，又有些故意地压抑自己的快感。

"别摸了，这样显得太小家子气了，我们进去吧！"

杨兰在一扇大门上按了门铃，门开了，有个50岁左右的女保姆打开了大门。

"啊，杨兰小姐来了，你们好！"

"杨妈你好。"杨兰回应到。

女保姆杨妈热情地迎接着他们，门前有一个厚厚的大地毯，杨兰在地毯上使劲儿地蹭了两下，李婷也赶紧地学了样。

"张总，杨兰小姐和她请的客人来了。"杨妈跟在她们身后大声通报。

"啊，莲娜小姐来了，快请进来吧。"

张总人未到，热情的招呼声却是到了。

走出玄关，莲娜她们来到一间100多平方米的大客厅里，这个张总好像喜欢黄金的颜色，大厅装修的感觉就是金黄黄的，晃人眼呢。

屋里的暖气开得很足，迎过来的张总穿着衬衣，老郑也跟了过来，老郑比较胖，圆圆的脸上都是肉，张总长得比较高，有1.8米的样子，只要他的牙不露出来，看相还是可以的，就是头有些秃，显得比老郑还老一点儿。

后面有几个人从桌边回过头来看她们，哦，他们在打麻将呀。

"莲娜，你真是难请呀。"老郑笑眯眯的，有些巴结莲娜的意思。

莲娜微笑着对老郑点点头，张总已经热情地伸出大手握住莲娜纤细的手指。

"莲娜，欢迎，欢迎，欢迎你来我家做客。"

莲娜有些勉强地对张总微笑，杨妈在一边接过杨兰脱下的外套，莲娜也脱下自己的羽绒服，露出穿着贴身毛衣的苗条身材，曲线凹凸有致，笔直匀称的大腿线条被紧身牛仔裤勾勒出来，黑亮的头发利落地扎了个马尾，白皙的脸庞在温暖的光线照耀下闪着晶莹的光，一点儿不像快三十的女人。

张总在明亮的灯光下看着莲娜，越看越喜欢，不禁咧嘴笑了，莲娜看见他抽烟熏黄的牙齿有些窘迫地低下了头，张总以为莲娜害羞了，更是欢喜的不得了。

"来坐，来坐。"张总把莲娜直往那套豪华真皮大沙发上让。

"莲娜小姐，你最近很忙很忙吗？杨兰都约不到你，下次杨兰约你你一定要来哟，莲娜小姐喜欢怎样的活动呢？"张总殷勤地问莲娜。

"我这个人可能很无趣，没有什么特别擅长的本事，就喜欢做些家常菜，这可能是我的优点吧！"莲娜不得不说些话来打圆场。

"哎，莲娜小姐喜欢烹调啊，这太好了，下个周末我叫杨妈多买些材料，你来做菜显示一下你的手艺？就这样说定了，杨兰你和老郑一起来。"

张总一下子就定了下次的约会，这真的是强行约会呀。

"好啊，好啊！张总你不知道，莲娜做菜的手艺是很棒的，我和李婷经常去她那里蹭饭吃，就是想吃她那一口，我们一定来。"

"我也来，算上我一个哟。"

李婷赶紧报上名，别人没有邀请她，她倒顺坡驴，骑得飞快。

"哎呀，不好意思不行的，病人阿豹那里那么多事儿，还有，我自己也有很多事儿，没时间，晚上我还要去当小贩，来不了，不好意思，你们聚吧，谢谢张总的邀请，我就不来了，以后有机会，再品尝我的手艺……"莲娜赶紧摆手说道。

张总有些发愣："什么？莲娜小姐你说你要做小贩？"张总疑惑地看着莲娜，莲娜勇敢地迎着他的目光。

"是的，我骑车把别人腿撞断了，现在病人在医院里躺着，我得负一切责任，还要偿还一大笔钱，所以，我要赚钱赔偿给受害人，刚才我就和李婷在海大体育馆门前卖荧光棒，是被杨兰硬拉过来的。我真的没有时间，请你们谅解！"莲娜很大方地说。

莲娜的话像一颗惊雷把张总和杨兰、李婷都炸懵了。

张总听了莲娜述说的经过，心中升起一阵不一样的感动，不觉对莲娜有了极大的好感！

张总出生在一个很贫穷的村子里，家里穷的叮当响，还好张总的母亲是个伟大的母亲，知道她的孩子只有好好学习才能跳出农门，才能到大都市里去看世界。张母倾尽自己所有的能力，艰难地支持着张总读书。

张总的哥哥姐姐很小就辍学，家里只供他一个人上学，他学习好，一直是三好学生，后来考进了县的重点高中，每个暑假张总都要干各种农活，帮助母亲为他赚学费，他还经常蹲在乡里的集贸市场叫卖鸡蛋……

张总就是这样考上了北京的名牌大学，又很艰难地读完了大学。其实张总是很喜欢继续读书的，他想接着考研究生，可是家里实在是供不起了，那年代，他可以因为成绩优异被留在这个大都市的一个权力机构做个小科员。

其实，像他这种无权无势的凤凰男，前妻刘贝贝（张总他们机构最大的头的女儿）对他是绝对看不上眼的。刘贝贝那时喜欢和一帮高干子弟在一起玩儿，她莫名的就喜欢上一个经常在他们圈子里混的行为艺术家，那个家伙在刘爸爸眼里就是游戏人生的小流氓，可刘贝贝为了他还多次流产，后来那个混混去美国了，刘贝贝混的嫁不出去了，刘贝贝狼藉的名声在他们那个讲求门当户对的圈子里不怎么好。

刘爸爸只好出此下策，选中了没有任何背景的从农村出来的朴实大学生张总，刘家恩赐他让他入赘了刘家，让他娶了刘贝贝这个跋扈娇小姐做妻子。

而现在的刘贝贝早已把张总休掉了，她招摇地到美国去找那个居然混出点儿名堂的行为艺术家去再续前缘了。

张总儿子张刘桢读着贵族学校，被刘爸爸和刘妈妈看成刘家的财富继承人，所以张刘桢每个周末都要回刘家去的，因此，今晚莲娜她们没看见他。

张总从骨子里是穷人家的孩子，对莲娜这样自强不息的人还是很佩服的。只是他现在拥有不菲的财富，生活习性已经沾染上了暴发户的习气。他找女人，不停地找，以填补自己的空虚。孩子上大学是要去美国刘贝贝那里上的，张总只管依仗刘爸爸和大舅子刘启的官场背景为张刘桢拼命地赚钱就行。当然，一人得道鸡犬升天，在这个过程中张总贫穷的家也脱贫了，人人都过上了幸福的小康生活，这就是张总入赘刘家的好处。

张总爱钱，可是他讨厌女人贪钱的嘴脸。他不想别的女人来分他辛辛苦苦挣来的万贯家财，那些看中他钱财的女人在他眼里都是浮云，所以，张总从不在女人的身边多做停留。

可是，这个莲娜让他有了与众不同的感觉！莲娜最独特的地方就是不羡慕他的万贯家财而拼命地疏远他，这个女白领为了负起自己的责任，竟然可以舍下面子去做小贩赚钱，真的是个奇女子啊！

"莲娜小姐真的是有担当，我很佩服啊！"张总赞叹地看着莲娜，眼里是掩饰不住的欣赏。

"哦，那天莲娜和张总第一次约会后，可能是一直在想着和张总约会的情景，骑自行车时不小心撞上一部大排量摩托车，那个人就撞断了腿，所以，莲娜要赚钱去赔偿他，张总你就理解莲娜下个周末不能来赴约吧……"杨兰小心地解释着。

"哦，这样说起来，莲娜小姐也是因为赴我的约出的这个交通事故呀，那我也负有不可推卸的责任呢，这样吧，莲娜小姐，你把赔偿书给我，这些都由我来付吧！"张总说道。

莲娜连忙拒绝："不用，不用！"

"好了，杨兰你带他们参观一下我家吧。杨妈，你来领着她们，我来接手打几圈儿麻将。"

杨妈笑嘻嘻地走过来领杨兰她们往楼上走。

从铺着地毯的楼梯走上二楼，莲娜有些发怔。

二楼的装修风格和一楼有了很大的不同，墙上挂着的是一幅幅油画作品，大部分都是现代风格，有些画上大块大块很跳的色块，很醒目地表现着张力，莲娜

久久地望着这些画儿，从知道阿豹是个画家开始，莲娜好像突然对绘画有了很深刻的认识。墙上挂画儿，确实可以提高人的欣赏能力，每天看看，也确实可以陶冶人的情操。

"哎，快来看呀，这个房子里全是女人的时装和皮鞋，我的妈呀，简直可以开个时装店了！"李婷在一间房子门口惊讶地小声尖叫起来。

杨妈带着杨兰和莲娜朝李婷尖叫的房间走过去。

这是一间 30 多平方米的房间，里面靠墙全部都是大架子，整整齐齐地挂着时装，中间的回廊架上摆的全都是各式各样的女士鞋子，鞋的材质是各种各样，有些还是新的都没有穿过呢。还有小挂件上各种各样的围巾，帽子，名牌皮包。

这里被打扫的一尘不染，可见穿衣服的人也经常回来。

"哦，这些都是夫人的，夫人的东西不要碰，上次那个小文（不久前被赶跑的小女人）擅自做主把夫人的衣服鞋子穿出去，以后就没有留在这里了。"杨妈是笑着说这番话的。可是莲娜听得出来，这后面的弦外之音是说给她们听的。

这个屋子的女主人还是那个刘贝贝，这是警告后来者，别想觊觎这里的一草一木。莲娜想要是谁真的跟了张总，也别想骑在刘贝贝的头上，即使人家刘贝贝和张总离婚了，这个家还是她刘贝贝的。这种夹着尾巴做人的日子有什么过头呢！莲娜心中充满了不屑。

"哎，杨妈，夫人是个什么样的人呢，看她有这么多衣服，品味好高啊，我真的很羡慕耶！"李婷问道。

"我们夫人是个品味很高的女人，本身长得就很漂亮，个子很高，从小娇生惯养，是个高贵的夫人呢！"杨妈自豪地说。

这个杨妈是从小把刘贝贝带大的保姆，就像电影《蝴蝶梦》里的那个女管家，誓死都守卫着那个淫荡的女主人的一切，不许别的女人来侵犯她女主人的领地。而那些临时围在张总身边的女人最后都被赶跑了，估计这个杨妈起着很大的作用呢。

原木柜子上放着一张全家福。张总的夫人刘贝贝长得很漂亮，高挑的身材，鹅蛋脸，但脸上是无法掩藏的跋扈，看岁数有 40 岁了吧。莲娜心想，刘贝贝就是年纪上输了一点儿，其他的，她们这些 30 岁左右的女人还真的比不上呢！

张总的儿子已经长得很大很高了，仔细看呢，长的像他母亲。

"怪不得张总不想再要孩子了，这个大男孩儿是多么了不起的精品呀！"杨兰看着张总儿子的照片忍不住地说，她也梦想着和老郑有这么个漂亮的儿子给她撑腰呢！

这时杨妈端咖啡进来了，听杨兰说这句话，她接上了话茬。

"是啊，你们不知道张总有多么爱这个孩子呀，要星星不给月亮，我也是等着小桢读大学了，陪他一起去美国照顾他的。"杨妈自豪地说。

"张总在孩子读大学以前是不会考虑结婚的！"杨妈又加重语气。

这是说给她们听呢。莲娜觉得这个张总真的是很精明呢，自己有些话不好说出口，就让这个杨妈来代替说，真是一切都算计好了，让后来者乖乖就范。

🌸 20　十万元支票

莲娜星期一请了一天假，把自己和阿豹的家都搬了，在肖文租住的两室一厅的房子里安身了，收收捡捡的弄了个灰头土脸。那边的房子要两个月后才到期呢，莲娜和房东说看能不能退点儿房租，房东说不行，莲娜叹了一口气。已经交的房租 2000 多块钱呢，损失了多心疼呀！

这边一下子付了三个月的房租，4000 多块呢，莲娜的卡上又迅速的缺了一大块，莲娜的心中沉甸甸的，想着一定要赶紧想法子赚钱。

卖荧光棒的生意不是每天晚上都有的，莲娜要赶紧开辟赚钱的新路子。

阿豹做了手术，后续的治疗费没有大笔的支出，这个救了莲娜的命，不然，那两万块早都没有了。等肖文和阿豹病情稳定了，再过几天就不需要住院了，要回去精心养着，不要再受伤就可以了。但是，阿豹是腿，尤其要注意，不能有一点儿马虎，要是不小心再弄断了，就真的会瘸腿的。

这些是主治医生千叮咛万嘱咐的话，莲娜连连点头。

莲娜每天都在网上搜索哪天晚上还有歌星大型演出，她好准备去卖荧光棒。可是，这种大型歌星演唱会不是每天都有的，严肃的音乐会倒是经常有，可是这些音乐会是用不着这个荧光棒的，所以卖荧光棒不是长久的生意，莲娜还要想破脑袋去寻找晚上做怎样的生意才能赚钱。

这天莲娜收拾了一下屋子，做好饭，穿上厚厚的羽绒服，拿上两个大号保温桶去给阿豹和肖文送饭。

在病房里莲娜一边吃饭，一边和肖文讨论，她晚上做些什么生意才能赚钱。

衣服，鞋子，帽子，围巾都给否定，这些东西只要一走地摊儿，什么名牌货都卖的是白菜价，要是把张总前老婆衣柜里的衣服鞋子拿到地摊儿上一摆，那些真名牌也会被别人说成是假的，地摊儿卖不起价呗。

莲娜和肖文正在津津有味地谈论着，挖空心思想卖这卖那时，一直在大口嚼饭的阿豹忍不住说了一句话提醒了梦中人。

"卖仿名牌的女士包包不是最好么？"说完这句话，阿豹就继续吃着，再也不理他们了。

"哎，是呀，卖仿名牌的女士包包不就是好生意吗？女人大多有虚荣心，买不起真正的名牌包包，悄悄地背一个仿名牌的包包，既满足了虚荣心，又花不了多少钱，包包背在身上又没有人来强制翻你的包包看是不是真货。"肖文兴奋地说。

49

"哎，对呀，我怎么没有想到这个啊？"

莲娜也兴奋起来，她第一次明明白白地向阿豹投去了一个灿烂的笑容，阿豹大大咧咧的心突然停跳了一下，心想这个女人这样笑起来还是蛮好看的嘛。

这时有个陌生男人走进这间病房。"请问，哪位是莲娜小姐？"他问。

这个男人30多岁，穿的是正统西装，质地不菲，还戴了一副金丝边眼镜。

"我就是莲娜，您是哪位？"莲娜疑惑地站起身，这个男人她不认识呀。

"哦，我是张明哲张总经理的秘书，姓刘，白天很忙，现在才有空来，你好，我是来给你送一张十万元的支票的，你在这个收条上签个字吧。"

哦，这个张明哲就是那个秃头张总，莲娜紧想慢想才想过这个味儿来！

什么？张总让秘书给自己送十万块钱来？这不是做梦吧？

莲娜愣住了！阿豹停下大嚼的嘴巴，肖文斯文的脸上也有了惊讶的神色。

等莲娜反应过来时，张总的秘书已经把一张收条递到她的面前，并顺手塞给她一支笔。莲娜像被开水烫了一般，马上把笔推回到刘秘书手里。

"哎，您弄错了，张总不欠我钱，您把这张支票还给张总吧。"

"莲娜小姐，您就拿着吧，没错，张总吩咐一定要您收下这笔钱，来，签字吧。"刘秘书很肯定地对莲娜说。

莲娜连忙拒绝，这都是什么呀，这个张总是不是疯了，把这么一大笔钱轻飘飘地送给不相干的人，是喝醉酒了吧！等到他清醒过来时，又回来要这笔钱那不是糗大发了。

莲娜就是不接刘秘书手里的支票，刘秘书塞了好几次都被莲娜推回来了。他有些难堪又有些无奈就拨了个电话。

"张总，莲娜小姐不接钱，说您是开玩笑，您和她说几句话让她确认一下。"

刘秘书说完把手机递给莲娜，莲娜将信将疑地接听手机。

"哦，是莲娜小姐吧，我比较忙，让我的秘书给你把钱送过去了，你就收了吧，周末好好地赴我的约就好了，你把手机给刘秘书，我还有几句话吩咐他。"

听筒里确实是张总的声音。

莲娜还要说推辞的话，张总说就这样，他现在很忙，等周末时，他派车子去接她，让她把现在住的地址告诉刘秘书。

莲娜还是不要，刘秘书有些急了。

"莲娜小姐，您先收下，您不要为难我这个打工的，要是这么一点儿事我都办不好，老板会对我有看法的，您先收下，要怎么处理，或是要还给张总您就亲自去找张总好了。这是我的名片，上面有我们公司的地址，您自己去和张总交涉好了。这笔钱究竟是怎么回事儿，我也是不太清楚，张总只是让我给您送来并且一定要送到，您看这样好么，莲娜小姐？"

莲娜看刘秘书真的很为难，就想了想，也是，为何要为难这个刘秘书呢？他也是为老板办事儿来的，自己没有必要为难他。

莲娜只好抖着手签了那张收条，拿过那张现金支票。

刘秘书走了。莲娜拿着那张现金支票有些发呆。

她无力地坐在阿豹病床前的方凳子上发呆。

莲娜低头默默地看着这张支票，心中五味杂陈。

是啊，要是有了这十万，莲娜再也不用这样艰难地活着了，也不用去当什么无照小贩了。

自己手上拿着这笔钱，好像已经受到了深深的诱惑，骨头都有些酥掉了，那种马上要当无照小贩的决心已经不是刚刚有力的了！人面对金钱的诱惑真的是太没有抵抗力了，何况莲娜只是个普通平凡的女人啊！

莲娜无言地低头收拾着碗筷。肖文和阿豹也都没有说话，他们不知道该说什么。

莲娜洗完碗，帮阿豹快快地擦了一下身子，然后无精打采地对肖文和阿豹说自己很累了，要回去好好休息会儿。

阿豹和肖文默默地点了一下头，他们知道，莲娜现在要做很艰难的选择，这个时候别人是不能打扰她的。

但是莲娜究竟会做怎么样的选择呢？他们无法预测。

21　我要奋斗

躺在床上，莲娜久久不能入睡。要说她面对这十万元不动心是假的，谁看到一大把钱说不喜欢那是矫情。

莲娜把这张支票用细绳子拴起来吊挂在对面的床头上，在一盏微黄的台灯映照下就像看着一个不真实的梦……

真的呀，要是合法拥有这笔钱，莲娜会多么开心啊！可是现在看着这笔钱莲娜觉得自己很难受，她在困难的抉择中真真实实地拷问自己的灵魂，难道就这么心安理得的接受这笔钱？

莲娜知道如果这样做，自己将接受的是无法预知的命运。

莲娜不是那种走一步看一步的人，更不是鸵鸟，可以埋着头假装看不见拿这笔钱今后要走道路的性质。接受了这笔钱，就是接受了自己无法掌握的命运，不确定性随时随刻的伴随自己那颗敏感的心，自己的命运就会控制在别人的手中，任人摆布，自己就要屈意奉承那个男人，因为他们的关系是不平等的，两人之间就是赤裸裸的金钱关系，强势的一方可以无条件的凌辱弱势的一方。

所谓"拿人家的手短，吃人家的嘴软"，你以后在这个人面前就是一个没有人格尊严的人，何况，这个张总到底对莲娜是个什么居心？就像他对待以前玩弄过的那些拜金女一样，不喜欢了拿几个钱就打发了？被抛弃的命运只是时间长

短、何时发生的问题，莲娜难道可以拿自己已经是剩女的现实去豪赌这场没有胜算的命运吗？

莲娜从小学读到大学，挑灯苦读，拼命学习，难道这些付出就是准备当一个被人玩弄的木偶？为了这区区十万块钱出卖自己的灵魂和肉体？这就是她的人生价值吗？

想到这里莲娜浑身哆嗦！不，不要，莲娜我不要这样的命运！

"不，不，决不……"

莲娜想到这里，猛地坐了起来，像是要激励自己似的握紧拳头，胡乱地挥动着，"不要，我不能做温水煮的青蛙，我要用自己的能力走出这段阴霾，就是做小贩，被城管抓，被人撵，泥里水里滚过来，我也要用自己的力量去赚每一分干净的钱，我不能因为钱而堕落，更不要做一个行尸走肉，不能，绝不能！"莲娜愤怒的一拳对着吊挂在那里的现金支票挥过去。

"我要奋斗，我要奋斗……"

被细绳吊着的支票摇摇晃晃地来回晃荡着。

第二天，莲娜给张总打了电话说自己不能要这笔钱。

张总在电话里简单地说："没关系，钱你拿着，不用为这点儿小钱来来回回的说。"在他眼里给莲娜十万块钱就像给一百块钱一样随便。

也是，在张总这种人眼里都是上亿的生意，十万块对他来说就是赌桌上的一个硬币，输掉了眼睛都不会眨一下的，他最后总是不忘说"别忘了周末的约会"，然后就挂掉了电话。

莲娜急得没有办法就给杨兰打电话，让杨兰帮她把这张支票还给张总。

杨兰在电话里说："莲娜你就接受张总对你的好，你以后好好对待张总不就是回报了，把那个叫阿豹的快点处理掉，和张总专心致志地好好相处，说不定比我还先嫁掉呢，还是嫁给富豪，让人羡慕不已。张总这次真的是以结婚为目的交往的，这是张总当着老郑和我的面亲自说的，没错。"

"我不想和他交往，让他别在我身上浪费时间，这样不值当。"莲娜很坚决地对杨兰说。

"莲娜！你是不是傻掉了！这么好的交往对象你却要放弃，你知道多少女人和张总交往想转正张总都没有吐过想再结婚的意思？"杨兰有些急了。

"我管他想和谁结婚，我不想和他交往，这就是我的真实想法，你负责和张总说吧！"莲娜也有些气。

"我不去说，要送回去你自己送。"杨兰也生气了，她气莲娜不知好歹。

莲娜气得把杨兰的电话挂掉了，又接着对李婷电话诉苦。

没想到，李婷听完莲娜的决定一下子"噢"的叫了一声。

"莲娜，你真的是找到传说中的金龟婿了，对你这么大方的男人说明什么？说明你在他的心目中不是一般的分量，而是分量大大的，你这下有着落了，这个张总看起来最靠谱了，不像我现在搞的这些个个不靠谱！"

李婷叹了一口气接着说："你嫁好了，可别忘了拉姐妹们一把哟。"

"就说我现在的小王，太不靠谱了！从那次戏剧性事件以后都没有主动给我来一个电话，我先打去问，别人却是懒洋洋的，我再问他想怎样？他就哼哼叽叽的说房子涨价太快了，他已经买不起房子了，首付都已经凑不齐了，如果我不嫌弃，那就跟他裸婚吧……"

"裸婚我找他？一点儿也不性感还想让我为他裸婚？做美梦去吧，估计就他那个穷光蛋也娶不起老婆了。莲娜看你多好，遇见了个浑身金光闪闪的大阿福呀！等你和张总成了，你帮姐们在他的圈子里找一个有钱的，比不上张总吧，最少比老郑强一点儿就行了，看杨兰那个得瑟样儿，我气就不打一处来！"

李婷对杨兰很是不满，不过她忍下了继续声讨杨兰的话题。

"算了，别人帮不了自己，还不是得靠自己！"莲娜对自己说着鼓励的话。

这天莲娜给刘秘书打了个电话，确认了张总在办公室，就带着那张现金支票骑着她的破自行车，偷偷地找个空子溜出了自己的办公室。

她要面见张总，把这张支票还给他，然后坦然地去做她自己的无照小贩去。

莲娜走进位于金贸商圈的一栋大厦里。上了电梯，二十层。一出电梯就看见×××有限公司气派的牌子指引着她找到张总所在的公司。

莲娜走进去对前台漂亮的接待小姐说找刘秘书。

不一会儿，刘秘书就走出来接待莲娜了。刘秘书带她穿过一条长长的走廊，然后指着最里头的一间办公室说，张总正在里面办公，让莲娜自己去。

"张总，请您原谅，我和刘秘书打了声招呼，没有直接和您打电话就直接过来了，不好意思呀！"莲娜假装很轻松。

莲娜在沙发上坐定，接着从自己背的小包里把那张现金支票拿了出来。

"张总，我是来还您这张支票的，谢谢您的好意，我不能接受您这笔钱。"

"哎呀，莲娜小姐，你真是倔强，我都说了，你拿这笔钱不要有负担，你还是揪住这个钱不放呀！"张总有些感慨地说，他打电话让助理端两杯咖啡进来。

然后张总仔细地看着莲娜，莲娜今天一身正式白领的打扮，她穿的是很正统的职业装，头发利落地盘上去，露出细长的脖子，白皙的脸上露出羞怯的优美的微笑。在张总这个看惯了涂脂抹粉的妖媚女人的大男人面前，莲娜显得像一株出水芙蓉，张总越看越觉得美。

张总这几年都是在声色场所里混，遇见的都是对他有所图的物质女，哪里可以觅见像莲娜这么纯净的女人，看见一个纯净得可以滴出水来的女人，张总觉得自己的心都是透明的。

咖啡端来了，莲娜小口抿了一下。

"张总，我知道，您很善心想帮助我，我很谢谢您，可是，我想用自己的力量来解决这个问题，我一定行的……"

53

"哎，莲娜，我该怎么说你呢？"这时，张总桌子上的电话响了。

"什么？现在一定要我过去一趟？我，我这里有重要客人啊。"

张总有些不想去，可是电话里的人一定要张总去一趟。

"那好吧，我马上就去。"张总放下电话把刘秘书叫了进来。

"刘秘书，你送莲娜小姐回去，我马上去王总那里处理问题。莲娜，你先回去，有什么要说的话，你今天晚上来我家，我等你一起吃晚饭，我们应该好好谈谈。晚上我在家里等着你。"张总说完匆匆离开了办公室。

莲娜把晚饭送到病房，她匆忙对阿豹和肖文说自己今晚有很重要的事儿要去处理。肖文告诉她，医生说这两天他们俩就可以出院了，医生让他们都回家去养着。出院时，莲娜得找个车把阿豹接回家。

看着莲娜这么风风火火地跑出去，阿豹和肖文面面相觑。

肖文对莲娜要不要和富豪交朋友很在意，有种他自己也无法说清的情愫在心中。这几天摸不清莲娜对那个人到底是怎么个情况，他很焦心，可是又不知道怎么办，今晚本来想探探莲娜的口风，可是莲娜又一阵风似的跑了。

阿豹也很好奇这个剩女被富豪看中后，她究竟是怎样取舍的。很好奇，很好奇！可是，他的心中也有些不能言状的惆怅。这样说有些严重了，其实阿豹就是心里有些不舒服，他认为，是因为这两天莲娜来了就走了，他根本没有对莲娜狠狠地吼叫发泄的机会，是自己憋出来的郁闷结果吧。他不能很肯定是什么情绪让他的心绪波动在那个剩女莲娜的身上。见鬼了！

22　怎么这样？

莲娜在高档小区沿着曲径通幽的小路慢慢地走，走了不久就有些迷路了。她拐上一条小马路，看见前面有辆三轮车在慢慢地骑着，三轮车上有些破纸盒箱啊、破木头之类的东西。

这个三轮车骑得很慢，仔细看时，这是个小上坡，骑的人显得很吃力。

莲娜小跑上前在后面帮助三轮车使劲儿，她叫三轮车主配合她的力道一起使劲儿。

不一会儿，三轮车就登上了小坡顶。车主连声道谢，并直起身回头看莲娜。

莲娜一听声音，一看直起身的车主，她愣住了。

这是个老太太，穿得很一般，头发花白着，脸上比较和善。看起来大概有70岁左右了。莲娜有些奇怪，哪有这么老的保洁员啊。

"大妈，这么晚了您老还在工作啊！很冷了，回家吧，别冻着了。"莲娜善意地对那个大妈说。

"哦，姑娘，谢谢你，我等下就回家了！"老太太用一种很浓的某地方言对莲娜说。

莲娜帮老太太推着车两人一边走一边聊天。

老人说自己是从某地方来这里看看孙子的，过几天就回老家了，老头子在家她很惦记呢。

两人谈得很愉快，快分手时老人顺便问莲娜有没有人要买她这部旧三轮车，她走前想把这个车子卖掉。莲娜心中一动。

莲娜赶紧说："大妈，您老就卖给我吧，多少钱？"

"哦，是你要买呀，那我就不赚你的钱了，我买的时候是500，就400块卖给你吧，我用了一段时间了，姑娘哎，你买我的车吧，没错，这车没毛病，用着好着呢！你看，转动多灵活，车胎有力着呢。"

她们两个说好，大妈走之前给莲娜打手机，两人一手交钱，一手交货。莲娜很高兴，来这里还办成了一件事儿！不错呀。

莲娜来到张总别墅门前按了门铃，没人来开门。

"哎，这是怎么回事儿？"莲娜在心里嘀咕着。

从外面看张总家里客厅是灯火通明的，杨妈不应该不在家里呀。莲娜疑惑地站在张总家别墅前走来走去。

莲娜等了一刻多钟还是没有人的样子，莲娜准备打张总的电话问怎么回事儿，她站在外面冻得有些发抖。她拿出手机刚要拨电话时，门开了！

只见杨妈系着围裙，手上提着一个大垃圾袋出来了。莲娜一看高兴得赶紧叫了声："杨妈，您好！"

杨妈扭头冷冷地看了莲娜一眼，从鼻子里"哼"了一声。

莲娜好生奇怪，这个杨妈怎么了，年纪不大，难道有健忘症？门口的灯光很亮呀？怎么杨妈这副嘴脸，对她横眉冷对的，不认识她么？

"杨妈，我是莲娜，就是那天和杨兰，还有另一个女孩儿叫李婷的周末晚上来您家做客的那个莲娜呀，您不认得我了？"莲娜赶紧对杨妈说。

杨妈把垃圾扔进别墅前一个大垃圾桶里，转头就往回走。

莲娜赶紧跟进别墅里去，她可不管杨妈认不认她，她不能继续待在外面傻等，好冷呀。她现在可不能感冒呀！她病了，阿豹和肖文可怎么办？她可请不起保姆。

莲娜走进大厅，杨妈也不理会她，也不给她倒水，自顾自地走进厨房继续做饭。莲娜无趣地自己在客厅里坐了一会儿，没人理会。

可是听着杨妈在厨房里叮叮当当地做着饭，她觉得自己这样待着百无聊赖的，她站起身，慢慢地晃进那个大大的厨房，看杨妈怎么做菜。

这个厨房好大呀，和他们现在租的客厅差不多大。这就是有钱人过的生活呀。

杨妈回头看着站在厨房门口的莲娜，莲娜赶紧对她微笑。

"杨妈，您看我是不是可以给您帮些什么忙？我很会做饭的。"

可是杨妈脸上是冷冷的冰霜。

莲娜愣住了，有些不知所措，尴尬地站在那里觉得自己手脚无处放。

"别以为你真的能进得了这个家门，你别不知道自己几斤几两啊，更别打什么想当这家女主人的鬼主意，我告诉你，门儿都没有。"

杨妈恶狠狠地一字一句说出这些让莲娜瞠目结舌的狠话来。

她冷冷的眼神好像是要把莲娜杀掉一样。

莲娜真的丈二和尚摸不着头脑了。她什么时候想当这个家庭的女主人了？莫名其妙嘛！

这个杨妈是刘贝贝的坚决拥护者，她总是认为，刘贝贝去美国找那个什么艺术家是一个不明智的荒唐举动，都这么大岁数了，还去追求那个什么所谓的"爱情"，简直是傻透了，放着这么好的老公和儿子不要去美国找那个什么行为艺术家？杨妈认为刘贝贝到现在都还不成熟，还是玩心不改，等有一天刘贝贝再被那个鬼艺术家抛弃，她就会醒悟过来的，一定会醒悟过来的。杨妈坚信，刘爸爸也是这么认为的。所以刘贝贝拼死要离婚时，刘爸爸和刘启让刘贝贝去找张总签一份离婚协议，那个条件是个人都不会签，刘家就是想阻止他们离婚，想着张总一定不会同意的，可不知什么理由，张总却签了那份不平等的离婚协议！协议内容会使张总再婚很艰难的。后来的女人很难接受那些苛刻的条件，不知道张总当时是个什么心理状态签了那份离婚协议，并且还公证过，绝对具有法律效用。刘贝贝婚离了，刘家上上下下气得半死，但这个协议绝对是刘家占了大便宜，张总和刘爸爸、大舅子刘启却并没有因为和刘贝贝离婚而闹僵，反而结合更紧密，成为一个更紧密的经济共同体。

这个家，这个城堡，这个张总，就是杨妈在为刘贝贝和刘家死守着的稳固防线。这个家在刘家人眼里是个在随时等待着刘贝贝归来的城堡。

刚才她听见莲娜按门铃打电话她就是不开门，她要先挫挫这个叫莲娜的女人的锐气，现在她就要让莲娜知难而退！刘家人的胜利果实哪儿那么容易让别的女人来侵占，在杨妈这儿，哼！门儿都别想进！

"你知不知道，张总要是和别的女人结婚，那个女人是不能生孩子的，如果张总和后妻生孩子，张总就被剥夺了一切财富，净身出户，他什么会没有。你听清楚了：如果你和张总结婚，想生孩子，你和你的孩子将一分钱财产都没有，包括张总也要放弃这里所有的财产，立刻离开这里，这里的一切都将是大公子张刘桢的，听明白了吗？这是张总离婚时和刘家签的协议，经过了公证，具有法律效用，所以你嫁给张总有好果子吃么？最后的结果是你的后半生将无儿无女，什么都没有，这样的婚姻你愿意么？估计你就是愿意，张总也不会愿意，你想想一无所有的张总会是什么？他就什么也不是，所以，你就不要梦想着做张家的少奶奶了，你该到哪儿凉快就到哪儿凉快去！当然你要是不怕死，一意孤行想进这个家门，那还有我呢！你看我怎么收拾你，你会过得生不如死的！"杨妈轻蔑地笑了，一副恶狠狠的样子。

"前不久在这儿的那个小女人想挑战我的权威，你不知道她的下场，最后被撵出去了事儿。当然我们也不能不厚道，张总小钱还是要给的，玩女人当然是要花个小钱的！你估计也是这个下场！"杨妈的句句话都藏着杀气！

莲娜听着这些恶毒的话，觉得自己的心脏都要停跳了，脑子嗡嗡地响，一阵晕乎乎地看见杨妈的嘴一张一合的，好像是正在吐着毒烟的怪物。

莲娜醒着却好像有个噩梦一样魔住了她，好可怕的一股杀气呀！

莲娜想幸亏自己不贪财，不想踏入这个是非之地，不然，在这个阴森森的鬼洞里可怎么活呀，连这个保姆都可以欺负死你，想不劳而获过豪门女主人的生活，那是不可能的！

莲娜在心里摇了摇头，这时有人在按门铃，应该是张总回来了。

"别在张总面前透露一个字儿，不然，看我怎么收拾你！"

杨妈恶狠狠地对莲娜小声说着，然后她马上像翻书一样换了一个灿烂的笑脸。

"来了。"杨妈的声音透着欢快的语调，小跑着穿过客厅去给张总开门。

张总穿着价格不菲的深色风衣，走进客厅，他抬头看见站在杨妈身后安静的莲娜，脸上露出惊喜的笑容。

"莲娜，你先来了？杨妈你好好招待客人了吗？"

杨妈马上接过张总手里的公文包和他脱下来的风衣挂上。

"我对莲娜小姐可好了，我们俩正在亲热地聊天呢！莲娜小姐是吗？快，张总来洗手，饿了吧，马上就可以开饭了，我马上就摆饭。"

杨妈一边眉开眼笑地说着话，一边拿出一双皮拖鞋殷勤地蹲下让张总换上。

杨妈此时就像个完美的奴才一样，媚笑着，巴结着张总。

莲娜觉得现在看张总，除了头秃点儿，大体样子还是不错的，高高的个子，没有以前看起来那么不顺眼了。毕竟有一种成功人士的气场在那儿散发着。

"刘秘书，你把我车里那个包包拿进来。"

张总像想起什么，掏出手机打了个电话，过了一会儿，刘秘书走进来了，手里拿着一个包，莲娜一看就认出了那个显著标志，是个女士LV包。

刘秘书看见莲娜，微微笑了一下，点了一下头。

张总接过包包顺手把它放在大沙发上。"刘秘书你回去吧，晚点儿我自己送莲娜小姐回家。"张总对刘秘书说。"好的。"刘秘书点点头，转身出门去了。

杨妈在张总面前演戏的那个熟练自然程度让莲娜真的是佩服死了。恍如隔世，现在杨妈是个多么好的善解人意的好保姆呀！好得恨不得把心都掏出来给你。

菜上了桌，杨妈站在他们桌子后面候着。莲娜觉得一股灼热的火烘着她的后背，那是杨妈的眼神。

"杨妈，一起来坐着吃饭。"莲娜赶紧站起来去搀扶着杨妈一起坐下来吃饭。

"莲娜小姐，大户人家都是这样规矩的，主人陪客人吃饭，保姆是不可以一起坐着吃饭的，您就慢用，不要顾及我了。"杨妈和颜悦色地对莲娜说。

"莲娜，你就不要管杨妈了，这样，杨妈你不用站在这里，我们慢慢吃饭，你去做你的事儿吧。"张总对杨妈说。

"是的，张总，你们慢用，祝两位好胃口。"杨妈说完转身到厨房里收拾去了。

张总也想把杨妈支开和莲娜讲些体己话，杨妈杵在后面听着也不舒服。

菜式很奢侈，有刚空运来的大闸蟹和新鲜的基围虾呢。莲娜知道，这种基围虾要是活的时候买，要95元钱一斤呢。

莲娜可舍不得买活基围虾，她知道刚刚死的基围虾也很新鲜，只要30多块钱一斤，莲娜有次就守在卖虾的摊档，等老板从一群活虾中挑拣出那些刚刚死的基围虾，莲娜赶紧买了半斤，18块钱呢！都给阿豹和肖文吃了，她自己是舍不得吃的。

阿豹后来一边吃一边问莲娜从哪里买来的这么新鲜的基围虾，他难得地说了句：很好吃啊！

这时，有人用钥匙开了大门，走了进来。莲娜闻声抬头望去，看清楚进来的人时，莲娜愣住了。这，这不是那个骑三轮车的大妈吗？她怎么就这样进来了？

这位走进门的大妈，看清楚坐在桌子后面吃饭的莲娜时也愣住了……

23 爱心疙瘩汤

"妈，您老这是又到哪里去了，这么晚才回来，快去洗洗手，我马上让杨妈给您做您喜欢吃的饭菜，这些估计您又吃不惯。"

张总赶紧对这个大妈说，并站起身来去迎候这个大妈。

"张总，您说……什么？这是您的妈妈？"

莲娜张大着嘴巴一点儿不相信地问，疑惑得眼珠都快瞪出来了。

"咦，莲娜姑娘你怎么在这里，你们两个认识啊？"大妈惊讶得不得了。

莲娜像做梦似的看着大妈和张总，哎，这样看看他们的眉眼长得真的很像呢。

"哦？你们认识？真没想到。"

张总也很奇怪，她们这两个风马牛不相及的人怎么接上了头。

"哎，莲娜姑娘可是个好姑娘，刚才在小区里帮我推三轮车来着呢，莲娜，看见你真高兴呢。"

"真的？你可真行，能得到我家老太太首肯的女人你可是第一个呀！"

张总很高兴，他以前的老婆刘贝贝死活看不起自己的妈妈，即她的婆婆呀！这是张总一块无法根除的心病，真的无法根除。

刘贝贝是某大院儿里长大的孩子，这里的孩子从小就有着普通老百姓无法比拟的优越感。刘贝贝从小就是被公主一样捧在手心里长大的孩子，要星星不给月亮的主儿。刘家大公子刘启都得让她三分。

别说和这个农村底层的婆婆能共处一室了，连她的丈夫张总也不入她的法眼呢，即使张总是名牌大学的毕业生，那泥腿子的生活习惯却改不了。

刘贝贝和张总的关系一直不好，刘贝贝嫁给张总都是被刘爸爸逼迫的，可想而知，刘贝贝和公公婆婆，还有张总乡下的家庭就更是格格不入。

张总所拥有的一切都是刘家恩赐成全的。张总很早就听刘爸爸，即前老丈人的话下海经商了，所有的经商背景都是刘家的人脉关系，没有刘爸爸身后的特殊背景，张总根本就不可能做到这么大。所以离开刘家这棵大树，谁理他呢，他的头衔就是刘××的女婿，刘启的妹夫。张总是个非常勤奋聪明的人，当然刘家离开张总的亲自策划操作也是不行的，所以，他们之间就是个谁也离不开谁的共同经济体。

张总被刘贝贝欺负得无法翻身，刘贝贝的婆婆张妈也很怕刘贝贝。

以前，婆婆张妈不了解刘贝贝，刘贝贝怀孕时张妈和老伴雄心勃勃的要来伺候儿媳妇，想给儿子儿媳妇看孙子张刘桢，刘贝贝根本不领情，和张妈格格不入，她根本不让张妈碰张刘桢，说他们老土，不讲卫生，改不了东捡西捡的坏毛病，丢死人了！张刘桢要是给他们带，没准以后和张总一个模子，永远也改不了小家子的习气，哪儿能培养出贵族气息，所以不待见公公婆婆，对他们一家很鄙视。

原来张妈和老伴来到这城里之后欣喜若狂，觉得这城里四处都是宝，别人丢的什么破东西他们老两口都要捡回来，当宝贝一样攒到一定程度就高兴地去卖破烂，能挣几十、一百元钱他们就高兴死了。

有好事儿的人偷偷问刘贝贝是不是他们虐待老人呢，怎么能让张家父母去捡破烂度日呢！刘贝贝气得肝都疼。

她更不让张妈碰他们的孙子张刘桢了，觉得他们捡破烂手脏，对他们实行隔离政策，张妈伤心得天天流泪。最后，刘贝贝把他们赶回了老家。

张总没办法只好在老家的宅基地上给他们盖了漂漂亮亮的三层楼，并苦口婆心地和他们述说婆媳不要住在一起的好处，这也是张总没办法的办法。

农村人都有养儿防老的思想，可是老两口吃了刘贝贝这么多苦他们也死心了，看着漂亮的楼房，老两口就绝了跟着儿子儿媳妇在城里过日子的念头了。

谢天谢地，后来刘贝贝和那个艺术家又勾搭上了，非要离婚。张总只要摆脱刘贝贝，让他签什么协议他都干，反正离开刘贝贝后他再也不想走进婚姻殿堂了，签就签，有了张刘桢这个接班人，他传宗接代的任务已经完成了，他赚的钱以后不都是他儿子张刘桢的？

剩女奋斗记

　　这个协议也可以为他以后的风流韵事当个挡箭牌，那些个贪图他钱财的女人一看见他签这样的协议也不会再缠着他要什么婚姻了，他有多么快活？

　　所以，他义无反顾地签了那个令刘爸爸一家百思不得其解的屈辱离婚协议。张总从此过着一身轻松的逍遥日子。

　　张总是个孝子，对他妈妈是有求必应。他妈来他这里几天看看孙子，就这么点儿的时间，看见小区里有破纸盒、木板箱或什么可以卖钱的东西手就痒，你不让她捡她就难受犯病，劳动人民当习惯了么，她总是偷偷地去捡，偷偷地藏在别墅院子里的角落里，把杨妈气得半死，可没有刘贝贝撑腰她也不敢怠慢张妈，只有催促张妈快点儿处理掉这些垃圾。刚才张妈就是去卖破烂了，莲娜帮了她的忙！

　　张总为了让自己母亲高兴，也会帮她去卖破烂。他先把车库里的陆虎车的后座放倒，装上那些捡来的破烂，也不怕把车子内饰弄坏了，趁夜色他们悄悄地装车，一大早，张总就带着他妈坐在陆虎车子里去卖破烂了。那个收张妈破烂的小老板看着张总从高级陆虎车里和张妈搬着破烂出来卖小钱的情景惊得目瞪口呆，这是怎么回事儿？开着这么豪华的车来卖破烂？有神经病嘛！

　　看着张妈笑嘻嘻的样子，张总非常欣慰，母亲开心就是他的开心。母亲捡破烂高兴，那他就会让母亲继续捡破烂。

　　所以和刘贝贝离婚是他获取新生的开始，他不想再和哪个女人结婚了，直到他碰见这个叫莲娜的女人，和母亲很相似的女人，他真的动心了。而且母亲也这么喜欢莲娜，这是多么难得呀。他真的很感慨呀！

　　张妈说自己去厨房做碗疙瘩汤吃暖暖身子。莲娜赶紧起身说张妈我来看看您做疙瘩汤。莲娜这样说是有些心疼张妈，这么大岁数了，刚才还冒严寒骑车去卖破烂，回来还要自己做饭，太累了。她应该帮老人家做，这不是为了表现，来巴结张总的妈妈，这是莲娜内心的真实流露，莲娜是个喜欢帮助别人的人，已经成习惯了。

　　张妈很高兴，说："好呀，你来厨房我教你做。"

　　莲娜欢欢喜喜地跟张妈一起去厨房做疙瘩汤。过了一会儿，张总也跟进来了，他也抢着帮妈妈剥个蒜头、切个葱什么的。三个人高高兴兴地忙活着，厨房里洋溢着一家欢乐祥和的景象……

　　用欢声笑语来形容一点儿不为过，莲娜和张妈已经在此之前就结成了"革命友谊"，老太太也不傻，从儿子看莲娜时的那种爱慕的眼神中她也看出点儿端倪。

　　哎，这个莲娜姑娘才真是靠谱儿，以前儿子带回来的那些莺莺燕燕的女人，都是冲着自己儿子口袋里的钱，哪里会真心和他过日子。儿子这次要是和莲娜姑娘真的成了，这个莲娜能做她的儿媳妇，她就开心死了！儿子也会幸福的，莲娜再生个一男半女的，那才是阿弥陀佛呢。

　　张妈越想越高兴，笑得嘴都合不拢。

　　儿子和刘贝贝过得不开心张妈是知道的，他们离婚时自己和老伴也没有太反对。那种媳妇和自己家就不是一路人，离婚是必然的。

莲娜看着张妈把面和得稀稀的，把挤出来的西葫芦汁儿放进面里一起搅和，面里放进西葫芦汁儿，搅和出来的面看着碧绿碧绿的，很是漂亮！把水烧开后，张妈开始一小勺一小勺的把稀稀的面糊糊放进滚热的开水里。

不一会儿，一大盆香喷喷的面疙瘩汤做好了，莲娜把大盆端到桌子上。这个钢的大盆子和桌子上那些精致的小碟小碗、圆盘子形成了鲜明的对比……

他们三个人都捧着大海碗，吃得那个是真香啊！莲娜觉得喝这一海碗面疙瘩汤就好像在是吃母亲做的饭菜。

张总吃得也很高兴，他好久没有尝到母亲做的疙瘩汤了，他总是忙，忙，忙，母亲来了也没有时间陪她吃顿饭，就是一起吃，也是杨妈做的这些精致小菜，母亲也吃不惯。这次托莲娜的福，母亲又露了这么一手，而且有了这么好的家庭氛围，这么其乐融融的场面都是以前他理想中的婆媳关系的画面，可惜，在刘贝贝时代从来就没有出现过呀！

现在这个美好的画面真的是他梦中想象的婆媳和睦，其乐融融的景象啊。莲娜和张妈一边吃一边笑，她们的笑是发自内心的笑。

以前，张妈为了和刘贝贝错开时间见面，从来不在正点吃饭的时间出现，她们要是坐在一起就是刘贝贝数落张妈这个那个，嫌张妈给他们刘家丢脸了，不知道她们俩关系的人估计真看不出究竟谁是婆婆谁是媳妇呢。悲剧啊！

张总也是没有办法，他要仰仗刘家人生存，他只好把母亲劝回去，不让她们在一起，想自己为刘家赚了这么多钱，可还是没有自我，没有自己真正的生活。张总有时在夜深人静的时候也会悲哀，可是离开刘家他张总就什么也不是啊！他是刘家的一部赚钱机器，这个命运是无法改变的！

张总走进洗手间洗了把脸，擤了擤鼻子，他好像觉得自己鼻子有些发酸。

客厅里是母亲和莲娜不断的笑声……

"太好了！真的是太好了！"张总对着镜子里的自己自言自语地说着这句发自肺腑的话语！

24　好姑娘莲娜

一顿美好的晚餐，一顿大家彼此增进美好印象的晚餐，张总和张妈好像一直不想结束，他们根本不去看表，可莲娜觉得自己该告辞了。

看看快十点钟了，莲娜把那张现金支票拿出来，放在张总面前。

"张总，今天晚上这个支票请您一定收回，非常谢谢您对我的好意，但是这次车祸真的和您没有任何一点儿关系，是我自己惹出来的，我是一定要负责的。谢谢您的好意！"莲娜站起身非常恭敬地向张总鞠了一个躬。

"哎，莲娜，你怎么又把这张支票还回来了，我不是说不用还了么？这笔钱对我不算什么，可是对你来说就可以起到一个很大的作用，你快收起来吧，我们不要再谈这笔钱了。"张总大大咧咧地摆摆手。

莲娜听完微摇了摇头："张总，您听我说。是的，这笔钱对我来说确实很需要，但是，这笔钱不是属于我的，我不能贪心，谢谢您的好意，请您相信我，我自己会赚到这笔钱的，比比张妈，她这么大年纪还这么勤奋，我作为一个精力旺盛的年轻人难道还不如张妈吗？绝对不能！我会好好向张妈学习，勤奋努力，去追求去奋斗，去努力的好好生活，我相信靠我自己的辛勤劳动我会拥有自己想要的美好生活。"莲娜喘了一口气。

莲娜的真心述说确实打动了张总。他默默地接过这张支票，久久没有说话。张总受到了深深的震撼！他从没有遇见过这样让他如此爱慕倾倒的一个女人！以他那些艳遇的经历，他接触的女人都是些想方设法从他口袋里掏钱的女人，今天要带他去精品时装店，明天要去奢侈品店，这个派对，那个游艇节……一切活动都与钱有关，那些花费还都不是小钱呢。可是莲娜的一番话让他想起已经遗忘很久的往事……

他读大学时，穷得叮当响，那时自己正是发育的时候，天天长个子，每天都觉得饿。他怕母亲太劳累，就写信对母亲说自己申请到了助学金，不让母亲再给他寄钱了。他开始自己做家教赚生活费，艰难的活着，他常常肚子里空空如也，饿的胃里泛酸水儿。

那时可以多吃一个馒头也觉得是世间最美好的事情。一个大白面馒头那时只要三毛钱，可是，他每天却没有这多出的三毛钱多买一个馒头，每天都感觉自己是饥饿的。如果可以吃得饱饱的坐在教室里安稳听课那就是他的幸福。生存的压力是多么令人恐惧！可是他挺过来了。

他很想说："莲娜你就拿着吧，我就是想帮助你，让你不要那么辛苦，这笔钱不代表我要向你索求点儿什么，仅仅是朋友一样的帮助。"

可是他也知道莲娜不会相信他的话，他自己也不相信自己的话。

他的钱在莲娜这样的女人眼里就是洪水猛兽，谁和他接触都是有钱这个篱笆挡在那里，他无法像一个普通男人那样用最真实的面目出现在自己真正爱慕的女人面前，这真是一个悲哀吧。

现在，莲娜这么坚决地要和自己撇清关系，恐怕就是怕沾上钱的味道吧。张总微微摇了摇头，他黯然地默默收起这张支票。

张妈不知道他们在说些什么，但她可以看得出来，这个莲娜小姐把这笔十万块钱很坚决地还给儿子，她就明白了，这个女人不爱钱，好像对自己的儿子也有些不太信任的感觉。她开始心急了，这么好的姑娘不爱钱，要是她看不上自己的儿子那可怎么办？

张总开着车送莲娜回家，在车上他和莲娜轻松地谈着话。

今晚的所有事情真是很凑巧，没想到母亲和莲娜的不期而遇让他追求莲娜的步子迈得更大了。莲娜的好让张总有了更直接的理性认识，从一开始对莲娜外表美的追求到想触摸到莲娜内心的想法已经开始成型了，就像以前他心目中渴慕的完美爱情已经摆在他面前。他现在要实现他人生一直没有实现过的真正的恋爱。

张总这一路就和莲娜谈一些他的工作呀，读大学时的一些趣事儿啊，童年的快乐时光呀。还真是很奏效呢，莲娜高高兴兴地和张总谈论着这些能勾起她美好回忆的事情，这样他们之间的气氛还是不错的，莲娜对张总也不是那么壁垒分明了，他们之间也有了很多的欢声笑语。

快到莲娜新住的小区了，张总停下车，他们分别下了车。张总说："莲娜，你不用再多想别的，我们就先做个朋友，有时间就出来吃个饭，喝个茶什么的，你不要有负担。"

莲娜想，张总也没有直接的求爱，也就谈不上她拒绝什么了。她有些勉为其难的点了点头。心想和张总有什么朋友可做呢？他们之间也没有什么共同点，不知道这个朋友做起来有什么实际的意义。

莲娜谢谢张总今晚的晚餐，再次谢谢他的帮助，然后准备走回小区。

"哎，莲娜，你等等。"

张总想起什么，他走到车后面，打开后车门，拿出一样东西。

"这个是一点儿小心意，谢谢你帮助我母亲，你就拿着，不要再送回来了，这个是女人用的包包，你退回来我也用不着，会浪费的。"

张总把东西塞在莲娜手上，还没等莲娜反应过来，张总就打开车门坐了进去。他向莲娜招了招手就把车子直接开走了。

莲娜有些懵，她疑惑地走到一盏路灯下仔细看手中捧着的东西，一看之下大惊失色。这是那个张总让刘秘书拿进来的那个……那个……LV包包呀。这个包包值两万多人民币呀！莲娜的头立马一个变两个大……

🌸 25　珍贵的礼物

这天莲娜还没有下班，就来了一位不速之客。

张妈站在那里笑盈盈地看着走出来的莲娜，身边是那辆三轮车，已经被擦得干净漂亮。

"张妈，您老怎么来了，也不事先给我打个电话，我好去接您呀。"莲娜很意外，她热情地迎上前去。

"莲娜，大妈把这辆三轮车给你送来了。"

张妈很高兴地握着莲娜的手，她今天穿得很干净整洁，脸也洗得干干净净，她自己知道，这次她是以来看未来儿媳妇的样子出现在莲娜面前的。

莲娜赶紧要把张妈让进接待室温暖的地方坐坐。

"不用，你看，莲娜今天我是来给你送这辆车的，你看看，我把它擦得多亮，看起来多漂亮，像新的一样。喏，这些都是送给你的，有水果和鸡蛋，还有海鲜，好像听你说，你爱吃虾啊，蟹啊的，大妈都给你买了点儿过来。"

莲娜往三轮车斗里一看，果真，有一箱苹果，梨呀，香蕉的。有新鲜的鸡蛋，还有一包大虾，一篓被紧紧绑着的大闸蟹。哎呀，莲娜一看激动得眼泪都快要出来了。张妈怎么这么客气，这简直太让莲娜感动了。

"张妈，您老给我买这么多东西？这怎么可以啊！张妈这些多少钱，我算给您？"张妈一听这话就有些不高兴了。

"莲娜，你和大妈就不要谈钱了，谈钱不亲热，大妈不喜欢。"

"那，张妈我就收下来，谢谢您老的心意。"

莲娜觉得有些东西从自己的眼睛里跑出来，那是感动的泪水……

张妈这个已经70岁的老人，在寒冷的冬天顶着风骑了两个多小时给她送这些东西，她真的不知道该怎样感激这位淳朴的母亲。在别人的眼中这位母亲是多么的抠，儿子这么有钱，她还要去捡破烂，一元一角的攒那些小毛票，可是，送莲娜的这些东西，一下子要花好几百块钱，她眼都没眨一下。

莲娜觉得自己不知道要用怎样的礼物来还这种真情。

"今天我把这个车子亲自给你送来了，你会骑吗？"张妈笑盈盈地问莲娜。

"哦，张妈，我还不会骑呢！"莲娜老实地说。

"来，莲娜，张妈来教你骑，你骑几圈就可以掌握要领了，很容易骑的。"

莲娜会骑自行车，这个三轮车还是第一次骑，还真是，没骑过三轮车还真的骑不来，莲娜骑一下就觉得车子要歪过去了。

"哎呀，这个把我使劲儿都弯不过来呀。"莲娜大声叫了起来。

"莲娜，你不要怕，拐弯要早准备，左右多看一下。"

张妈在莲娜旁边做讲解，还不停地上车给莲娜做示范，莲娜照着张妈的教导，慢慢骑上了道，她们一个教一个学，真的是其乐融融。

莲娜看看下班的时间快到了，就回办公室打了卡。

回到出租屋莲娜招呼张妈喝茶，然后她开始做菜。莲娜简单地说了自己出的事故，这些张妈已经从张总口中大概知道了，张妈理解并赞许莲娜的这些做法，说莲娜是个好心的姑娘！

莲娜一边做饭，一边和张妈拉着家常。"张妈您老在这里看一会儿电视待一会儿，我给病人送完饭马上就回来。"

"好的，莲娜你骑车要注意，注意安全啊！"

莲娜来到医院病房，把饭盒里的饭菜给肖文和阿豹打开盛好，她收拾了一下马上就要走。

"啊，今天有这么些好吃的，莲娜你发财了？"肖文开玩笑地问莲娜。

"嘿嘿，你们就好好享用吧，我马上就走，后天我来结账，把出院手续给你们办了，今后，我们就同处一室了，大家一起加油！"莲娜喜气洋洋地说了这些话就跑了。

莲娜风一样地跑回家，可她愣住了。张总也坐在她家的客厅里，看见她回来，他笑眯眯地站起来迎接她。

是张妈把张总给叫来了。张妈心里也有她的小九九，她要在临走之前给自己的儿子和莲娜制造约会的机会……

26　撞见美男

莲娜下班买了菜，骑着自行车优哉游哉地回家了。

这不，今天是阿豹和肖文第一次回家在家里吃晚饭了，莲娜也没有必要像以前那样匆匆忙忙像打仗一样踩着鼓点儿行事了，她再也不用每天去医院送饭了，可以稍微放慢一点儿节奏了。

莲娜想第一次晚餐要丰盛一些，也是给他们两个摆脱医院的味道接风呗。所以莲娜比平时早了那么半个小时下班。

莲娜到家门口时按了一下门铃等待开门，心想，自己也享受一下有人在家等待自己的待遇。可是，没人来开门。

莲娜感觉自己突然有些内急，她也等不起了，自己把菜放在地下，掏出钥匙开了门。咦，洗手间的门是锁着的，谁在里面？

"喂，快开门，我要用厕所。"

莲娜也没有多想，以为是肖文在里面坐在马桶上一边上厕所一边看书。

门没有开，莲娜开始急促地捶门，这时里面的水声一下停住了。

"啊？肖文，你在洗澡啊？快点儿，我马上要用厕所，急死了，你快点儿出来呀……"莲娜有些不爽，这个时候洗澡？不知道别人不方便呢？

可她低头想想又笑了，这个时候洗澡不是正好吗？她不在家，他们之间错开用洗手间才对嘛！

莲娜正胡思乱想的时候，门开了……

一个身材性感得令人惊讶的男人，下半身围了一条白浴巾，其他地方都是暴露在空气里的，那一身模特般健美匀称的胸肌，胳膊上鼓鼓的肱二头肌……身体上面的水珠都还没有擦干，湿漉漉地在一起一伏的皮肤上。

这个人是谁？莲娜好像不认识！

他的脸像好莱坞那些西部片里的男主角，线条完美，嘴角坚毅，眼睛明亮，刚刮的胡子，青茬都露在外面，头发是短短的板寸，整个头型给人清爽简单的感觉。真酷！

　　一个性感、阳刚、充满力量的男子汉矗立在莲娜的面前，莲娜觉得自己在傻呆呆的仰视一个像亚当一样的男人。

　　"衰婆娘，看什么看？快把老子扶出去，你不是急吗？"

　　这个型男一张嘴，莲娜马上就从美梦中醒了过来。怎么？这个男人是阿豹？

　　怎么可能？不可能啊！阿豹那个蓬头垢面的鬼样子，头发长的都可以梳辫子了……莲娜觉得自己从始至终都没有看清过阿豹的真面目。

　　莲娜赶紧往他的腿上看去。哦，确实，他的右腿上裹着厚厚的石膏，石膏上用塑料薄膜包得紧紧的，不知道谁给他包的，可是从他凶凶的口气来听，没错！

　　这个人确实是那个凶神恶煞的阿豹！这么个英俊的男人，是那个满嘴骂声不断的阿豹吗？不会是自己在做噩梦吧?！

　　"怎么，看见美男就把嘴巴张那么大，都可以塞进一个大梨子了，快扶老子去卧室穿衣服，冻死老子了……"阿豹开始有些愤怒了。

　　是了，确实是那个不讲理的阿豹，没错！莲娜觉得自己的心咯噔了那么一下，究竟怎么回事儿，她自己也不清楚。

　　这时，肖文回来了。他看见阿豹以这个形象和莲娜对峙着，也大吃了一惊！阿豹真有这么性感啊，这么完美的身材！他是以男性的眼光看阿豹这个模样的！这也是他第一次看见阿豹半裸的样子。

　　肖文赶紧走过去，用右肩膀架着阿豹一瘸一拐地走回大卧室，真有意思，一个胳膊受伤的男人，架着一个腿部受伤的男人，看起来有些滑稽！

　　"还不走，真要看我穿衣服啊？你不是急得不行了吗？"

　　阿豹坐在床边看见送拐杖来的莲娜站在那里发呆，他用有些揶揄的语气说。莲娜脸马上"刷"的一下变得通红，她一个箭步跑出大卧室，一头钻进洗手间……

　　这天吃晚饭的时候，阿豹接了一个电话。

　　他用流利的让莲娜羡慕不已的英文和一个叫南希的老外说了好久。

　　莲娜英语口语不行，但大概的意思可以猜懂。原来阿豹的绘画作品被什么比赛选中了。

　　哎，这段时间倒霉的阿豹也开始转运了？

　　阿豹接完电话，对他们说：自己的一组表现人们日常生活的组画被×××儿童基金会选中。这是一个国际组织，总部设在 M 国，这次活动每个国家只选一位画家的作品获奖，这些获奖作品被制作成精美的明信片，在加拿大印刷，全世界发行，这些明信片已经在世界各地售卖，所卖得的资金会捐给全世界需要资助的贫穷孩子们，当然，画家是没有报酬的，但是，每个获奖画家会得到一枚奖章和印有×××基金会的获奖证书，奖章是一种在世界各地儿童基金会都享有极高荣誉地位的奖章。过两天，设在这个大都市的国际分支机构要邀请阿豹，他们要给他举行一个简单的发奖仪式，感谢他为世界贫穷儿童做的义举和善事。

看不出来，阿豹这么暴躁的外表下包藏的是这么善良的心呢。

莲娜有些半信半疑，她还不太相信这是真的呢。可是，很快，莲娜就相信了这一切都是真的。

这天，莲娜把三轮车弄得妥妥当当，送阿豹去×××儿童基金会接受奖章。这个部门设在使馆区某栋建筑物里。这里的街道很安静，每个使馆前面都有威武的卫兵把守，走在这里有种很庄严的感觉……来到×××基金会的门前，南希正站在卫兵身边迎接阿豹的到来。

莲娜和肖文很新奇地扶着阿豹走进这栋朴素的三层建筑里面。

不一会儿，从不同的办公室里走出来不同肤色的人们朝这里聚集……

南希给阿豹拿了一个椅子过来让他坐下来。

莲娜惊奇地看见阿豹温文尔雅地和南希与其他工作人员彬彬有礼的寒暄，人们纷纷感谢阿豹对孩子们做的善举，并祝贺阿豹获得这个荣誉。

这期间还来了几个入围画家，但他们没获奖，他们嫉妒羡慕的神色明明白白地写在脸上，他们也纷纷祝贺阿豹获奖。

后来表彰会开始，南希上台组织了这次会议。他介绍了评奖过程，莲娜这才知道，阿豹这次的当选有多么难。

莲娜看见阿豹的作品被印制成一叠美丽的明信片，放在一个美丽的盘子里，旁边放着小小的鲜花……好美好神圣的感觉！

莲娜赶紧给薛丽打电话，告诉薛丽这个好消息。可是薛丽却煞风景地问有没有奖金？莲娜遗憾地告诉她没有奖金，但是有奖章和证书。

薛丽就叹口气说："唉，这个甄选的过程就是阿豹落魄的过程，阿豹看见这个甄选，就说自己不想再给大卫的画廊供画了，他说他找到了绘画灵感，什么民族的就是世界的，结果呢？结果就是一贫如洗，结果就是我们两个人被迫分开……"讲着讲着薛丽开始抽泣了。

莲娜赶紧和她说了几句话就挂断了电话。

这个薛丽太功利，阿豹做的是多么崇高的事业啊，她不以阿豹获奖为荣还讲这样煞风景的话，太败兴了，要是莲娜，每天鼓励阿豹还来不及呢！

看着正坐在灯光下被人恭贺、阳光英俊的阿豹，莲娜羡慕不已。原来，阿豹的真面目是这样正直善良的画家啊。

他的暴脾气都是薛丽这个女人害的。莲娜觉得自己现在可以理解阿豹的暴躁了。谁被自己亲爱的人无情抛弃，还会心平气和的波澜不惊？估计莲娜也做不到！

这一机构的最高负责人，是个瑞士人，他上台代表组委会讲了许多赞许的贺词，并给阿豹颁发了奖章和证书。

莲娜和肖文有幸扶着瘸腿的阿豹上台领奖。然后是阿豹发表获奖感言。

莲娜想象不出这样的阿豹会用什么样的方式讲出儒雅优美的获奖感言来。

"女士们，先生们，大家好！"

阿豹用的是标准的中文，用词准确文雅，很有水平，莲娜竟然复述不出来，他用艺术家的语言讲到绘画的功能，又讲到民族的精神，讲到博大精深的中国文化，后来又讲到自己参赛的目的和希望……

阿豹在台上的表现棒极了，莲娜觉得太给中国人提气了。

阿豹裹着石膏的伤腿没有给他减分，反而好像使他显得更酷了！不一样的阿豹，不平凡的艺术家。这是莲娜给阿豹的评价。莲娜现在简直开始崇拜阿豹了。

某大使馆的文化参赞来这里办事，正好看见这个颁奖仪式，他上前热情地和阿豹握手，说很希望邀请阿豹明年三月份到他们大使馆文化厅里去办个人小型画展。阿豹矜持地说可以考虑。

莲娜有些为阿豹着急，心说快答应呀。

后来莲娜悄悄走到阿豹身边，小声对他说："阿豹，你刚才怎么不赶紧答应那个参赞去办画展呢，被邀请到那里开画展多难得呀，我都想进去看看呢！"

阿豹转过身深深地看了莲娜一眼，笑着小声问："你真的想进去看看？"

莲娜不假思索地说："当然想进去看看喽。"

阿豹突然不笑了，他很认真地说："可以，如果你喜欢，我以后可以直接带你去 MG 办画展，你愿意去吗？"

"愿意，当然愿意，以后，我给你当助手吧，帮你办一切后续的杂事儿，你就好好的只想画画，我愿意为你做任何事情。"莲娜毫不犹豫地说了这番话。

这是莲娜的真实想法，莲娜觉得阿豹是个有爱心的画家，为了做这样的善事，可以撕毁年薪 50 万的合同，这是怎样的情怀啊。莲娜不可能有做画家这样的才情，但是帮助阿豹这样的艺术家，莲娜觉得自己付出怎样的努力都是值得的。

肖文拿了杯咖啡过来递给莲娜。刚才阿豹和莲娜的举动他是看在眼里的。

肖文不知道自己心里为什么有些不爽，他不想阿豹和莲娜有什么亲切的举动。在他的心目中虽然还没有想好和莲娜怎么样，可是那种不想别的男人和莲娜亲近的念头一直在他的脑海里翻腾……

莲娜和富豪的事儿还不知道怎么样呢，要是再来一个阿豹？肖文不敢想，他的心情很复杂。

这个小型庆功会开得很成功。阿豹当时就被一个英文报社的记者采访了。这家报纸对阿豹做了专题采访，阿豹的形象和作品都登在报纸文化版的显著位置。这是针对在中国的外国人发行的一份大报，阿豹通过这份报纸，在这个大都市的外国人的圈子里一举成名了。

🌸 27 LV 包包

莲娜开始自己卖仿名牌女包的小贩生涯了。

肖文在家休息了几天就开始去上班了。他的手虽然还打着石膏，可是手指头是可以触动键盘的，所以，他还是可以开工的。年底了，他的老板工作量突然大了起来，这时也不好再招到人，何况肖文是个熟手，工作能力很强，老板就让肖文吊着石膏手开始工作了。

肖文也不想失去这份工作，对他这种靠工作才能吃饭的人，一天不工作一天就没有工资，不停地工作才是他活着的理由。可是上下班的出行问题让肖文很头疼。以他手的这种情况，根本不可能在上下班的交通高峰坐公交车，车上人山人海的，不把他的破胳膊再次挤断才怪呢。

莲娜想了半天才为肖文想出个两全其美的办法。她每天早上提早起来为阿豹做早饭，做好早饭和肖文先吃饭，然后提前半个小时出发，她骑着三轮车带着肖文上路，冒着严寒先把肖文送到他的工作单位，然后，自己再骑着三轮车往自己的公司跑。下午下班时，莲娜再骑着三轮车先到肖文工作的地方把肖文接上，然后带着肖文直接去菜市场买菜，回家赶紧再给阿豹和肖文做晚饭。

生活就像是在打仗一样紧张。

张总这段时间出国去考察生意了，莲娜可以好好地松口气了，不过他每隔两三天就会给莲娜打个电话，也没有说什么露骨的话，只是很亲切地问好。莲娜也只好以礼相迎。

莲娜在这些忙不迭的时间空隙里，还给张总的父母打了两件很厚的毛背心，买了一大袋子香菇木耳干菌等山货给张妈寄了过去。因为那个三轮车张妈说什么也不要钱，说是送给莲娜的见面礼。莲娜怎么能白要张妈的三轮车呢？所以，莲娜就买了最好的毛线织了两件毛背心和那些山货一起寄过去，权当是还张妈的情。

张总送给她的 LV 包现在就是她的一个心病，她在心里发愁呢，怎么样才能把这份厚礼还清了？想来想去，她觉得还是把包包还给张总。莲娜找李婷说了这件事。

李婷一听莲娜说张总送了她一个真的 LV 包，下班就立马跑到莲娜家里来了。她激动得像打了鸡血一样。

她冲动地把这个 LV 包一把抓住，冲到客厅把阿豹正看书用的那盏台灯一拽，就仔细地研究起这个包包的皮质和样式，伴着的是不停的啧啧声和夸张的尖叫声……一个神经质的女人在竖式台灯下像抱着一件宝物一样在不停地欣赏，抚摸，还咂着嘴，阿豹气呼呼地直眼瞪着这个摸着 LV 包包像疯了般的拜金女人。

肖文也好奇地看着李婷的疯狂激动样儿。他有些不明白，这个女人是不是吃错了什么药，这么激动的样子。这个包值两万块？是不是他听错了，或是这个世界也疯了。肖文的世界里是没有什么奢侈品概念的，他以前的女朋友王慧买个包最贵也就两百多块钱吧！两万块是他一年养了爸爸妈妈和帮助弟弟后，自己省吃俭用才攒得下来的工资呢！

莲娜把进货来的假冒 LV 包和这个真的包比对起来。真假还是一目了然的，李婷一把把那个假 LV 包扔到一边去。

"莲娜我告诉你，你可千万不要把它们混在一起，万一把这个真的和假的混在一起在夜市卖掉了，有你哭鼻子的，你就亏大发了！"

李婷那么一说，莲娜也吓出了一身冷汗！是啊，万一它们混在一起自己糊里糊涂的把这个真的当假的卖掉了，那自己可真的是要悔死了。

"对，对，对，你说得很对，等一下，我就把这个真的包包藏到我的简易衣柜里去，不然，我真的要心痛死的。"

"这个包包还是等张总回来我还给张总吧，我实在没有两万块钱的礼物送还给张总！"莲娜对李婷说。

"你真是个傻女人！你还送什么回去啊，富豪送你东西你就接着呗。你想，他们有钱，送别人东西不就是想让他们自己高兴吗？这可以显示他们存在的价值啊！他有那么多钱，窝在那里发霉呀，这才是九牛一毛都不到呢！送给自己喜欢的女人东西和钱，是他们让自己高兴的方式，你接受就好了，不要有愧疚的感觉啦！你接受就是成全他们的人生价值啦！"

李婷的一番言语让阿豹和肖文听得面面相觑……

四个人吃完饭收拾完已经八点多了。莲娜这次做生意带上了李婷。

这个时间出摊已经很晚了，远远看去，那个人流如织的地方，小贩们正积极地向过往行人兜售着物品，人们也停下脚步和小贩们谈价看货……

莲娜把自己的车支在一棵小树边，她也正想要把摊摆起来。这时有人喊了一嗓子："城管来了……"

刚才正起劲儿吆喝的小贩们慌得卷起地上的货物开始逃窜。

中间的一大拨小贩被十几个左右夹击的城管们给逮住了。这里边被逮的有个女白领模样的妈妈，她带着一个长得很漂亮的五六岁的小女孩，她卖些外贸内销的服装。她比那些被逮的没什么文化的小贩们苦苦哀求痛哭的样子有些不同。

她只是很安静地带着小女孩，站在被收缴的货物旁边，不说，不闹，不争辩。小女孩吓得哭了，她就静静的抱着孩子，轻轻的拍着孩子，让孩子不要哭。

莲娜看着她觉得她很特别，就上去帮着她一起哄小女孩。这个三十五六岁的女白领模样的小贩感激地看看莲娜，向她轻轻地笑了一下。

"晚上来摆摊，还带着孩子，很不容易呀！"莲娜同情地说了一句。

"嗨，没办法，孩子晚上没人看管，我把她一个人放在家里也不放心，所以，晚上摆摊就把她带来了。"

"哦，我叫莲娜，也是来摆小摊的，只是来晚了，还没摆上，就遇上了这个，今晚躲过一劫。"莲娜小声对这个女白领说。

"哦，真的？我叫林红，看我比你大，你就叫我林姐吧。"这个女白领好像找到知音一样，马上对莲娜有了同是小贩的那种亲切感。

"小燕子，叫阿姨啊！"林红对怀里的小女孩说，小燕子把漂亮的小脸转过来，看了莲娜一眼。

在等待城管怎么处理这些货物的时候，林红和莲娜谈起了自己做小贩的缘由。她说自己丈夫已经失业两个多月了，丈夫家里是农村的，婆婆没有退休金，对她生了女孩儿也不高兴，婆媳关系也不好，老公也迁怒她。

婆婆这些天又病了，住院，他们的存款越来越少。老公找工作也高不成低不就的，脾气变得很火暴，常常对她出言不逊，对这个女儿也不好，真不知道，还是个知识分子，哪里来的那些重男轻女的思想。也不知自己当时怎么鬼迷了心窍，以为自己是找到了一辈子的爱情，拒绝了那么多家庭条件很好的小伙子，硬是跟了这个男人。可是，现在自己却是同学里混得最惨的一个。

现在自己白天上班，晚上想多赚点儿钱准备离婚独立出来，就这样带着小女孩来摆摊了。自己现在这种情况也不敢让远在老家的父母知道，当初，他们死活不让自己这样嫁了，所以，自己现在也不敢向父母伸手，唉！

林红说到后来有些小的哭声了。

这天晚上莲娜的摊子没有摆成，她心中有些不可言状的郁闷情绪。

李婷今晚也不想回到那个空空荡荡的宿舍里去，就一起回了莲娜的家，晚上准备和莲娜挤一张小床。

李婷今晚目睹了林红的一切遭遇，心情沉重，翻来覆去，睡不着。

"李婷，你怎么了，还不睡？"莲娜小声问李婷。

李婷重重地叹了口气："你知道吗？小王快结婚了！"

"谁？哪个小王？"莲娜有些摸不着头脑。

"嗯，就是上次那个在房展会上丢鞋的小王呗，哼，那次丢鞋，小王还丢出名堂来了，有好些记者去采访他呢，这其中也不知是哪个傻女人还看中了他，说他有男子气概，能做出那么男人的事情，那个女人有房，所以，小王就从了她呗！"李婷有些郁闷地又叹了口气。

"我今晚看见林红的悲剧，就更受刺激了，女人哟，一定要找个有经济实力的男人做丈夫才靠谱，你看林红要是找个经济实力强的男人，就是最后离婚也可以分得一大笔财产不是，可林红说，为了爱情她这个傻瓜竟然和那个男人裸婚了，她体贴男家穷，现在他们还是租住在别人的房子里！你看林红落得多惨，你也别身在福中不知福了，你看张总这么对你，出手这么大方，你跟他怎么也不会差到哪里去的，你就从了张总吧！别矫情了！"

一席话听得莲娜心中五味杂陈。

🌸 28　两男关心一女

莲娜每天下班带着肖文一起去买菜，他们突然发现菜价上涨了很多。

肖文从网上看见什么"蒜你狠""豆你玩"到"姜你军""糖高宗"再到"油你涨""苹什么"接连不断，非常感慨，觉得莲娜为他付出了很多，这些上涨的生活费用不应该由莲娜一个人承担！

现在阿豹可以自己拄着拐杖慢慢移动，晚上上厕所也不用肖文帮忙了。阿豹现在每天吃完饭就自己拄着拐杖挪到大阳台那儿去画画了。

肖文利用空闲时间很自觉地帮莲娜干些家务活，比如用洗衣机帮莲娜洗衣物，或用一只好手来拖地板，莲娜看见就会让肖文别干，怕他伤了手。他俩这种你帮我、我帮你的那股子亲热劲儿，阿豹看在眼里，嘴角就会有些不屑，可是，他心里还是有些不舒服，可是怎么改变和莲娜那种吼着说话的方式阿豹自己也不知道，他矛盾着呢。

这天吃饭前，肖文拿出 700 元钱给莲娜。

"莲娜，现在菜价这么贵，我也交些生活费……"

莲娜一看连忙拒绝："你帮了我这么多忙，不用你付这些，我可以的。"

肖文知道，人和人在一起相处必须遵从公平的原则，否则相处久了，别人觉得你是个喜欢占便宜的人，就会慢慢疏远你。莲娜现在是他心目中的那团秘密温暖的火光，在这个寒冷的冬天他可不愿意失去这团温暖的火光。

每天早上上班，下午下班，肖文都是坐在莲娜骑着的三轮车后面。肖文常常恍惚觉得，这个画面就是一对贫贱夫妻每天做些小生意，然后很高兴的数着那脏脏的毛票……肖文知道自己虽然向往这样的情感，但是忍受不了长久的这种艰难的生活。他才从这种艰难的生活境遇中爬出来，不想再跌进这种痛苦的生活里。

和莲娜在一起肖文就是这样一种矛盾的心理，他既想靠近莲娜这堆火光，可是也很怕靠的太近自己被这团火烧成灰烬！

这天，晚上吃饭时，阿豹和她冷冷地谈了一件事儿。

"哎，那个，莲娜，对了，每个周末两天下午你送我去国际公寓，我要教南希的两个孩子学画画，每次给你 200 元运输费，你去不去？"阿豹也不看莲娜，像是对着空气说话一样。

哦，有这么好的事儿？莲娜听了，放下手里吃饭的碗。她赶紧算了算，每个星期这样的话她就可以多赚 400 块钱，一个月就是 1600 啊，他们的房租不就快挣出来了！有这等好事儿莲娜当然要干了。

"好呀，好呀，我愿意干！"莲娜的脸上马上笑开了花。

其实，阿豹最不喜欢教别人画画儿了，弄这个没有技术含量，还耽误他的时间。可是，他的心现在被这个叫莲娜的讨厌的女人牵引着，看着她每天拖着个瘦弱的身体忙忙碌碌的，为还他的赔偿款很艰难的活着，他觉得自己心里还是很不是滋味呀，准确地说是很难受的。那天看肖文给莲娜掏生活费把他给刺激到了，自己每天让莲娜养着很不是滋味。

以前阿豹那样恼怒，是因为被薛丽那样惨烈的甩了，他自己当时转不过弯，自己面子上过不去，现在想想，那种女人哪里是爱他，就是一个爱钱的女人嘛！谁有钱就跟谁走，现在想想，还好走了，要是结婚了才发现薛丽是这种女人，那不是要他半条命吗？阿豹想了很多，他觉得自己应该帮帮这个剩女莲娜。

阿豹给南希打电话说自己想办个画展，想卖些画儿赚些钱。

南希说，目前快到圣诞节了，很多计划以前都安排了，让阿豹再等些时候，他的画展会纳入以后的计划，老外干任何事儿都是按计划来的。如果阿豹不嫌弃，他可以先来她家教她的两个孩子学画画，每次教一个小时，每次400元。

她的大孩子明年想上美国著名的美术学院，她想请阿豹给他辅导一下，还有，那个她收养的中国孤儿，也就是她的女儿也很有艺术天分。

阿豹考虑了两天，答应了。

这个周末下午两点钟他们开始出发了。莲娜把阿豹裹得严严实实的，让他舒舒服服地坐在车后面，他们慢慢地启程了。

南希的老公是 MG 大使馆的一个部门负责人，长得很高，很儒雅的样子。他们的儿子已经长得和阿豹一样高了，金发碧眼的小伙子，叫罗本。女儿是个黑黑瘦瘦的中国小女孩，有七岁大了，她不会说中文了，用英语和阿豹打招呼。南希是从一个福利院里收养这个小女孩的，这个小女孩是个孤儿。

屋里的暖气很足，小伙子罗本只穿着一件短袖 T 恤。

南希问阿豹和莲娜要喝些什么？莲娜赶紧说不用，谢谢。阿豹说 tea。南希就真的只端了一杯热茶，没有给莲娜端任何喝的。其实，莲娜刚才骑三轮车出了些汗早就渴得要命，正想喝杯热茶呢。看见阿豹用精致的茶具悠闲地喝着茶，莲娜真后悔自己刚才的瞎客气，恨不得把阿豹手里的茶杯抢过来自己喝几口。

终于一节课上完了。

两个孩子对阿豹礼貌地说了声"谢谢"就跑进自己的屋子里去。南希走过来，手里拿着 400 元钱递给阿豹，阿豹很自然地接了过去没有一点儿不好意思。

莲娜觉得有些不好意思，这样一次一结账莲娜还真的没有见过呢。可是南希和阿豹很自然没有不好意思的样子。

南希对阿豹说，有个国际学校要请阿豹圣诞节去给孩子们做一次演讲，报酬是 1000 元，还有 400 元的车马费，问阿豹去不去。阿豹想了想说 OK。

回家的路上，莲娜口袋里揣着自己刚赚来的那 200 元钱，心里乐滋滋的。

阿豹坐在三轮车的后面又在那儿优哉游哉地问莲娜，这个圣诞演讲莲娜要不要去，要是她想去的话，莲娜可以赚到陪伴阿豹的辛苦费 400 元钱。

莲娜赶紧雀跃地回答："去，我陪你去！"

阿豹这天吃完晚饭把莲娜叫过来。

"莲娜，你会不会开车，有没有驾驶本？"阿豹英俊的脸上是认真的表情。

"我有本，就是没有上路开过，怎么？"

"哦，我想了一下，找我学画画的学生越来越多……虽然很花费时间，也是个小钱，但是，现在我应该去挣点儿钱。你不是也很需要钱吗？现在各种东西都在涨价。哎，不说这些了，那些老外的家大部分都在离这很远的城郊结合部的别墅区里，你踩三轮车送我，很不现实……"他这样正儿八经、声调平和、有商有量的和莲娜说话，这还是第一次哩。

"那个，我把那个大排量摩托车卖给了一个朋友，卖了三万块钱，你去看看，这个钱可以买个什么样的小面包车，你可以开着这部车送我去远郊的外国人居住区，各个国际学校，赚的钱除了付汽油费，你我四六开，你说这样好不好？对了，你以后摆夜市也可以开这辆车去，这样，你不是没这么累么？我觉得这样比较好！"阿豹第一次说了这么靠谱的话，谋了这么靠谱的事情。

阿豹的大排量摩托车是用五万多块钱买的进口车，还是八成新呢。是莲娜去交通队把阿豹这辆进口摩托车拖回来的，阿豹就这样贱卖了？莲娜很激动，阿豹原来还是这么外冷内热的人呢！

不行，莲娜可不能占阿豹的便宜。莲娜说："这样，养车和汽油费我们均摊，然后，你我再二八开，你八我二，怎么样？"

"不好，还是四六吧，这样，你会尽心尽力地为我服务的。"阿豹坚持着。

肖文在不远处收拾桌子。虽然他的脸上没有什么表情，可他的心里却是滚油锅一样的闹腾着……

他们俩争论的最后结果是，养车费、汽油费大家均摊，剩下的钱，即阿豹赚的利润三七开。他们从以前的冤家开始变成合作伙伴了。

莲娜抽空去车市看了看，各种车辆数不胜数。三万还是可以买一辆不错的小面包的，可是加上各种税费和购置税，三万打不住呢。

莲娜又去二手车市场看了看，有一辆昌河小面包看起来很不错，还很新的样子呢，所有手续都加在一起，只要二万多点儿。这个好，莲娜在心里说。

莲娜在小区门口远远地看见阿豹的身影她就一阵激动！一看见阿豹的身影，莲娜觉得自己好像立马有了主心骨一样。莲娜从来不觉得以前阿豹对自己那样吼叫有什么过错。谁处在阿豹那个状态都会愤怒，甚至责骂，这是人之常情嘛！

当然人都是有正常感情的，人在一起相处久了就会有感情，阿豹和自己相处了这么久，已经有了很好的互助关系，现在不是正在冰释前嫌，为了今后更好的生活积极地想办法吗？

　　虽然莲娜还是觉得被这十万元的债务压得有些喘不过气来，但是，通过这段时间，莲娜觉得自己已经变得坚强了，不像刚开始那么彷徨无助的感觉了。

　　莲娜觉得自己这段时间的经历已经使自己越来越成熟了，现在不仅仅只想着做个无照小贩赚些小钱了，莲娜想以后自己要做更大的生意，慢慢起步积累，也许不久的将来自己要开个贸易公司做正当的生意。这些野心也是经历风雨之后慢慢形成的，这些是以前那个简单普通的莲娜根本不敢想的事情。

　　林红和莲娜已经是朋友了，她也有这种想法，她和莲娜谈起这些话题，说时机成熟了，她们应该自己做公司，做贸易，做正当的生意。这就是有知识、有文化的女人们与那种遇到困难只会躲在角落里默默哭泣、随波逐流的女人不同的地方，她们将会是生活的强者，会把磨难变成财富。

　　林红说自己已经想明白了，已经和那个男人离婚了，自己带着孩子好好生活。莲娜觉得自己比林红条件好多了，林红有这个勇气，自己更应该坚强！现在，晚上她们结成伴一起去摆摊，相互照应，莲娜帮着她照看小燕子。每每看着小燕子在夜市中的寒风中瑟瑟发抖，莲娜心中就很不是滋味。她试着问阿豹和肖文，能不能在晚上的这段时间帮着照看小燕子，阿豹和肖文很爽快地就答应了。这样小燕子吃完晚饭就被林红带来这里，晚上就得到了很好的照顾，不需要在寒风中发抖了！夜市结束，林红骑着三轮车把小燕子接回家。现在好了，莲娜有昌河小面包车了，她晚上可以把可怜可爱的小燕子装在暖和的小面包车里送回家了。

🌸 29　男人之间的暗战

　　现在，家里有个有趣的现象。两个男人好像在暗暗比着谁对莲娜更好。比如，肖文现在会很用心，他会从菜市场买回来银耳，早上上班前用温水泡在大海碗里，下午下班后，吃完晚饭等小燕子被林红送过来，然后莲娜和林红出去摆夜市的时候，他开始钻进厨房，在里面用文火把冰糖和银耳一起放在砂锅里炖着……等莲娜和林红回来，肖文已经用小碗盛上，每个人包括阿豹都有一碗热气腾腾的美味冰糖银耳羹喝，那个场面好令人感动。

　　第二天，阿豹就会吃完晚饭，挂着拐杖到厨房和莲娜抢着洗碗，说自己的手没问题可以帮莲娜一些忙，让她赶紧出去摆摊，不然要晚了。莲娜就会用很感激的声调说"谢谢阿豹"，阿豹就会很带劲儿的洗碗，虽然他笨手笨脚地打碎了好几个碗盘。以前阿豹哪里会干这个，他大男子主义惯了，薛丽和他在一起的时候

75

他们两人还买了个洗碗机，薛丽说不愿意用手做家务，怕手被弄粗糙了。

又过两天，肖文又会在莲娜和林红摆摊回来的时候在锅里用醪糟卧几个糖水鸡蛋。闻着那个香气，小燕子馋得直流口水，大大圆圆的漂亮眼睛都瞪直了。他们这一帮人都吃得暖乎乎的，夜也变得更美丽了……

两个男人在暗中斗法，都在暗暗地对莲娜示好，你来我往，不亦乐乎的。莲娜好像有些迟钝，可这些林红却都看在眼里。

"你不觉得，这两个男人都对你有意思？"一语惊醒梦中人呢！莲娜确实觉得肖文和阿豹这段时间都有些不正常，可是，不正常在什么地方她又说不出来，只是觉得他们两个人看她的眼神都亮闪闪的。

要说肖文对莲娜有些意思莲娜还觉得有些靠谱，肖文在各方面和莲娜搭起来还有些着调，而且肖文表现得要明显一些。至于阿豹么，阿豹是多么骄傲的艺术家，阿豹怎么会看得上莲娜这种平凡的女人，说阿豹对莲娜有意思，打死她，她都不会相信的。

她心想就我这个条件，他们都是正当年的大小伙子，怎么着也会往下找，20多点儿的小姑娘都等着他们呢！他们怎么可能看得上我呢？

其实，莲娜就没有把经济条件当做一个找对象的条件，莲娜觉得自己找另一半一定要找个有感觉的，要有比较统一的价值观，不然，想的都是南辕北辙的怎么能生活在一起嘛。想一想他们俩，她觉得肖文勉强可以考虑，还比较合适。肖文为人谦和，也是穷苦人家出身，两个人各方面都比较相近。可是，她觉得和肖文在一起就是很平和的感觉，没有心跳加速的迹象。

爱情和合适究竟哪个是她这种人应该考虑的事儿呢？她很迷茫！

"好吧，我换一种说法，如果他们俩都对你有意思，你最后会接受谁？"林红稍微转换了一下方式问莲娜。

莲娜这时正站在货摊前不停地颠脚，她微微红了脸，犹豫着不知道怎么说，在夜色的灯光下看不太出来她的脸红。

"呵呵，很难取舍？是吧？"林红笑眯眯地问。

"啊，如果就他们两个人来说，我觉得肖文比较合适，阿豹多骄傲呀，他哪里看得上我这么平凡的一个女人……"莲娜还没说完，林红就接上话："错，我觉得阿豹和你更合适。"林红的话让莲娜大吃一惊。

"怎么可能，阿豹怎么看得上我，不可能，绝对不可能……"莲娜大叫起来。

"嗯，这是我的一种直觉，我的眼睛就看出你们俩会在一起。"林红笑了笑。

这时有顾客来看林红摊子上的衣服，林红马上就转身过去，卖力地推销起衣服来……留下莲娜一个人在路灯下傻傻的发愣，心中嘀咕不已。

从这以后，肖文和莲娜的关系就有些奇怪了。莲娜一对肖文稍微近一点儿，肖文马上会稍稍缩回去一点儿，而当莲娜有些冷淡他的时候，他又会积极主动一些，对莲娜示好，他进进退退的态度令莲娜有些迷惑，觉得摸不透肖文的真实意图。

　　哎，自然些不好么？莲娜有些感叹，这个肖文真的像谜一样！可是，莲娜确实可以感觉到肖文对她的关心是实实在在的。

　　肖文确实是矛盾的，对莲娜他是从内心深处不由自主的关心，所以，行动上的表示都是他的不由自主，可是，当莲娜真的感受到这些关心想向他表示一些好感和感谢时，他又很怕，到底在怕什么他自己有时也会把自己弄迷糊了！

　　可是，只要阿豹一显示出对莲娜直白的好，他又会很紧张，不希望莲娜和阿豹的关系比跟他的关系更好。

　　三个人现在是一种很微妙的关系。

　　阿豹和肖文也在猜度莲娜究竟会怎样想，和那个富豪的关系莲娜也没有明了。那个叫张总的富豪隔三差五地会给莲娜来电话，莲娜的态度也很平和，阿豹和肖文也不知道莲娜对富豪的态度究竟是怎么样的。

　　所以，现在两个年轻男人都希望莲娜能尽快理清和那个张总的关系。

　　论财富实力，两个穷小子心知肚明，自己哪里是张总的对手。但如果莲娜不是个喜欢钱的女人，那这个女人就是自己可以争取的。是啊，谁又管得住自己真心喜欢上一个女人呢？这个女人就这么每天在自己的面前晃悠着，发出那么炫目的光和热，使自己的身心不由自主地跟着这团光和热移动着……

　　两个男人在不停的纠结中啊！

🌸 30　圣诞派对

　　邀请阿豹去演讲的××国际学校和阿豹确定了具体的演讲时间。

　　阿豹提前一晚把自己以前买的高级数码单反照相机拿了出来，手把手教莲娜该怎样使用。他兴致勃勃地对莲娜讲些摄影知识，莲娜听得连连点头。对摄影莲娜是多么好奇，感觉很神秘，她很喜欢，她以前没有闲钱去买这么高档的相机，据阿豹说，这个尼康相机加这个专业镜头要两万多块钱呢。

　　啊？学摄影这么贵呀！那她这种穷人还真是学不起呢！可见阿豹以前赚的钱都是用来买什么时尚摩托啦，高级照相机啦，给薛丽买那些中看不中用的名牌衣服，化妆品啦……阿豹的钱就这样没有了。莲娜想以后得好好劝劝阿豹改变消费习惯，不能这么大手大脚花钱了。

　　周六这天他们一伙儿五个人高高兴兴地坐在莲娜的昌河小面包车上，早上八点半正式从家里出发了。车开了将近一个小时，才渐渐进入郊外，拐过几栋零星的房子……眼前豁然开朗。

　　这里有好几个别墅区，每个小区前的门口都把守得很严，有好些个保安门卫守着那些装饰很气派的别墅区大门……

"这些地方大都是涉外别墅，住的大部分都是外交官和大的跨国公司的高管们，所以，守卫比较严格，这个国际学校就是这些人的孩子们上的学校。这附近有好些个国际学校，什么法国国际学校，英国国际学校，呵呵，还有一个小的韩国国际学校，我们今天去的是一个最大的国际学校，各个国家的孩子都有，这个学校的校长是个苏格兰人叫西蒙，很幽默！"阿豹给大家解释着。

不久，他们的车开到围墙外，透过围墙可以看见里面有一栋大大的建筑，阿豹说这个就是他们学校的教学楼，里面有室内操场及各种室内活动空间，这个大建筑是个全封闭的空调建筑。孩子们在这里就像是在一个四季如春的空间里生活。

阿豹用手机打了个电话，过了一会儿，一个高个子的白种男人急匆匆地走了过来。

阿豹叫他西蒙，哦，这个高大英俊的男人就是这个学校的校长西蒙啊。

西蒙长得很像一个好莱坞电影里的一个演员，三十五六岁的样子，比阿豹高了小半头，他穿了一身名牌西装，整个人看起来非常有精神，他的行为做派看起来很有修养，同时也体现出这个人很有幽默感。

他用有些怪的音调说："哦，来了这么多美丽的女士，我的眼前花花的。"

"你们好，欢迎陈艺术家的朋友们来参加我们的圣诞派对，欢迎，欢迎……"
西蒙和每个人热情握手表示欢迎，他的热情感染了大家，气氛一下子轻松起来。他带着一行五人上了楼梯，走过好长一条整洁的走廊，来到西蒙办公室外面的接待室，有个很胖的女秘书来热情地招呼他们。

这个女人叫黛西，黛西亲切地问他们要喝些什么，莲娜赶紧说茶，林红也说热茶，阿豹要了咖啡，肖文说开水，林红为小燕子要的也是水。

西蒙和阿豹在一旁用英文很快地说着为孩子们演讲的事情。

莲娜不错眼地看西蒙接待室里的各种很有特色的装饰，有些东西莲娜从来就没见过，好像是从世界各地淘来的玩意儿挂在墙上的。西蒙和阿豹谈完了就走过来与莲娜、林红解说着各种好玩儿的故事，——说明这些物品都是他去什么国家旅游时买来装饰在墙上的……没想到，林红大学时喜欢参加英语角，英文不错，和西蒙讲起英语来还是比较流利的。

西蒙一看林红和他很谈得来，就眉飞色舞的跟林红不断地讲他去世界各地旅游的见闻和轶事……林红虽然35岁了，可是岁月在她身上留下来的那种稳重从容，娴雅端庄，那种成熟女性迷人的风范正慢慢地散发着呢。

走过那段苦难婚姻的成熟女人，摆脱了迷茫的眸子是那样的宽容和睿智。在中国男人眼里，这个岁数的女人都是日落西山了，可是在西方人眼里，这种岁数的女人却正是在恣意怒放的阶段，不同于那些没有阅历的小女孩，睁着幼稚的眼睛，看不透世间的是是非非，青涩的没有滋味。

西蒙对林红赞了好几句："您是个美丽的中国女人……"林红听了这些话，

有些娇羞地笑了……

看看时间到了，西蒙就带阿豹和莲娜他们一起朝楼下走，然后朝一个专门的多功能厅走去，莲娜走过那个大教室门口时，看见门口贴着一张大大的海报。上面用英文写着：欢迎参加中国著名画家陈豹先生的演讲，开始时间是十点半。

阿豹被西蒙请进去，走上演讲台。

莲娜进去后看见已经有100多个学生在座了，孩子们年纪大小不等，有小学生、初中生，还有高中生，孩子们都很安静地等待着艺术家陈豹先生的到来。

阿豹的身影一出现，孩子们就给予了热烈的掌声。

西蒙先上台做了介绍和发言，他盛赞了阿豹的义举，并对阿豹对那些需要关怀的孩子们的慷慨举动表示钦佩，还说他自己非常喜欢阿豹的绘画，说阿豹的绘画艺术很有造诣。最后他说，孩子们可以买些画家亲笔签名的明信片，这些钱是要捐给那些需要帮助的残疾和贫穷孩子们的，演讲完了之后，要开始艺术家签名义卖活动。

阿豹声情并茂的演讲让这些热爱艺术绘画的孩子们着迷了。

阿豹留了一刻钟让孩子们提问，孩子们都很遵守秩序，把小手都举得高高的，希望阿豹能叫到自己。

阿豹拄着拐杖站在讲台前微笑着四处看，然后示意一个小男孩。

小男孩站起来童声气十足地问阿豹："您画画是从很小就开始喜欢的吗?"

阿豹说，是的，说自己从小就喜欢画画，从小自己的课本上画的到处是小人，很漂亮的，不过，希望这些孩子们不要向他学习，要把自己的作品仔细地画到画本上去。孩子们一起开心地笑了。

阿豹又指了一个长的像洋娃娃一样漂亮的小女孩。

小女孩站起来提问："我长大也会像你一样出名吗?"

呵呵! 这些外国小孩儿真的什么都敢问。童言无忌么!

还有说："我喜欢你，我能吻你一下吗?"

还有："我长大能嫁给你吗?"

呵呵，真是什么问题都会问。整个演讲会场笑声不断，家长们也很高兴。

阿豹真的是掌控这个演讲会场的高手，他站在台上拄着拐杖魅力四射，目光如炬，神采飞扬，仿佛巨星降临……其实，阿豹现在就是一个明星，是一个魅力十足的时尚艺术家呀。

最后，孩子们拿出自己平时的零花钱开始排队买明信片，孩子们自觉地排队，阿豹坐在黛西准备好的桌子后面给买了明信片的孩子们签字留念。每个排到的孩子都和阿豹握手，让自己家长给照相留念，莲娜在此期间也不亦乐乎地拍下这些珍贵的镜头……

莲娜的心中充满了自豪，好像阿豹是她的骄傲。她想要在业余时间给阿豹做个博客，上传这些照片，宣传自己心目中的英雄。

阿豹这边正埋头给大家签名，可他发现一双似乎非常熟悉的手，虔诚地递过来一套明信片来让他签名，阿豹抬头一看是莲娜。

呵呵，莲娜正一本正经地做着和别人一样的事儿。

"你，你怎么也来凑热闹?!"阿豹有些好笑地问莲娜。

"我想请著名的画家阿豹先生给我签个名，我也想为孩子们尽一份自己的力量!"莲娜正儿八经地对阿豹说。

阿豹脸红了，他连连点头说："好好，好! 支持莲娜女士的善举。"

阿豹很潇洒地在明信片的扉页上龙飞凤舞地给莲娜签上自己的名字。

林红抱着小燕子也买了一份明信片排在队里找阿豹签名。肖文也不知是不是觉得自己不买有些不好意思，他也买了一套，老老实实地排在队尾让阿豹签名。

阿豹今天真的是享受了星光熠熠的大明星待遇! 他过足了当大明星的瘾。

阿豹演讲后的签名义卖一直持续到十二点半才结束。

西蒙有一小阵子不知道去了哪里。黛西扭动着胖胖的身子来回照应着阿豹这摊子事儿……

林红四处张望着，或许是在悄悄寻找西蒙的身影?

林红已经对西蒙有了非常好的印象，刚才他们俩谈话的时候，西蒙好像说过小燕子很漂亮可爱，林红非常幸运，可惜他自己没有孩子。西蒙还笑着说，自己现在是单身了，是的，他说自己是因为生殖障碍离婚了! 想到这里林红的脸上有一阵热，脸红到了脖子根……

可是，林红心里又有些自卑。像西蒙这么有能力的男人，坐到他这个位子的人年薪都有15万美金了，他还这么年轻英俊，是属于精英阶层的成功人士吧。

而自己在世俗人的眼里，已经是半老徐娘，日落西山了，哪有资格和西蒙这样的精英在一起，做美梦吧，即使西蒙不能生育，有些丁克夫妇还不愿意要孩子呢，像西蒙这么潇洒的男人……估计不要婚姻也是，哎……何其洒脱，自己真的没有必要想多了，林红想到这里有些清醒了。

他们一帮人正被黛西带出大教室的时候，西蒙却急匆匆地走了过来。随他一起进来的是一辆锃光发亮，质地精致，小巧高档的轮椅，还是运动型的。这种轮椅莲娜在网上看见过，凑近仔细一看，还是英国制造的呢!

这种轮椅是最专业的残疾运动员打篮球用的专业轮椅呀，那个价钱就不用说了。莲娜之前还一直想着给阿豹买个轮椅呢，当然，不是这个高级级别的，可那也要花她好几千元钱呢。

西蒙笑着对阿豹说，他刚才想起来，去年他们这里有个某国大使的儿子打篮球摔断了腿，这是那个学生买来用的，后来他腿好了，就留下了，捐给了学校，说是留给以后需要的人用，这不，看见阿豹的腿这样不方便，西蒙就猛然想起了这部轮椅，西蒙说先借给阿豹用，等阿豹腿好了以后再还回来……

圣诞演出已经快开始了，他们推着阿豹一起去往欢乐的海洋……

在搭起来的演出台上，有几个老师已经把几个麦克支起来了，台上摆有电子琴和架子鼓，好多孩子化好了妆，穿着节日的彩衣，高高兴兴地在篮球场上穿梭，他们要给爸爸妈妈演圣诞节目。

西蒙非常善于调节气氛，他一来到这个主会场，这里马上就成了欢乐的海洋。

西蒙作为一校之长跳上台做圣诞派对的开幕演讲词，西蒙非常幽默，很有亲和力，他用很轻松的方式说的话语让孩子们和家长笑声不断。

林红听了西蒙的演讲非常感慨！她和莲娜悄悄地说："这次来到这里我学到了快乐生活的意义，知道短短的一生要每时每刻都活得快乐，想想我以前每天就是活在忧愁之中，怕我前夫和我离婚，怕离婚后自己会失业，怕自己成了弃妇加怨妇，怕以后没人要我了，怎么想的都是悲哀的事情，一点儿自我肯定都没有，活得一点儿没有价值，把自己和那个男人捆绑在一起，没有了自我！今天我看见西蒙这样达观快乐，我突然觉得自己以前好像是白活了。"

"我坚信现在就是失业了，靠摆地摊我也可以养活我女儿，当然，经过这些日子的苦难和摸爬滚打，我更知道，以后要做什么样的生意会发展得更好，有了人生前进的明确目标……这都是我破釜沉舟，勇敢地走出来，撒开面子摆摊以后得到的自信！"

"比比西蒙，我有可爱的女儿，健全的四肢，现在可以辛勤的劳动，养活我的女儿，没有了那个男人和婆婆的折磨，我现在活得很愉快，虽然现在的生活艰苦一点儿，可不算什么，我和女儿会好起来的。有了你们这些好朋友的帮助，我还有什么理由自怨自怜、唉声叹气呢！生命自由绚烂，这么活着才有意义！"

莲娜没有想到，林红变了。以前那个有着淡淡忧伤眸子的林红变成了眼神无比坚强的林红。

西蒙挥着手让DJ放上一个非常激烈的舞曲，他招呼孩子们一起来跳舞，然后他自己跑到篮球场中央带头跳了起来，孩子们呼啦啦一起涌入篮球场合着激烈的乐曲和西蒙校长一起快乐的起舞，他们大声呼喝，西蒙做着可爱的怪脸，拉着孩子们一起舞蹈，各种肤色的老师们也一起扭动起来，连旁边温文尔雅的家长们也被感染了，被孩子们纷纷拉入，篮球场一下子变成了欢乐的海洋……

呵呵，这么奔放热烈的场面林红和莲娜还是第一次见识呢。

西蒙看见林红站在一边，他就一把拉过林红的手让林红也加入进来。林红回手也把莲娜拉了进来，阿豹坐在轮椅上，他看见莲娜有些腼腆手足无措的窘样就调皮的撒了一下嘴角。阿豹伸出手向着莲娜，莲娜迟疑了几秒钟，握住了阿豹的手。阿豹和莲娜跳起了轮椅舞，呵呵，阿豹紧紧地抓住莲娜的手，莲娜带着阿豹轻轻地起舞旋转起来……

西蒙的花样还没有完呢，他让孩子们玩起了接长龙游戏，他当龙头，孩子们

一个接着一个拽着前一个人的衣服，这条长龙越接越长，家长们也接上来了，阿豹和莲娜也接上来了，阿豹拽着林红的后衣襟，莲娜推着阿豹轮椅的后面扶手，还有个家长抓着莲娜的后衣襟，这条龙一直往下接，在大球场里绕了好几圈，在有感染力的音乐声中，人们都陶醉了！

　　肖文静静地用右手抱着小燕子站在欢乐的海洋之外，他静静地看着笑意连连的莲娜对着阿豹开心大笑，心中涌上一阵无法退去的嫉妒浪潮……

🌸 31　LV 包包不翼而飞

　　平安夜这天，莲娜收到了正在美国纽约的张总打来的越洋长途电话，他还让一家鲜花店给莲娜送来了一大束美丽的红玫瑰。他让莲娜准备好，他说会在元旦前夜约莲娜去家里参加一个小型聚会，那一天晚上莲娜一定要空出时间来。

　　莲娜本不想去，但又一想正好可以借这个机会把那个 LV 包包还给张总。

　　莲娜坐在床沿看了看自己的小卧室。这个小卧室很小只有 9 平方米左右，放了一个小单人床，还有一个简易衣橱，一个小小的梳妆台上放着一个圆镜子，前面放了一个小方凳就没有什么多余的空间了。

　　莲娜来到小衣柜前，打开拉链，顺手去摸底下一层放着 LV 包包的地方。咦，没有啊?!

　　莲娜想，是不是自己放错地方了，她又四处摸过去……还是没有！莲娜的脑袋"嗡"的一下，眼前开始冒金星了。

　　莲娜马上下意识地疯狂地到处乱摸起来，最后把这个衣柜里的东西来了个底朝天……居然还是没有！

　　怎么可能，怎么可能？莲娜觉得自己的头发一根根的竖了起来！

　　莲娜快疯了，没有了这个包包就意味着她的外债又莫名其妙地增加了两万多块钱了，谁这么无良了这个 LV 包包！

　　"是谁……是谁去了我的小卧室……那个张总送给我的 LV 包包不见了，你们不要……跟我开这个玩笑，不好玩……这个包包值两万多块钱呢，我背不起的，我过几天马上要还给……张总的……你们两个要是谁拿了……拜托，马上给我拿回来。"莲娜像疯了一样冲出小卧室，气急败坏地说出以上这些话。

　　已经晚上十一点多钟了，阿豹还在看书，肖文正在看一集电视剧，他们被莲娜这个突然举动吓呆了！

　　什么？莲娜的那个富豪送的 LV 包包在这个家里竟然不见了，不可能呀，谁会在这里干这种偷鸡摸狗的事情？

　　阿豹有些疑惑的转头看向了肖文。肖文非常敏感，他觉得阿豹这个无声的举动对他是一个巨大的侮辱。肖文愤怒地瞪回阿豹的眼神。

"莲娜，你再慢慢地找一下，或许，你放在哪里忘了吧。"

"对对，对，我再找找……"

莲娜看见他们疑惑的眼神突然醒悟过来，自己现在这是干什么，这样没搞清楚就乱嚷嚷太不好了，万一真的是自己放错了地方，那不是侮辱了阿豹和肖文的人格。以莲娜对他们的了解，他们绝不会随便进她的卧室去拿她的东西。

"对不起，可能我记错地方了，我再找找……"莲娜有些羞愧地说。

莲娜和肖文开始重新翻找 LV 包包。他们这里翻翻那里看看，把小卧室翻了个遍，真的是全都翻了一遍，还是没有。

是小燕子拿出去玩了？不可能，小燕子这么矮，拉不到这么高的衣橱拉链。

要不，是林红把这个包包拿走了？也不可能，林红每次走的时候自己都在她身边，自己亲自送她和小燕子走的呀，没看见她背着自己的包包呀。

他们三个人坐在客厅的沙发上都傻眼了。

阿豹怀疑肖文，觉得肖文最有可能会打这个包包的主意，因为他的经济不富裕，可是，怎么看肖文他也不像是这种人呀！那当然更不是自己拿了这个包包。莲娜也不会自己拿这个包包呀！阿豹百思不得其解。

可肖文觉得阿豹最有嫌疑，阿豹整天待在家里，他和莲娜去上班的时候只有阿豹是最可能接触到这个包并拿走它呀！

可是阿豹也不像是这种人呢，他以前自己都给他那个什么情人薛丽买过这种包，应该不像是打这个包主意的人呢！可也保不准现在阿豹的经济很糟糕，也许他动了这个心思拿走这个包包也说不准呢。

哎，可怎么看肖文都觉得自己应该是他们俩怀疑的对象吧！谁让他是穷人家的孩子呢。

莲娜觉得阿豹不可能，可是说肖文吧，打死她她也不相信肖文会做这样的事情。肖文是个多骄傲的人呢，怎么可能做这种偷鸡摸狗的事情呢！

可是，两万块钱的 LV 包包，确实就这样在他们三个人住的家里不翼而飞了！

一种无言的信任危机突然就这样在他们三个人之间产生了。

连着两天，他们三个人之间的关系都很微妙。

莲娜不再有笑容，做饭也无精打采，也不和他们两个人眼神对视。

报警吗？不，莲娜不想这样做，如果真是他们中某个人做的，要是报警了，那个人的前途、工作、声誉都会受到巨大的损害，莲娜不想这样毁掉任何一个人。他们俩就像是她的手心和手背，都是肉，谁受到伤害她都受不了。所以她现在无法和他们之中的任何一个人对视，她的心理承受不了这个结果。

阿豹很想和莲娜多说些什么，可是，莲娜拒绝和他多说话。阿豹无奈地悻悻而退。肖文也很想和莲娜表明自己的清白，可是，莲娜也不给他说话的机会。肖文觉得自己很委屈，也很悲哀！

莲娜无精打采地煮好饭，低头匆匆吃饭。

小燕子被林红送过来之后，莲娜低着头，招呼也没有和阿豹和肖文打，就和林红开着面包车急匆匆地去夜市摆摊子了。

这两天林红觉得莲娜有心事，总是唉声叹气的。

"莲娜，你怎么了？好像有心事，能说给我听听吗？"林红和莲娜在大桥下把夜市摊子摆起来之后，林红趁着客人不多关心地问。

莲娜吭哧了半天，脸憋得通红，最后她忍住了什么都没有说。

接下来，她们开始在寒风中叫卖……

可是莲娜的兴致总是不高，不像以前拼命地兜售叫喊，她老是分神儿，心事重重地在想什么心事儿。林红觉得莲娜真的是遇到很大的麻烦事儿了。

林红想了想，找了一个空闲时间，她很严肃地又问莲娜究竟出了什么事儿！

莲娜努力了半天欲言又止，她不能和林红说。林红也是个自尊敏感的人，这万一，林红又多心怎么办？毕竟，林红也是频繁出入他们家的一员呢。

林红觉得这件事儿隐隐约约的和自己好像也有些关系。林红很严肃地再问了莲娜一遍，非要莲娜说出到底出了什么事儿。

莲娜有些控制不住了，她带着有些哭腔的声调把这件事儿说了出来。

林红听了以后倒吸一口凉气！这么看来自己也和这件事儿脱不了干系了！

"呵呵，看来我也择不清了！"林红叹息了一声，整个人有些委靡。

莲娜真的是觉得自己罪该万死，不该说出来给林红听的，看看，自己终究是没有扛住。她知道自己已经得罪了三个和她像亲人一样的好朋友，真不该啊！

🌼 *32* 男人，打架啦

此时，在家里，阿豹和肖文两个人可怕地沉默着，那种剑拔弩张的气氛怪异地存在着。

阿豹平常不太爱和肖文说话交流。在内心阿豹不喜欢肖文，阿豹觉得肖文这个男人比较阴柔，好像满身的心眼儿，虽然肖文不太爱说话，可是阿豹总觉得他的眼睛后面还有一双眼睛，让人看着不舒服。尤其，也许他们以后会成为"情敌"，这更让阿豹讨厌肖文了。

看见肖文默默地坐在那里看电视，他越看越觉得肖文卑鄙讨厌。这件事情肯定是肖文做的，这个家里除了他阿豹就是这个讨厌的人了，不是他阿豹拿的，当然是肖文拿的了。

"说说吧，你把莲娜的包包弄到哪里去卖了，你没看莲娜都快神经了？"阿豹很霸道地坐在正苦闷地看电视的肖文旁边直视着肖文的眼睛。

"什么，我拿的，我拿那个干什么？你不要诬赖人啊！"肖文一看阿豹这么欺负人，他斯文的脸上立刻愤怒起来。

"不是你拿的那是鬼拿的啊，这个家里就只有你这种人可能去拿那个值钱的包。"阿豹气势汹汹地说。

"放屁，我还认为是你拿的呢！"肖文冒火了，阿豹说这个话太欺负人了。

"我拿那个包干吗？我以前有钱时都给女朋友买过，我根本不稀罕这个东西。"阿豹轻蔑的语调让肖文快发疯了。

肖文气得脸都扭曲了："那是，那是你以前有钱的时候，那么，现在呢？你现在，手上没有闲钱了，还这么窝囊地让莲娜养着，像你这么奢侈的人，花钱花惯了，没有钱的滋味你能受得了？那个包肯定是让你拿去卖掉了，说实话，我都不知道拿了那个包到哪个渠道可以去销赃，卖掉的那些钱早转化成你的什么名牌服装穿在身上了！"肖文第一次用这么气急败坏的语调说出这么长的话。

阿豹还没听完肖文的污蔑之词整个人已经快抓狂了。

"哼，我告诉你，现在已经有画商看上我的那组入选油画，开价100万要买我的原画，是我不愿意贱卖了那些画儿，我还要去美国办完画展取得更大的轰动效应后才会卖，那时卖的价钱会比这个多两三倍，其实只要我现在愿意，马上可以兑现100万元，我会为了这区区的两万块钱自毁前程，牺牲我著名画家陈豹的名誉？你就是那种可以把100元看成是1000元的人，那种什么钱都看得比天大的人，为了不付伙食费可以不顾自己受伤的手为我做勤杂工的人，不是你拿的那会是谁拿的？"

听到阿豹的这些话肖文真的失去理智了，阿豹的这盆污水泼向他看来他是很难洗清了。是的，他是为了节约自愿在医院用一只好手为阿豹接屎接尿，但主要还是因为他想和莲娜连在一起，他做那些是因为他心中抱着某种信念，每天眼前闪动着某天他准备好了他就会对莲娜勇敢告白的那个关键美好的画面……他不是为了受阿豹的侮辱而做那些事儿，阿豹现在简直是太可恶了！

"你贼喊捉贼，谁信你的谎话，包就是你偷的……"肖文声嘶力竭地指着阿豹的嘴脸气急败坏地说。

阿豹看肖文这么嚣张，口口声声说是他阿豹偷的，肺都要气炸了。

阿豹怒火中烧抡起拳头一拳朝肖文的嘴巴打过去。

肖文一下被打蒙了，过了一会儿他才清醒过来。

"你敢打我，妈的，我和你拼了！"肖文的眼中是极度的愤怒，他像疯了一样站立起来朝坐着的阿豹一下扑了过去……

他们俩在沙发上扭打起来。按说肖文的这个体格根本不是阿豹的对手，可是，阿豹的腿受伤了，站不起来，腿使不上劲儿，何况肖文要和他拼命的那股劲儿还真不好对付。他们纠缠在一起互相叫骂拉扯。

小燕子早在莲娜的床上睡着了，竟然没有被吵醒。

这时莲娜和林红摆摊正好回来了。

莲娜打开门看见肖文骑在阿豹身上……

莲娜失声尖叫了一声，她被这个场面吓坏了。

"快住手，你们两个快住手，你们都忘了自己的伤还没有好么，怎么，想再次去住院呢，再住院，我不会再伺候你们中的任何一个，到时你们就自生自灭吧！"莲娜尖利的喊声把阿豹和肖文止住了。

他们停止了扭打，怔住了，然后才慢慢分开。

肖文的嘴角出血了，阿豹的手被肖文咬了一口，肖文只有一只好手，打架哪里打得过阿豹，只是他的疯狂把阿豹吓了一跳，加上他位置占优，一开始肖文还真占了上风，如果再持续一段时间，肖文绝对不是阿豹的对手，阿豹用天天练哑铃的手牢牢地抓住肖文，肖文急了就一低头咬了阿豹一口，鲜血淋漓的。

"你们俩不要命了，已经受伤了，付出了多少代价，伤筋动骨一百天呢，阿豹你真想变成个瘸子啊，还有肖文，你已经能上班了，怎么，想把这只手彻底废掉啊？"莲娜气得嘴唇直哆嗦。

"这小子太欺负人，他凭什么说是我偷了那个LV包，这不是污蔑人么！"肖文气得说话都已经是哭腔了，他这一生哪里受过这种污蔑。

"莲娜，我可以拿我爸爸妈妈向你起誓，我没有拿那个包。"

阿豹生气地说："反正我是不会动不属于我的东西，我也用自己向你起誓，我没有拿那个LV包包。"

莲娜"啊"的尖叫了一声，抱住自己的脑袋就此一下哭坐在地上。

"是我的错，是我自己糊涂，我把那个真的LV包包混在假的LV包包里一起卖掉了，你们都没有拿，是我记错了，对不起，请你们原谅我，真的，我已经想起来了，那天我从衣柜子里拿出那个包包，看过后顺手放在床上去了一趟厕所，回来就忘了这码子事儿了，后来顺手就和那些假包包一起装进卖货的袋子里了，真的，我想起来了，是一个戴麦色球帽的小姑娘买走了那个包包，是我的错，我记错了，对你们造成困扰，我很抱歉，请你们原谅我吧！"

莲娜流下热泪，不知是把真的LV包包卖掉了痛恨不已，还是心疼阿豹和肖文，她的表情和整个动作让人不得不相信，莲娜是把LV包包错卖掉了。可是，这也太离奇了吧，太凑巧了吧。

当然，每个在场的人都觉得这个是最好的解释，也是最合理的解释！

林红心疼地把莲娜扶起来坐在沙发上。肖文和阿豹都像做错了事情的大孩子默默地站在沙发前，低下了他们骄傲的头，大家一时都没有说话，但不易察觉的是大家都暗暗松了一口气。

只有莲娜知道，她只有这样说，才不会失去这些朋友的友情。

看阿豹和肖文打架的那个拼命劲儿，莲娜觉得她相信阿豹和肖文都没有拿那个包包，那么最大的可能就是自己把那个真的包包当假的包包卖出去了！

大家都松了口气，谁也不敢对这个说法再质疑下去了。

追问下去是谁都不愿看见的结果，因为他们三个人都不相信这里的人会做这种事情，那么这个解释是最好的，这样，他们之间的友谊和温暖还可以保持下去。来到这个陌生的大都市，他们都没有亲人在自己的身边，互相取暖的意义已经超越了一切。这是他们的精神家园，莲娜就是这个家园的家长，他们都不想离开这个温暖的地方。

33 抱头痛哭

第二天晚上莲娜收摊比较早，她有些害怕阿豹和肖文再打起来。

还好，这天回来时他们两个各忙各的，阿豹习惯地坐在他固定的位子，在落地台灯下翻一些资料。

肖文今天没有在客厅看平时最喜欢的那部抗战电视连续剧，他在大卧室里上网，看来今天他不想和阿豹待在一个空间里。

林红接走了小燕子，家里马上安静了下来。莲娜坐在沙发上叹了一口气，不知该和阿豹说些什么。

家里表面上恢复了平静，可是，大家都知道回不去以往那种和谐的关系了。

平时阿豹和肖文就没有什么话说，现在，他们两个人更是互相不理睬，仿佛当对方是空气一样。

莲娜看了会儿电视，觉得无聊，她坐在沙发上把手机拿出来。

"喂，杨兰，怎么样？最近好吗？"莲娜在电话里轻声问。

"你们张总马上就回来了，他约请的元旦派对很令人期待呢！你是这个派对的第一个重要客人吧，羡慕死你了！"杨兰的嗓音在电话那头响了起来。

"李婷这些天没和你在一起吗？"莲娜顺口问到。

"嗯，被你说中了，李婷这几天参加什么圣诞派对都和我在一起的，呵呵，不知道她和你说什么没有。"杨兰用有些诡秘的语气对莲娜说。

"哦，没有，她这些天没有和我打电话。"莲娜老老实实地回答说。

"当然，她哪里好意思对你说哟。嗨，也许是我害了她，她前一段时间天天苦苦哀求我带他去老郑他们那帮狐朋狗友的各种聚会，她说她也要找个富豪。天呀，哪有那么多离了婚、死了老婆的富豪嘛，我不想带她去呢，她就生气，骂我重色轻友，没办法，那些天的各种活动我都带着她。哎，你不知道，男朋友她没找到，她……她却和一个有老婆的刘主任厮混上了。那个刘主任也是凭着老婆家的背景青云直上的人物，这个人心狠手辣的，喜欢抓钱，老郑说他是雁过拔毛的主儿，贪得很呢，也是，这种人，占一天茅坑拉一天屎，哪天不在这个位子上了谁还理他呢。哎，李婷这不知死活的女人竟然和刘主任胡搞上了，估计她不知道是这个刘主任的第几任小三了，我悄悄地劝她不要和这个刘主任来往，李婷还和我瞪眼呢，说她好不容易才看上一个对眼缘的男人，叫我别管她的闲事，也不知这个贪财贪色的刘主任怎么就好上了李婷这个女人，两个人暗地里眉来眼去的，我们这个圈子里现在大家都心知肚明这个事情，可是，他们两个却以为大家都不知道呢，也是，人家不愿当众承认，刘主任还要着一张脸在社会上混呢，何况他老婆也不是个吃素的，我们周围的人就打哈哈装不知道呗。这个刘主任每次都不直接说李婷你来打牌吧，刘主任就会和我说，杨兰你把你的同学李婷一起叫上吧，得，我每次还得负责带上李婷，让大家以为他们俩没啥关系，好假吧！"

杨兰一口气说完，让莲娜吃惊不小，什么？李婷怎么会做这种糊涂事儿呢？

还没完呢，杨兰又开始爆料八卦了："哎，你不知道，李婷现在变了个人了，也不知是不是以前我说她穿得没有品味，她为改变自己以往廉价的形象现在下足了功夫，她现在整个穿着打扮都是颠覆性地改变了，身着那些假名牌，带着假名牌墨镜，穿着意大利细跟高跟皮鞋，挎着假 LV 包包，喷着那种熏死人的香水……她在我面前显摆说是被刘主任带到一个著名时尚形象设计师的高级沙龙里强化培训了一番穿着打扮的课程，果真现在，她是脱胎换骨了，举手投足之间都是'那种'调调。哎，你来参加张总的元旦派对一定可以看见她的崭新形象，头发是那种'爆炸'式的，是刘主任喜欢的'那种'女人的样子，老郑说刘主任以前的'小三'就是同个系列的，他们俩真是'王八看绿豆——对上眼了'，呵呵！"

莲娜听杨兰说李婷挎了个假 LV 包包，李婷并没有从自己这里买货呀，她的假 LV 包包是从哪里买的，李婷不可能绕过她去别人那里买假 LV 包包呀！莲娜觉得很蹊跷，她和杨兰扯了几句客气话就挂了电话。

她想了想拨了李婷的电话。

"喂，莲娜呀，你有多少天没有给我打电话了？"李婷的声音好像是有些变嗲了，听起来怪怪的。

"听说你这一段时间都和杨兰在一起玩儿呢？"莲娜小声问。

"嗯，是啊！"

"嗯，嗯那个，听说，你，你和一个刘主任现在走得很近呢！"莲娜不好意思直接说，吭哧了几下。

"讨厌杨兰，把别人这点儿破事儿到处乱说，真是的……"李婷有些害羞捂嘴笑了，莲娜可以听出笑声里有些小小的得意呢。

"哎，听杨兰说，这个刘主任是有老婆的，他很花，以前有好几个……"

莲娜的话还没有说完，李婷很气愤地叫了起来："讨厌这个杨兰，怎么就见不得别人活得比她好呢？这个刘主任比她那个老郑年轻又帅气，出手大方，他和我说了，以前那些女人都不是他的真爱，随便玩玩的，我不一样，我是他的'梦中情人'，就是你们张总对你的那个'初恋'味道，我也是觉得认识他很幸运。和刘主任在一起后，我觉得以前的那些岁月都是白混了，莲娜，他说过完元旦就带我去香港玩玩，你有没有护照，你也赶快去办个护照吧，说不定你们张总不久后也会带你出国去玩，我还真的没出国玩过呢，这个刘主任真的好帅哟，元旦你们张总开的派对我们也被邀请去了，不过，不过，我和他的关系要和所有人保密哟，只有你和杨兰知道，其他人都要瞒着的……"

李婷的话还没有说完就被莲娜打断了："李婷，你怎么还不醒悟，他不让别人知道，就是要把你藏起来玩玩的，你都快30岁了，还这样糊涂，你是要好好找个正儿八经的对象结婚的不是吗？你不能糊里糊涂和有妇之夫在一起鬼混的，你玩不起的……"

莲娜的话马上被李婷打断了。

"是呀，我不会傻乎乎地被他玩的，我会让他和老婆离婚然后和我结婚……"

莲娜听李婷说这么天真的话不自觉地摇摇头。

"李婷，你不要听他骗你的鬼话，他才不会为你和他老婆离婚的，他也是靠他老婆的背景关系起来的，你不过是他玩儿过的女人当中的一个，你别傻了，赶快离开他，不要留恋这种人，最后受伤害的是你自己……"

"喂，是不是杨兰让你说这些话的，她这是嫉妒，她就见不得我穿名牌、挎名包……"李婷在电话里骂杨兰。

"哦，那你背的那个 LV 包包是真的了？"莲娜吃惊地问。

"是啊，我背的 LV 包包当然是真的了，怎么，杨兰说我身上穿的背的全是假的吧，呵呵，笑话，那个包包是你那个真的 LV 包包，杨兰什么眼神哟，估计她就没穿过挎过那些真的名牌，他们老郑有多抠，在这个'圈子'里是出了名的，说我身上的名牌都是假的，她什么嫉妒的眼神呢……"

李婷还在絮絮叨叨地鄙视杨兰的所作所为，可是，莲娜已经呆住了，什么？李婷说她背的 LV 包包是我那个真包包，怎么回事儿，是李婷把我的真 LV 包包背走了？怎么没听阿豹说呀，家里那时应该只有阿豹在呀！我没有听错吧！

"李婷，你再说一边，你说，你背的是我那个……张总送给我的 LV 包包的话是真的吗？"莲娜激动得有些结巴了。

她的声音大得阿豹和肖文听得一清二楚。

"是啊，那个 LV 包包是上上个星期，我去你家拿的呀，我给你留了一张条子，放在你的小梳妆台上了……"

莲娜颤抖着声音："你留了什么条子？什么样的，我没有看见，我以为，是我们屋里其他的人，拿走了……"

"是一张 A4 纸呀，我叠起来放在你的小桌子上的，怎么你没看见？莲娜……莲娜……莲娜，你在听吗？"

莲娜甩掉手里的电话，冲进卧室里，到处翻找……终于在一本放在小梳妆台上的瑞丽杂志里，翻到一张折起来的 A4 纸，是的，那天她晚上回来看见梳妆台上有一张折起来的白纸，她顺手就夹进一旁的杂志里了。打开这页 A4 纸，上面

剩女奋斗记

写着：

　　莲娜，借你的真品LV包包一用，嗨嗨，我知道，你不会用这个包包的，你会乖乖地把它还给张总，可是，你那样做太不礼貌了，我帮你一把，这样你就不能还回去了，好好把握张总吧，希望你得到幸福！

李婷

　　莲娜气得泪水奔涌，她捡起掉在地上的手机，颤抖着手拨通李婷的手机。

　　"李婷……我恨你……你给我开了这么大一个玩笑，我以为是别人偷走了……你什么时候来的？你拿走那个LV包包怎么不和我打个电话？！"

　　莲娜歇斯底里地对着电话大声喊着。

　　"我……我……那天是阿豹放我进来的……我……我写了条子放在你梳妆台上的……阿豹……阿豹应该看见我背着LV包包走的，怎么？你不知道？阿豹没有告诉你我来过？我还以为你看过条子，阿豹也没和你说过？我这几天太忙了，我以为你看见条子了……没给你打电话……对不起啊！"

　　李婷的话还没有说完，莲娜就愤怒地向不远处呆若木鸡的阿豹咆哮起来。

　　肖文早就听见莲娜和李婷在电话里说这个LV包包的事儿，他已经出来了，站在客厅的一角。

　　"你为什么不告诉我李婷把这个LV包包背走了？害得我冤枉肖文，冤枉林红……你为什么不告诉我李婷来过？我恨你！"

　　阿豹被莲娜的咆哮吓了一大跳，莲娜从没有这样凶狠过。

　　阿豹非常委屈地说："那天下午，她……那个李婷说找你，我说你不在，她说没关系，她上来等你，我就给她开了门，她钻进你的房间，你们这么要好，我也没有在意，继续画自己的画儿，后来她说不等了，就走了，至于，她背没背包我没有注意，谁去注意她背什么包呀，你知道的……我画画儿很专心的，别的什么根本不关心，真的没有注意……"

　　"别说了，都是你的失误，我误会了肖文，误会了林红，我真该死……"

　　"我？这件事儿……你怎么不怪你自己呀，她不是给你留条了吗？你这样怪我……你敢说，你没有第一个误会我？怀疑我？！这么些人当中你根本就是怀疑我拿了那个包，你把我阿豹看成什么人了？"阿豹气翻了。

　　莲娜说了误会了肖文，误会了林红，就没有说误会他阿豹，那他阿豹在莲娜的心里究竟是个什么位子啊？在莲娜的心里就怀疑他阿豹一个人不是良民么？太伤人了！

　　"是的，是我自己的错，我看见这么张纸顺手就放进了那本杂志，我该死，我真的该死啊！"莲娜用手狠狠地扇了自己两个嘴巴。

　　肖文跑过来，紧紧地把莲娜抱在自己的怀里。他们俩就这样在阿豹面前紧紧地抱在一起，痛哭……

　　不知过了多久，莲娜和肖文听见一声巨响，他们抬头看时，只见阿豹铁青着脸把身边一个放杯子茶壶的小柜子掀翻了，上面摆着的一个大玻璃盘子和一个大凉水壶及几个喝水的玻璃杯子全摔到地上，地上一片狼藉。

　　莲娜受惊地赶紧和肖文分开，惴惴不安地来到阿豹面前。

　　"对不起……我……我没有怀疑你……是我的错，对不起，对不起……"

　　莲娜想把阿豹扶过来坐沙发上，因为，他的脚下都是破碎的玻璃碴。

　　"你走开吧，你就会装好人，你欺负我是一个废人，是一个瘸子，你恨不得把我快快地抛开，你才轻松快活，是不是？你这个衰女人……"

　　阿豹又叫莲娜是衰女人了，这表示他气愤极了。

　　阿豹猛一挥胳膊，莲娜被他一下子挥出去一个屁股墩，手撑在地上被一小块玻璃碴戳进去了。

　　"哎哟……"莲娜痛苦地叫出了声儿，她赶紧看手掌，殷红的血从左手掌里流了出来。

　　"你混蛋，你怎么这样伤害莲娜，我不会放过你！"

　　肖文气得指着阿豹大骂，然后怜惜地赶紧去扶起莲娜，看见有块儿玻璃扎进莲娜的手掌心里，他心比莲娜还疼。

　　"快，我们去医院，看要不要打破伤风针，不然会出大问题的。"

　　肖文去一个抽屉里拿出一捆简易绷带，把玻璃碴小心地拨出来，然后急急地给莲娜包扎了一下伤口，他把莲娜的外衣给她披上，自己也穿好外衣。莲娜忍痛看了一眼阿豹，然后他们俩匆匆忙忙地跑出了家门。

　　他们走了，家里一下子冷清寂静了，阿豹倔强地站在那里一动不动，刚刚门关上的那一瞬间，阿豹觉得自己的心被什么尖利的东西狠狠地戳了一下，他几乎不能忍受了，眼泪像奔涌的洪水一下决堤而出……

　　莲娜，莲娜已经选择了弃他而去，他觉得自己仿佛一下成了无人需要的孤儿。

　　阿豹以往的行径就像个不负责任的花花公子。他以前有多会花钱，看看薛丽的那些行头就一目了然了。他为薛丽买了那么多不能吃不能喝的所谓奢侈品，那些都是他虚荣的表现，被薛丽抛弃的阿豹两手空空被莲娜捡了回来，莲娜是怎么做的，默默地忍受阿豹的一切坏习性。

　　按谁来想都有可能怀疑他阿豹了，以前大手大脚习惯了的阿豹现在突然没钱了，那花钱的习性能改变吗？处在肖文和莲娜的位置上，第一个当然会怀疑他阿豹了。阿豹想到这里心中一阵绝望。

　　退一万步来说，莲娜现在是出于责任在管着阿豹，但她没有义务天天受阿豹的伤害，是阿豹自己以往太多的劣迹积累成了这样。在这个关键时刻，莲娜才会和肖文紧紧地抱在一起，他们平时都是被阿豹讥讽瞧不起的弱者啊！站在莲娜的

剩女奋斗记

角度想想，她对阿豹就是害怕，就是默默忍受，阿豹所有的作为就是让莲娜害怕他，莲娜怎么可能会对阿豹亲近呢。何况阿豹今天还这么狠的伤害了莲娜，让莲娜的心疼得无以复加。阿豹想到这里狠狠地扇了自己两个耳光，想想不解恨又狠狠地抽了自己两下。这些是还给莲娜的，阿豹在心里默默地说。

要说以前还没有清晰地认识自己的真心，在莲娜被肖文带走的那一刻，阿豹的心疼得不能忍受，阿豹已经清清楚楚地认清了自己已经爱上莲娜。这个女人是那么的平凡，阿豹想我怎么可能为这个女人动心呢？

莲娜和肖文打的去了附近的一家小诊所，医生清洗了一下伤口，包扎了一下，也是怕有问题，医生让莲娜挂了一瓶药水。肖文跑前跑后帮莲娜划价取药，然后，他们坐下来静静地打点滴。

肖文不知道该说些什么，他只是默默地陪着莲娜，做他应该做的事情。

34　阿豹失踪

莲娜和肖文快到十二点半才在医院打完点滴，他们打车回家，深夜的街上已经没有什么行人了。

客厅里碎玻璃碴还在那里，但阿豹不在客厅，或许已经回卧室睡觉了。

"莲娜，快出来，快出来，阿豹不见了，卧室里也没有他的人影……"肖文焦急的声音在厕所门外响起来。

怎么？阿豹不见了，这么晚他到哪里去了？

大卧室里，阿豹踪迹全无。在这么寒冷的夜里，阿豹自己一个人挂着拐、瘸着腿到哪里去了？莲娜全身打了一个冷战。

"阿豹，阿豹……"莲娜疯了一样在门口大叫阿豹的名字。

叫了几声被肖文一把拽了回来。

阿豹手机关机了，怎么办？莲娜急得坐也不是站也不是，在客厅里直打转。

肖文赶紧把地上的玻璃碴用扫把仔细地扫掉，他怕莲娜再被地上的玻璃碴扎到。莲娜现在脑子里只是转悠着阿豹不在家里跑到哪里去了的念头，眼里根本看不见肖文在干什么，什么玻璃碴，她的全心乱了……

"他的衣服、围巾、帽子还都挂在衣架上，他身上没带钱应该没有走远，他就在这附近，快，我们快出去找找，去找找啊，这么冷的天，不穿衣服在外面待着，会冻死的啦！"莲娜哭着和肖文说了几句，撒腿就跑出去了。

肖文拿上莲娜的围巾追着已经"咚，咚，咚"冲下楼的莲娜一起跑下楼去。

在小区各个楼宇之间，莲娜急匆匆地小跑着。

"阿豹，阿豹，你在哪里？快出来！阿豹，阿豹，你在哪里？快出来！……"

92

院子里转了个遍，也不见阿豹的影子。

他们又跑出院子稍远的地方找了半天，转了半天也没有看见阿豹的影子。

到这个时候莲娜也管不了这么多了，她拨了薛丽的电话，还好没关机，薛丽"喂"了一声。

"你……阿豹没和你在一起吧？"莲娜硬着头皮小声问薛丽。

"哦？没有。你说谁……哦，你打错了。"

莲娜听见一个男人咕哝着问"谁呀？这么晚了"，莲娜赶紧挂了电话。

莲娜马上给林红打电话，林红也睡意蒙眬地问怎么回事儿？当林红明白是怎么回事儿时，她就用有些埋怨的口气说莲娜，说她处理事情有多么草率，说阿豹是多么骄傲敏感的艺术家，你当时发现这个事儿时就应该冷静，想想这些人的人品，会不会有误会。

莲娜听林红这么说，心里更难受了，恨自己恨得快要死了。

"阿豹什么都没有带就出门了，衣服也没穿，不会想不开吧……"她小声嘀咕了几句。

"阿豹……阿豹想不通……去跳运河怎么办？"

"啊，我该死啊……怎么这么幼稚，这么可恶……阿豹，你回来，你回来啊！"莲娜一把鼻涕一把眼泪地坐在街边大声哭起来。

肖文跑过来抱起痛哭的莲娜，莲娜有些魔怔似的看着他，肖文把围巾围在莲娜的脖子上，莲娜不停地哭泣。

"阿豹的腿不好，瘸着腿走去运河要花不少时间呢……"肖文说。

"对哟，阿豹的腿不方便，走到那里要不少的时间，可能现在正往那里走去寻死呢，对，我赶快去找他，或许会在路上遇见他……"

"对，我开车去，开车快，马上就可以追上他的……"

莲娜撒腿就往回跑，她要去开她的昌河小面包车往那个人工运河去。

肖文一只胳膊不好，跑不快，他只能嘴里喊着追着莲娜的脚步跑。等肖文跑回来，莲娜的车子已经像个炮弹一样射出老远，肖文根本追不上了。

莲娜拼命往那个人工运河超速的开着车子，她的左手掌绑着白纱布，疯狂地转动着方向盘，鲜血已经渗透了纱布，流在驾驶盘上，莲娜不觉得疼，她的思想高度集中在要去救阿豹的念想上，根本理会不到这些。

莲娜开车来到人工运河，她一脚猛刹车，开车门就跳下车去。

她跑到这段运河跟前，四下扫视河面，没看见有人在河水里挣扎的迹象。莲娜就开始沿着河堤一路小跑，一边大声叫唤阿豹的名字。

"阿豹，阿豹，你快出来，我错了，我是莲娜……"莲娜跌跌撞撞地一边跑一边凄惨的喊。

运河水面静悄悄的，没有人，只有莲娜的呼叫声在河面回荡……

这里没有，莲娜又快速要跑过桥去往对面更深处的堤岸去寻找。

这时莲娜的手机响了，是薛丽打来的。

"喂，薛丽，你有阿豹的消息吗?"莲娜急急地问。

"什么? 还没有找到阿豹，你这个死三八，究竟是怎么回事儿? 什么，你怕阿豹跳河，现在? 你在运河边找他?"薛丽压低嗓音低吼着。

莲娜就抽抽噎噎地把经过简单地说了一遍。

薛丽那边早已经听得怒不可遏了:"你是个坏女人! 你有什么资格怀疑阿豹这么了不起的艺术家? 你那个什么破 LV 包包有什么了不起? 阿豹已经为我买过不止一个名包，他会稀罕你这个穷婆娘的什么烂包包? 我跟你说，阿豹要是因为你死了，我绝不会放过你，你给我记住了! 快去找!"薛丽低着嗓子，她是躲在那边浴室里和莲娜这样恶狠狠放话的。

莲娜流着眼泪一声一声地叫着阿豹的名字，她走了很久。

她的手在滴着血，她的嗓子已经喊沙哑了，可是，她还在嘶哑地喊着"阿豹，阿豹"……

寒风越刮越大，莲娜昏昏沉沉地快挪不动脚步了，手上的血已经凝固不流了，她不知道这样走下去、呼唤下去是不是徒劳，可是她仍然坚持着。

这时莲娜的手机响了。

"你是这个手机主人的朋友吗?"对方问。

"啊?"莲娜有些发傻。

"这个人的右腿是有伤的吧?"对方轻声问。

"对，对。"莲娜赶紧回答。

"这个小伙子个子高高的，人长得帅帅的，挂着拐杖，在我们酒吧喝酒，他喝醉了，也没有钱付账，吵吵闹闹地发酒疯，我们都不知道怎么弄他。"

听着那个男人形容阿豹的样子，莲娜的热泪一下子涌了上来，阿豹没死，阿豹还在，阿豹还活着。

莲娜流着喜极而泣的眼泪，一边开着车，一边高兴地笑着。车在半夜四点多钟开到这家不大也不算豪华的酒吧。

莲娜下车走进酒吧，然后像摸进鬼窟窿洞一样，这里面灯光暗暗的，莲娜进去了一会儿眼睛才恢复过来。

35 美梦?

来到吧台，莲娜问那个瘦瘦的正在调酒的调酒师，那个腿受伤挂着拐杖的家伙在哪里，调酒师就把一个穿着黑背心的小头头模样的领班叫过来，他把莲娜带到一间小房子跟前，打开门缝让莲娜看看，莲娜像做贼似的偷窥了一下，她看见阿豹正挥着手发酒疯乱说乱喊，让他们放他走……

领班把莲娜带到吧台前算账，阿豹喝各种酒消费了1200多元，还把莲娜带到一个损坏的小桌子面前，说是阿豹砸坏的，要赔偿300元钱，让莲娜交1500元，然后把阿豹带走。

莲娜看着这个账单就火冒三丈，阿豹怎么这样胡乱花钱，就是这个不高级的酒吧阿豹喝各种酒就花掉了这么些钱。哎，这些钱，莲娜得站在寒冷的街头卖掉十几个包包才能赚到呢。

莲娜刚一进去，阿豹就看见莲娜来了，他的狂暴突然停止了。然后他嘻嘻笑了起来："哎……真灵呢，我刚骂完玉皇大帝……他就把你送来了，上帝……耶稣都不如玉皇大帝灵光……顶用，莲娜，我好想你呢……想得心痛的，你摸……你摸，很痛……很痛，这下可好了……你来了，它突然不痛了……变得好甜蜜，好甜蜜……我好喜欢……"

莲娜走过去准备扶着阿豹的胳膊带他出去。可是，突如其来的，阿豹用强健有力的胳膊把莲娜一下紧紧地抱住了……还没等莲娜张开嘴叫"住手"，她的嘴唇已经被阿豹的嘴紧紧地黏住了。一阵狂吻，吻住了正挣扎着的莲娜……渐渐地莲娜的脑子迷糊了，这种吻，是一种什么样甜蜜的滋味！莲娜长这么大从来没有经历过这样甜蜜的接吻。

莲娜少女时曾经看过很多浪漫的爱情小说，说有些情侣之间的吻非常甜蜜，有些女孩儿可以被情人幸福地吻昏过去，莲娜有些不相信这种说法。莲娜大学时谈过一场恋爱，可是，那种青涩的恋爱很肤浅，没有什么意思，莲娜从没有觉得接吻是个甜蜜的事情。

一开始她还挣扎，可是渐渐地她开始回应起阿豹的吻，渐渐地她的意识有些模糊，渐渐地莲娜有种幸福得无法呼吸的迷离感弥漫了全身。

她竟然真的被阿豹吻昏了过去……

直到那个领班站在门口敲门，这段长长的热吻才结束。

莲娜清醒过来，她害羞地一下子从阿豹紧紧的拥抱中挣脱出来。

阿豹则好像非常疲累地闭着眼，他太累了，喝了那么多酒，人已经是昏昏沉沉的状态，看见莲娜来就好像心里的大石头落了地，那种紧张亢奋突然卸了下去，他跌跌撞撞地前后摇动，好像要倒下去了。莲娜赶紧上去扶住往后倒下去的阿豹，把阿豹扶坐在后面的大沙发上，阿豹的眼睛睁了几睁终于重重地闭上了，阿豹晕睡过去了。

莲娜大声叫着："阿豹，阿豹，你醒醒，阿豹，阿豹……"

莲娜一个人怎么撼动得了将近170斤腿脚不灵活的阿豹？没办法，领班让莲娜赶紧再找个人来把阿豹弄走，睡在这里算个什么事儿啊！

莲娜打电话让肖文过来。在等待肖文的这段时间里，莲娜把阿豹的头紧紧抱在自己的怀里，她轻轻地抚摸着阿豹俊朗的五官，高高的鼻梁，性感的嘴唇……

莲娜的泪水悄悄落下来，一滴一滴落在阿豹深深睡着的脸上。

或许是莲娜的泪水滋润着阿豹熟睡的梦境，阿豹沉睡的脸上竟然浮起了微微的笑意……是梦见了和莲娜在一起的美妙情景吗？莲娜弄不清楚自己为什么流泪，是因为自己之前啼血杜鹃般的呼唤，留住了阿豹的生命？

自己已经筋疲力尽了，可还是守得云开见月明，阿豹已经改变了很多。竟然，竟然还这样深深地吻住了莲娜，莲娜可以从这个深深的吻中咂摸出什么微妙的东西？阿豹真的会爱上平凡的莲娜吗？或许这只是阿豹在极其困难的境地中生出来的错觉加幻觉？莲娜不知道！

莲娜有些七上八下地胡思乱想。

莲娜长这么大确实真的是没有热烈地爱上过一个人。

她不知道，只有真正的爱一个人才会被他的所有行为感动，才会有甜蜜的接吻！互相爱恋的恋人之间，身体里会分泌一种情人之间才会有的令人极度兴奋的东西，据说两个有缘人不管相隔有多远，他们都会穿越千山万水，在茫茫人海中找到彼此相爱的那个人，那种心意相通的东西会在两个人不期相遇的时候微妙地在彼此心中酝酿发酵，那浓浓的淳厚就是真正的爱情，任什么东西都阻挡不住，家庭、门第、社会舆论都无法阻止爱情穿越式的激烈爆发……

莲娜不知道自己和阿豹的心中正在发酵着这种东西，她觉得太不可思议了，自己这么平凡，在阿豹面前显得好卑微，阿豹这么骄傲，才华横溢，怎么可能会看得上这么平凡的自己呢？这些果真是真的吗？不是自己在做梦吗？

如果是梦，莲娜但愿自己不要醒过来，不要醒过来……

当肖文悄悄走进这个奇怪的小屋里来时，他看见莲娜正紧紧地抱着阿豹的头默默地微笑垂泪。

昨晚阿豹为什么发火、摔东西？肖文心里明白得很。那是因为看见莲娜和他肖文紧紧抱在一起时嫉妒吃醋的最直接反应，这是作为情敌之间最敏感的动作，肖文知道莲娜抱住他是莲娜不能忍受阿豹粗暴态度的表现，并不是莲娜已经爱上了他肖文，可是肖文就是要阿豹误会他们俩，不然，和阿豹比拼肖文绝不是对手，肖文在阿豹面前只能示弱才有争取莲娜的机会，只要有这样的机会肖文是不会放过的，肖文心中明镜似的。

肖文轻轻地咳嗽了一声，莲娜看见肖文进来了，慌忙起身迎接肖文的到来。

回家后，莲娜给阿豹仔细地掖好被子，在这一系列过程中，莲娜觉得自己和以前照顾阿豹的感觉不一样了，现在做这一切是带着无比甜蜜和温柔的感觉。

躺在自己床上她在细细品味阿豹吻她时的每一个细节的真实感受，想到自己短时间内被阿豹吻昏过去时，她的心快速地蹦跳起来，她在黑暗中羞红了脸，害羞地用被子迅速盖住自己滚烫的脸。莲娜觉得自己真的有恋爱的感觉了。

正当莲娜迷迷糊糊快要坠入梦境时，早起上班的闹铃却响起来了……

莲娜走之前悄悄推开阿豹他们大卧室的门缝瞧了瞧，看见阿豹还沉沉地睡着，给他留了一张条子，让他好好吃稀饭。莲娜带着完全崭新美妙的甜蜜感匆匆和肖文上班去了。

莲娜上班时还在不停地回味那种甜蜜的感觉，那滋味更加浓烈了，她常常会偷偷地不由自主地捂着嘴微笑起来，眼睛像一弯儿美丽的月牙。

大家都觉得今天的莲娜和以往不同，是一个神采飞扬的莲娜，柔情似水的莲娜……爱情是女人最好的美容剂，说得没错。

好不容易盼到下班了。莲娜急匆匆地接上肖文，就直奔菜市场。进到菜市场莲娜尽挑阿豹最喜欢的菜，什么基围虾，花菜，牛腩……

肖文可以从莲娜神采飞扬的脸上读出点儿什么，这是恋爱中的女人的标准样子，肖文的心中就隐隐地有种很痛的感觉，可是他无法述说。

回到家时，莲娜偷偷屏住呼吸，脸红心跳地踮脚悄悄溜到大卧室门口瞧了瞧，阿豹不在，却听见厕所一阵冲水的声音传来……哦，阿豹在厕所啊，莲娜用手抚了抚蹦跳的心，把提起的心放回到胸腔里。

阿豹从厕所里拄着拐杖出来了，莲娜害羞的悄悄抬起眼看了看阿豹，这一看莲娜大吃一惊！只见阿豹穿戴整齐，表情严肃，好像要出远门的样子。

阿豹一瘸一拐走到肖文面前："麻烦你帮我把行李从大卧室里拿出来。"莲娜一听，惊得目瞪口呆。

肖文走进大卧室，把阿豹一个已经装得鼓鼓囊囊的大皮旅行包拎出来。

"莲娜，肖文，我走了，你们俩好好相处……莲娜你是个好女人，我为以前对你的粗暴行为道歉……你……肖文……你要好好待莲娜，她是个好女人，你不要小肚鸡肠，莲娜是个可造之才，你不要用你们农村媳妇的标准对待她，以后不要让你母亲欺负她……不要让她成为第二个林红……祝你们幸福。"

阿豹还想再说点儿什么，可是，他眼睛红红的仿佛快掉眼泪了，他掩饰了一下，转身就准备开门走出这个房间。

莲娜只觉得自己的心脏被狠狠地一戳，眼前一黑，她捂住胸口后退几步，差一点儿坐在地上。

🌸 36　阿豹走了

肖文说了句："你等一下。"说完他走进大卧室，过了几分钟又走了出来，他手上拿着一张卡。

他走到阿豹跟前："这个卡上有十万块钱，你拿着，从此莲娜和你的账就算清了，从今往后，莲娜和你就没有什么关系了……"

阿豹一听肖文说的这些话，再看肖文的这个动作，脸一下子涨得通红。他有些颤抖地接过这张卡，那种受侮辱的感觉瞬间传遍全身，他把这张卡狠狠地摔在肖文的脸上，气得直哆嗦，他恶狠狠地指着肖文的脸说："好，只要莲娜亲手交到我手上，我会尊重她的意愿，我会收下的！"

"好吧，莲娜会亲自给你送去的。"肖文平静地说完这句话就转身去拎阿豹的大皮包，那意思就是你该走了。

阿豹扭过头来深深地看了莲娜一眼，那里面有深深的绝望和不舍。

莲娜已经被痛楚击中了，她什么都说不出来，可是，她在绝望中还是说出一句话："昨天晚上……你做了什么……你都……不记得了？"

"昨天晚上？"阿豹为难地抓了抓头发。

"昨天晚上……我……我喝多了……和别人吵架哦……还……还……砸了……什么东西……很多人……来按住我……抓我……"阿豹直着脖子想了好几分钟，接着他又痛苦地摇摇头，"不记得了！"

他真的一点儿不记得昨晚对莲娜的那番表白和那个热烈的吻了，在他的潜意识里他以为那一切都是他自己做的美梦呢……美梦醒来就是忧伤……今天他酒醒过来，看着空空荡荡的出租屋，回想起了自己昨晚在客厅骂莲娜的那些话，又掀小桌子，让莲娜手掌受伤，还有莲娜和肖文紧紧抱在一起，不由得抱头痛哭……

看见莲娜留在保温桶里还温热的稀饭和一碟碟精致的小菜阿豹哭了，哭了整整一个中午，是自己辜负了莲娜的所有付出，莲娜选择肖文是对的，阿豹自己酿的苦酒只有自己吞下去。

时间不会倒流，要是可以阿豹会用自己所有的爱、关怀来回报莲娜，可是一切已经回不去了。

阿豹的泪水在这一刻倾流而下！

擦干泪水，阿豹拿出自己的手机，他打电话给一个好朋友肖刚，肖刚也是个画家，已经结婚了，阿豹问肖刚借画室，肖刚就答应借一个大画室给阿豹。

肖刚说刚好自己已经搬到一个新画室了，可以把以前那个画室借给阿豹，那个画室是在一个快拆迁的民居里，条件不好，没有集中供暖，得自己烧土暖气取暖，阿豹不嫌弃可以去待一段儿时间。

阿豹现在只想抓紧时间快速画一批油画出来，来年要参加几个国际画展，只要可以一下子摆开10张左右画框就行，别的不会有什么过多的要求。

肖刚晚上六点半钟来接阿豹一起出去吃饭，吃完饭就直接送阿豹过去。

阿豹认为自己是天底下最蠢的蠢货！

不久以前阿豹还在兴致勃勃的计划着，自己能很快地赚了钱，要给莲娜投资，让莲娜做正规的贸易公司，以莲娜的资质和奋斗精神，一定会成为一个事业成功的神采飞扬的女人，她会活得自信光彩，幸福美满！

肖刚上楼来敲门，肖文去打开门。肖刚是个高高瘦瘦的男人，穿着黑色的皮衣，围着大红围巾，带着鸭舌帽，很有艺术家的范儿，他的妻子范芳也一起来了，她是个看起来很有文化味儿的清秀女人。

"阿豹，你终于正常了，你哥哥陈虎前几天还从美国打电话说让我们好好劝劝你，现在看起来你精神很好，咦，你的腿怎么了？怎么不和我们说你腿受伤了，你现在还好吧，给你哥哥多打几个电话嘛，别让他惦着了……"肖刚和范芳围着阿豹上下左右的看……

三个人热情地寒暄着，然后拥着阿豹一起下楼去了。

一瞬间这个客厅寂静了下来，时间仿佛凝固了，莲娜变成了石头，仿佛她也快没有了呼吸……人要是死了，心就不会痛了吧！

莲娜听见林红小燕子还有肖文上楼说话的声音，像听到口令一样命令自己马上站起来，她艰难地用包着纱布的手支撑着自己爬起身来。

"哎，刚看见阿豹走了？他在这里不是住得好好的吗？怎么要搬走，是不是我们小燕子来这里打扰他画画了？"林红有些忐忑地小心地问莲娜。

"没有……阿豹喜欢小燕子，他说要问朋友借个大画室，画些大画儿参加明年的画展，不是因为小燕子，你不要多心！"肖文赶紧回答林红。

"哦，是这样啊，阿豹真的好勤奋，又有才能，英文又说得漂亮，人又长得帅，已经有名气了，假以时日阿豹一定会腾飞的，我们这个鸡窝里终于飞出了这么一个金凤凰啊，他涅槃重生的过程我们这些人都有幸参与呢，呵呵，我想我们家小燕子以后一定要虔诚地拜阿豹为师学画画儿，就不知道她是不是这块料子，在国外艺术家是很受人尊重的……"林红叽里咕噜地说了这么些话儿，她没有仔细看莲娜的表情。

也许阿豹真的没有喜欢过她莲娜，是莲娜贪心把阿豹喝醉酒后的胡闹当了真，是啊，她莲娜是什么人呢，按社会约定俗成的看法——莲娜是这个社会里一个特殊群体的女人——是一个嫁不出去的老剩女，似乎快和可怜虫相提并论了。她这样的可怜虫怎么可能期望拥有阿豹这个青年才俊的爱情和垂青呢？她真是脑子被烧糊涂了，妄想去攀登阿豹这样的高山，不是痴心妄想是什么？莲娜快变回正常吧，该干什么干什么！莲娜在心里对自己说。

莲娜你行的，你要加油！加油！莲娜想挥拳鼓励自己，可是她挥不动。自己的心怎么这么痛呢？莲娜用手捂着自己的心脏部位。

等莲娜微笑着抱着一大包包从小卧室走出来时，肖文是大吃一惊！这个莲娜是不是女人呢，怎么一点儿没有那些失恋女人一哭二闹三上吊的样子啊？想想自己以前的女朋友王慧那个闹腾样子，唉！

🌸 *37* 受刺激

　　莲娜强忍住自己的心痛，像往常一样和林红摆摊。林红根本没有看出莲娜和以往有什么不一样，她照旧和往常一样热情地招呼来往行人来买她们的货……这时，有个电话进来了，林红一看来电显示就高兴起来，她按了接听键，用英文和电话里的人讲起电话来。

　　莲娜一听之下大吃一惊，这好像是在和西蒙讲电话。怎么他们两个现在联系这么密切？好奇怪！

　　来买货的两个漂亮时尚小姑娘都有些好奇地看着这个摆地摊的女人流利地用英语和电话里的那个人说话！

　　"哎，这个摆地摊的大妈好厉害，英文说得这么棒，可是说这么棒英文的大妈为什么沦落为摆地摊的了？不明白……"小姑娘和她的伙伴耳语道。

　　"谁知道，我妈天天叫我好好学习考个好大学，将来就可以嫁个有钱的好男人，你看，这个大妈，看样貌好像个白领，英文还说得这么好，可是怎么会沦为摆地摊的可怜女人啊?！这可是怪事儿！"

　　另个小姑娘想了想："哦，我知道了，最有可能的就是她没听她妈的话，没有嫁给门当户对的好男人，一定是嫁了个凤凰男家里穷的不行了，现在这个残花败柳的样子又被抛弃了，没办法了才来这里当违法小贩，好可怜哟……"

　　"哦，是没有嫁个好男人，真的是太可怜了。"另一个小女孩儿频频点头。

　　"我一定听我妈的话马上去那个网上富豪相亲会去报名，现在还谈什么纯洁的爱情哟，男人没钱就会用'爱情'这个可笑的词语哄骗傻女人上当！没有钱的帅男，长的就像是刘德华我也不嫁他，嫁给这种穷男人没房没车过得不好的话，就会落到这个大妈一样的下场，一模一样。"

　　"没听说贫贱夫妻百事哀吗？越穷越吵，越吵越穷，搞不好，那个又穷又狠的坏婆婆还在里面使坏，让凤凰男离了再娶个黄花闺女，这个白痴大妈就这样被抛弃了，就来到这里可怜兮兮的摆地摊养活被抛弃的自己和孩子了！"

　　"是哦，看她的样子我也不敢用青春赌和穷小子在一起的未来了。回去我就和那个追我追得吼吼的穷小子拜拜，可是他长的真的和金城武一样帅，和他走在一起回头率是99%……嗨，就是人太穷了，我上次过生日想要一个高级唇膏他都买不起，气死人了……"

　　"呵呵，那是，你这么爱名牌，连背包包都要名牌，没有真的宁愿背假的，你怎么可能看得上那个穷小子呢！跟那种男人在一起你以后就是过着方便面加眼泪的日子，以后你都不要再想起他了。"

　　"是哦，嫁个穷小子连名牌包包都背不起，那样活着有什么人生乐趣。"

"你有目标了?"

"现在又有一个长的不帅的富二代追我呢,我以前都不理他,可现在看了她的可怜样子,我可真的得上心了。"

"是啊,女人学的好不如嫁的好啊,真理啊!"

两个小姑娘买完莲娜的假名牌包包,一边慢慢走一边议论着,莲娜把她们的对话听得清清楚楚。

话糙理不糙吧,所以不能全怪现在的女孩子们大多已经活得太现实了!

就拿莲娜和林红跟刚刚拿钱买她们货物的小女孩们比吧,拿钱消费买货的人和无奈站在这寒冷街头当小贩卖货的人,当然有着截然不同的心情。花钱和赚钱的心情,花钱和赚钱的速度,这两样根本没有可比性呀!莲娜和林红站在这个寒冷的街头最有心得体会了。

林红早已说完电话,她隐隐约约听见这两个小姑娘的议论就恍惚起来。她凄惨地自言自语着:"是啊,怎么连这么小的姑娘都懂得门当户对的道理,我怎么读了那么多书就不明白呀,我不都白活了吗?当时我妈妈哭得眼睛都要瞎掉了,不让我嫁给前夫,可我死活不听,疯了一样,死活都要嫁给那个家徒四壁的家伙。其实穷我也就忍了,可是他还那么懦弱,那么愚孝,家暴,听不进我说的话,却听那个什么也不懂、就一脑子封建思想的婆婆的话,说我是败家娘们,生不了男孩儿,旺不了他家,让他家断子绝孙,他家已经穷得叮当响了,还有什么香火可继承的。他妈妈的话对他就像是圣旨一样,他家砸锅卖铁供他读了大学又怎么样?哪有学到一点儿什么人文思想,就是为生存瞎忙活了,我们一家实在是低标准的'活着',我还天真地以为我伟大的'爱'可以改变他,改变我们的命运,和他在一起可以勤奋劳动致富,我太天真了!他为了生男孩儿背着我偷偷地搞'小三',他妈和他串通一气,说什么我生不了,别的女人可以为他生儿子!都穷成这样了还想着生儿子。他妈骂我是狐狸精,说我是占着茅坑不拉屎,不生儿子就算了,为什么还把老公的工作克掉了,现在落得女儿小小年纪跟着自己一起这样活受罪,我真的是白活了……"

林红说得伤心,莲娜听得心酸,眼泪不停地流,想到自己和阿豹,眼泪流得更猛了!

莲娜想自己现在又怎么样呢?讲门当户对?现在这三个男人里面,张总根本不是和自己在一个世界里生活着的人,太奢华,奢华的自己根本不敢靠过去。阿豹呢?阿豹才华横溢,是应该生活在童话世界里的人,自己和他要是硬要在一起呢?难道自己要拉着阿豹和自己过这种低标准的生活么?

莲娜绝不能这样做,何况阿豹也根本不会爱上自己这样普通的"老剩女"!一切都是自己自作多情的幻想吧?或许她莲娜和肖文才是门当户对!两个人都是平平凡凡的俗人,艰难而认真地在这个大都市里活着……可是想到阿豹自己为什么会这么心痛呢?

莲娜和林红在这个寒夜里，各自默默流着自己伤心的眼泪……

两个人情绪不高地收了摊子回到已经没有阿豹的家里。她开车把已经熟睡的小燕子和林红送回林红现在租住的一间小小的屋子里。

这是个有着40年楼龄基本条件很差的六层旧筒子楼。整层楼只有两个公共厕所，一间公共盥洗室……在这窄小的楼道里各家都把自家做饭的家伙什儿摆出来，锅碗瓢盆瓶瓶罐罐，炉子砧板摆得到处都是，楼道被挤得满满的，人只能小心地一路侧着身子走路，没来过的人会误以为来到了上世纪60年代拍电影搭出的拍摄现场，这哪是现代的21世纪啊！

莲娜很担心小燕子在这楼道里贪玩会被这些危险的家伙什儿弄伤了。她曾劝林红快找个好些的住房搬出去，林红为难地说，自己刚刚离婚，没有分到什么钱和财产，还落了一些债没钱还呢。林红比莲娜的经济情况还差，还拖着女儿小燕子，勉强供小燕子上幼儿园后手头更拮据，根本没有多余的钱。林红想再赚一段时间的钱就可以缓缓劲儿了，争取把小燕子送到条件好些的寄宿幼儿园去，自己腾出时间想和莲娜一起先做个网店。

林红有些犹豫地说："刚才西蒙打电话约我过段时间去参加他的生日派对，他说让我转告你和阿豹也一起去。"林红涨红了脸，"西蒙……他想……追求我……他条件这么好的人……为什么会对我动这个心思……难道……我是在做美梦么？"林红的眼神闪动着不知是喜是悲的惶惑，她好像真是觉得自己是在做梦呢！

在这个城市最简陋的蜗居里，或许真的可以做出林红这个女人此生最美妙的梦境。西蒙是个有人文思想的西方男人，他的爱情里没有任何人为的障碍，爱情就是爱情，没有附带任何东西，包括国籍、人种、离没离过婚、带没带孩子……只要有爱情，一切都不是障碍。西蒙年薪很高，生活得很潇洒，可是他现在名下没有任何房产，他喜欢哪个国家就可以去申请工作，工作几年想换个国家就又可以拿简历去申请，像他这样有工作资历的人，找工作是比较容易的。西蒙说自己已经去十几个国家工作过，那是怎样不同的人生，是莲娜和林红不能理解的世界，和这样的男人谈恋爱是个什么滋味和未来？

林红或许已经迎来她人生的曙光！可是莲娜的爱情美梦已经醒了！想到这里莲娜的心中又是一痛，她就觉得自己已经无法忍受了！

莲娜转过身快快地和林红告别了，她开上车飞快地离去，她不知道自己怎么了，疯狂地踩着油门，她的爱情美梦还没开始就已经结束了……莲娜自己也不知道怎么就把车开到昨天找阿豹的那个人工运河边去了，那里人迹罕至，在寒冷的冬季这几乎没有人迹了。

莲娜蹦下车，跌跌撞撞地跑到运河边，对着运河大声嘶喊起来："阿豹……阿豹……阿豹……我爱你，我爱你……阿豹……阿豹……再见……再见……"

莲娜撕心裂肺地喊叫着，她要和阿豹做一个特别的告别仪式，把自己心中所有的爱喊出来，这是她作为一个女人，对甜蜜爱情的一个了结。她莲娜爱过一个男人，这个男人叫阿豹，这个名字已经深深地镌刻在她的心里，任什么力量也无法除去，再也无法离开她的身体。即使以后做了别人的妻子平平淡淡地活着，至少她已经体验过炙热的爱情，哪怕只是奢侈的一瞬间。

38 华丽晚礼服

张总的元旦派对在这年的最后一天晚上六点钟拉开了帷幕。

哎，去吧，莲娜也没有想什么，这天下班了，莲娜和肖文说自己晚上有个聚会，就出门去了。肖文默默地点了一下头，阿豹走后莲娜的落寂肖文是看在眼里的，他坚信莲娜需要时间忘却阿豹，他可以等。

莲娜素着一张脸，穿着平常干净的衣服开着昌河小面包车就去了，在一个大超市门口莲娜停了一下，去买了个大水果篮，就匆匆地奔张总的别墅来了。

杨妈开的门，看见莲娜素着一张脸，有些轻蔑地撇了下嘴角，她接过莲娜手中的大水果篮跟在莲娜的身后来到客厅。

张总正坐在大沙发上打电话，看见莲娜进来了，他热情地笑了。

"莲娜，好久不见，你好么?"张总关心地问。

"啊，还好，谢谢张总关心。"莲娜客气地寒暄。

"看你脸色不是很好，这段时间比较累吧，晚上还去摆摊吗?"张总问。

"去，每天都去，不累，谢谢张总关心!"莲娜真诚地道了声谢。

"呵呵，莲娜就是莲娜，真的很像我母亲，对了，谢谢你给我爸妈寄去的毛背心，他们二老天天穿着呢，尤其是我父亲，说这个毛背心老好了，比那些大商场里卖的都好都暖和，我爸妈希望你能去我们老家做客，我妈妈说你这样的好女人现在都看不见了，她打电话总念叨说要是她能娶到你这样一个儿媳妇她做梦都要笑醒呢!"

张总借着自己妈妈的口暗示他对莲娜的期望。

莲娜微微低着头，也不接张总的话，脸上什么表示也没有。

张总一看莲娜这个态度，也没有接这个话茬继续说下去，转身，他从身后拿了几个包装很漂亮的盒子出来。

"莲娜，来，看看，漂亮么? 今天你也要装扮一下，这是我在纽约给你买的晚礼服，你也去换换装，符合今晚这个晚宴的主题。"

莲娜一看那晚礼服，就知道这些晚礼服绝对是价格不菲的。

"不行呀，张总，您不要老送我东西，我……我还不起……你的情。"

莲娜一看真的很为难，LV包包的情还没有还，这又来了晚礼服，这样欠，欠到什么时候是个头呀。

"张总，我……我……我不能接受，您不要为我费心了……"

莲娜想马上和张总掰扯清楚，可是，看看今天这个阵势没法说清。

张总手里的电话又响了起来，张总回过头来对杨妈说："杨妈你带莲娜小姐上去换衣服，化化妆，给她打扮漂亮一点儿，我还有重要电话要打。"

"是，张总。"杨妈很恭敬地对张总点点头。

她们来到一间装修很有品味的化妆间，莲娜有些恍惚。这里多么漂亮啊，墙上装着各种形状的镜子，被各种柔和的灯光映衬着发射出梦幻般的光泽……

那件黑色的晚礼服被杨妈挂在一个白色的衣架上，上面缀满精致的像小星星一般耀眼的碎钻……多亮丽的华服啊。光看着这件光芒四射的晚礼服，女人的虚荣心都要醉掉了！

杨妈给莲娜梳头，莲娜很不舒服，说自己可以梳，杨妈松了手，到后面找东找西的不知道在干什么。

莲娜拿着把梳子开始梳自己的头发，她心里很愁苦，不知道自己坐在这里梳头是为了什么？很奇怪的感觉，自己也无法准确搞清楚自己现在内心的真实想法，脑子里乱成一团……

杨妈弄完衣服，给莲娜拿出一双高跟露脚趾的细跟跟鞋，然后开始给莲娜穿晚礼服……莲娜几乎被杨妈脱光了，全身就剩下小三角裤和胸罩，接着杨妈就来脱莲娜胸前的胸罩，莲娜赶紧伸手拦住。

"莲娜姑娘，你还真的是老土呢，穿这种晚礼服里面不能穿你这种老土的胸罩呀，不然露出来多露怯呀？我们夫人胸部丰满，穿各种名牌晚礼服都有特制的乳贴，喏，你看，就是这种，你没有穿过吧？"

莲娜赶紧捂着胸部不让杨妈的手触碰到自己。

"哼哼，说你土还真的是上不了台面，这怕什么？和张总交往你连这个乳贴都不会用，以后怎么穿各种晚礼服？实话说你比上次那个被我赶走的小妖货（小文）不知道好了多少倍，可是，没有办法，张总夫人的位子只有一个，我得为我们夫人守候着这个位子，任谁都无法取代，你也就没办法如愿做张总新夫人了，你就在我们夫人不在的情况下临时客串一把张总的临时伴侣吧，嘿嘿，今晚你要好好表现了，这个晚上应该是你人生很美妙的一个梦，你就好好享受吧！当然不要忘了美梦结束后一切都要归还到这里来！"

杨妈很粗鲁地帮莲娜穿上黑色晚礼服，帮莲娜在背后很仔细地拉上拉链，看见莲娜自己梳的头发，杨妈很不满意，一下把莲娜盘的头直接拉散掉，三下五除二帮莲娜盘好头，又从梳妆台抽屉里面拿出一套碎钻的装饰品，有项链，耳环，还有一个头饰，莲娜立刻变得熠熠闪光起来，这套钻饰和晚礼服上的碎钻遥相呼应，莲娜马上变成了一个贵气的名媛！

杨妈又拿出一套兰蔻化妆品，开始给莲娜化妆，别说，杨妈这些年跟着刘贝贝已经被熏陶得对各种时尚的东西很敏锐了。刘贝贝还教会了杨妈化简单的妆，杨妈这两下子还真的不赖，给莲娜花的妆不是很浓的那种，很符合莲娜清纯的气质……

"呀，太漂亮了，莲娜真的是你吗?"一阵熏死人的香风随声朝莲娜袭来。

莲娜看见一个打扮妖艳，穿着貂皮大衣的女人出现在自己面前大大的镜子里，莲娜看见一张既熟悉又陌生的脸，是李婷。她真的整个人的风格都变了，以前那个有些土的李婷已经脱胎换骨了，现在是个风骚妩媚的摩登女人。她穿着够尺寸的细高跟意大利皮鞋，外面是一件价值不菲的貂皮大衣，背着那个搞得莲娜和阿豹分开的 LV 包包!

"士别三日当刮目相看"啊! 李婷在这么短的时间内已经彻彻底底的从里到外、从头到脚蜕变成了一个"小三儿"，不是莲娜亲眼看见，她绝不会相信杨兰对李婷的描述，李婷真的是让莲娜目瞪口呆了!

莲娜一看见李婷气就不打一处来。

"你太过分了，做这种让人痛恨的事儿，阿豹已经为这个包包和我大吵一架搬出去了，可怜死了，他的腿还没有好，拖着个瘸腿自己怎么过呀!"莲娜怒气冲冲地看着李婷说了这些话，说到最后语气都有些哽咽了。

"啊，那个，莲娜你不要发怒……哦，杨妈，我看张总刚才好像想找你。"李婷想私下和莲娜说这件事儿，杨妈在这里不是丢她李婷的人吗? 杨妈做惯了下人，察言观色的本领是很高的，她马上走出房间，轻轻地虚关上门，可她并没有走，悄悄地把耳朵贴在门上偷听。

"莲娜，我又不是故意的，那天阿豹确实在场，我不是给你留了个条子么? 放在那么明显的位置，谁让你不看呢。是么? 那个讨厌的阿豹走了? 那太好了，你不是最讨厌他么? 这下他自己走了你不是就摆脱他了? 这是好事儿啊!"

"你知道什么? 我把他的腿弄断了，要赔人家阿豹十万元呢，我这不是没钱，一分还没有赔给别人么。阿豹现在忙着要画画，明年要参加好多个画展，他现在手里没钱，又没人照顾他，自己又拖个瘸腿不方便，在这种情况下我怎么能把他推开呢?"莲娜说着有些哽咽地低下头。

"可是，你却来增加我的负担，你知道的，我根本不想趟张总一分一厘，他送给我的这个 LV 包包哪里是我消费得起的，我拿什么值两万的礼物还送张总，你也知道我根本不想趟张总这片浑水，你却非要把我拖下来趟这片浑水，你这究竟是想干什么? 好了，这下好了，这个 LV 包包你用了，我怎么完璧归赵，你这不是难为我么? 我现在卡上只有两万多块钱，阿豹现在走了，我不得马上先还给他两万块钱急用么，你背这个包包爽快了，别人的死活你不管了?"莲娜很伤心地质问李婷。

"哎，你不想和张总，那你干吗和张总的父母关系这么好? 还给别人爸爸妈妈寄山货，寄手打的毛背心，你不知道张总有多得意地把这事儿对我和杨兰描述吗? 张总觉得好高兴呢! 你这不是明摆着想讨好你未来的公公婆婆吗? 还说不想嫁豪门，可你这边讨好张总的爸爸妈妈，那边又舍不得放手帅哥艺术家，两边都黏黏糊糊的，莲娜你可真是搞男人的高手啊，对了，还有那个候补斯文青年肖文，我服了你了，你手上现在有三个优秀男人供你选择……"

李婷振振有词地说了这么些话，莲娜觉得自己仿佛不认得李婷了，李婷怎么能这么歪想？这不是莲娜的真实意图，李婷完全给理解歪曲了。

"你……你……怎么能这样说我……"莲娜不知该怎么说话了。

"好了，你别假装清高了，你不就是变着话儿斥责我不该拿你的LV包包么，这有什么呢，你给我个卡号，我明天把两万块钱给你打过去，不就一个LV包包，至于这么小气吗？"李婷摇了摇头，好像莲娜这些小肚鸡肠的弯弯绕太上不了台面了。

"你……你说的好听……你哪有钱买这么贵的包包，别打肿脸充胖子了……"莲娜有些气歪了嘴，直愣愣地看着李婷。

"哎，看见没？这张卡里现在有20万，随便我刷，一个LV包包算什么？"
李婷有些洋洋得意地从那个LV包包里拿出一张卡在莲娜的面前炫耀着。

"什么卡？卡里有20万？你从哪里赚来的？"莲娜问。

"哦，是……是……刘主任送给我的圣诞夜礼物，这个礼物不错吧！"
李婷有些得意洋洋地跷着二郎腿，脚尖悬着那只漂亮的皮鞋一抖一抖的。

"喂，李婷你不要这样吧，拿别人的钱，做有妇之夫的小三儿你还这么得意，这个钱是好用的么？那是你的卖身钱啊，你以后不想正常结婚啊？哪个好男人会接受一个做过别人小三儿的女人做自己的妻子啊？你别傻了，把这个卡还给刘主任，离开他，你好好去相亲，找个合适你自己的小伙子结婚吧。"

莲娜的话还没有说完，李婷的脸色不好看了。

"莲娜，你省省吧，我们这把岁数的女人还能正儿八经的和穷小子相亲结婚？相了这么久你没有相够啊？看看那都是些什么衰男人，要钱没钱，要权没权，活得那个卑微艰难，别说什么LV包包了，连带我去看一场像样的时装秀都没有可能，我和刘主任已经去看过好几场华丽的时装秀，太华美了，真的是美极了！以前我就像个井底之蛙，活得那么憋屈可怜，我以前就是那样卑微地生活的，我再也不会去过那种可怜的生活了，和刘主任怎么了？他早就不爱他那个黄脸婆了，我和刘主任才是'真爱'，我们是错的时间爱了对的人，我以后会上位的，莲娜你要相信我和刘主任是真的爱对方，你要支持我。"

"你这是什么谬论，人家还没有离婚，你这是道德败坏，破坏别人家庭，刘主任只是对你玩玩的。你以为你是个例外？别做美梦了，李婷你就听我一次，和这个刘主任断了，好好去找个小伙子结婚，生儿育女过幸福平凡的生活……"

莲娜还没说完就被李婷愤怒地打断了。

"你说的好听，你不想过富贵的生活那你来这里坐着干什么？别坐着说话不腰疼，你不想钓金龟婿你来这里凑什么热闹？"

莲娜有些不知怎么说，是啊，她坐在这里干吗呢？

"我……我……我本来就是想和张总打个招呼就走，本来想还给他 LV 包包就和他说清楚了，可是，你把包包都背了这么些天，我哪里有钱一下子还给张总两万块？即使出于礼貌和感谢，我也应该来一下，张总约了我好几回，他又没直通通地对我说莲娜你嫁给我吧，我总不能自作多情地说'谢谢张总，我不嫁给你'吧，他说这个话我会马上拒绝他的，这你放心。至于你说的给张总母亲寄毛背心，那是因为张总母亲送给我三轮车没要我的钱，我当然要还礼给老人家，也不是什么值钱货，你们要是这么理解我巴结他们一家我也没有办法。我和张总根本没有什么恋爱关系，你不要想歪了，至于为什么我坐在这里，我也不知道，我刚来，张总就要杨妈拉我到这里又化妆又换衣服的，我自己还没有搞清楚什么状况，你放心，我不会和张总有任何牵扯的，我知道自己做不了张夫人，我有自知之明，我就是那个街头无照小贩莲娜，做不起这个宅子的女主人。这就是我给你的答案。"莲娜站起来对李婷说道。

"莲娜，你疯了，你真的会放弃和张总在一起？放弃这么豪华的生活？你知道多少女人求都求不来啊，你竟要为了那个穷小子放弃，不可思议，你真的看上了那个穷小子？是阿豹还是肖文？"

"唉，我爱别人，别人未必爱我这个贫苦又平凡的老剩女哟！"莲娜叹息了一声，她脑海里闪动着阿豹英俊潇洒豪放不羁的身影。

"真是个怪女人，有富豪不爱，爱那些个穷酸傻小子，我服了你哟！"

李婷有些不可思议地看着已经不平凡的莲娜，莲娜现在的穿着打扮像个美丽的女神，庄重而高贵……

"哎，杨妈，莲娜和李婷在哪个房间呢？"挎着价格不菲的坤包，一身珠光宝气的杨兰走上楼来找莲娜和李婷。杨兰看见杨妈撅着屁股把耳朵贴在一个虚掩的门口前不知道在干什么。

看见杨兰过来，杨妈赶紧直起身子，有些尴尬地笑了笑。

"哦，杨兰小姐来了？你的朋友们在这里梳妆打扮呢。她们都等急你了，我叫人给你们送咖啡过来呀。"杨妈说着就回身下楼去了。

杨妈一边走一边想，莲娜这个女人还不稀罕做这个家的女主人，这真出乎她的意料，可是，杨妈觉得，莲娜越这样却越是危险呢，她越是不想嫁富豪，张总和张总的母亲就越是看好这个女人。所以如何对付莲娜这个女人才是最困难的，绝不能掉以轻心，得给在美国的刘贝贝一些忠告了，她现在和那个艺术家还在一起鬼混呢，那个家伙根本就不想结婚，刘贝贝和他耗着，能耗出个什么名堂，再不回来收拾山河，这个家就会被这个叫莲娜的老剩女弄走了，现在太危险了。

杨妈低着头，心里有些乱，她在盘算着怎么说服刘贝贝回来重整山河呢！

39 晚宴惊魂

　　杨兰看见莲娜这么漂亮，羡慕极了，暗暗称赞，她觉得张总对莲娜真是煞费苦心的喜欢和巴结，究竟这莲娜有什么魅力把张总迷的神魂颠倒，她也不明白了。

　　李婷发现这些盒子里还有一个好东西，那是一个精美的高级灰色貂皮披肩。

　　"哎呀呀，好东西在这里啊，你看，多么好的貂皮啊，杨兰你看这个披肩要多少钱哪？在美国买的哟……"

　　李婷双手捧着那个毛茸茸的披肩走到一个柱式灯下仔细看，杨兰和莲娜也一起探过头去看，太华丽，太美了，简直像个艺术品，哪里舍得往脖子上围。

　　李婷把这个貂皮披肩给莲娜披上，哎呀哦，莲娜的模样真的是爱死人了。

　　"莲娜，你有当贵夫人的潜质哟。"李婷羡慕地啧啧着嘴。

　　"哎，什么潜质，我哪配得上这么贵重的衣服，脱掉了，我穿不惯。"

　　"好了，姑娘们都下去吧，客人们都来了。"杨妈又变成和蔼的杨妈了。

　　莲娜踩着细跟高跟鞋、披着那个漂亮极了的貂皮披肩被杨妈带出了屋子，随杨妈一起下楼来了。

　　来了好些男男女女的客人，张总在不停地招呼着这些客人，看她们过来，大家都停下说话看着这三个美丽的女人依次从旋转楼梯下楼来。

　　有个身材高大风流倜傥的男人也不停地往这边看，这个就是刘主任，他身边有一个干瘦的女人，那就是刘主任的正牌夫人刘兰香。刘兰香已经是四十五六岁的女人了，她比刘主任还大三岁呢。要不是刘兰香的父亲是个大官儿，风流倜傥的刘主任怎么可能娶刘兰香这个没有一点儿姿色平庸又刁蛮的大小姐呢，刘主任已经受够了刘兰香的霸道刁蛮，可是他没有任何办法。

　　张总走过去，轻轻地把莲娜的手握住。哦，大家都在心里舒了一口气，在这个隆重的场面张总带她给大家认识，就意味着这个是张总的女人了，大家已经开始接受这个白皙文静别有味道的女人莲娜为张总的女人了。

　　莲娜被张总牵着手走到某某人物面前开始介绍……

　　杨兰也挽住老郑的胳膊汇入到这些达官贵人的旋涡中去。

　　李婷一下子孤零零地站在一边，她只有无奈而悲惨地站在聚光灯外的黑暗里心酸，瑟瑟发抖……

　　"这是张董事长，这是刘总，这是夏主任，这是……"张总热情地给莲娜介绍这些达官贵人认识。

　　莲娜有些懵，她不知道怎么应付这种场面，只好微笑着向他们点头。

　　"啊，张总好福气，莲娜小姐多么文静，有气质，有修养……"

　　莲娜被这些人这样评价着，不知道是敷衍还是恭维，反正莲娜被这些东西搞得晕头转向，一个都没有记住谁是谁，记住这些干吗，反正以后她也不会再来参加张总什么宴会，也不会再出现在这里，也不会和这些个达官贵人有什么交集，这次敷衍过去就算了。

一阵热烈介绍之后，张总开始做欢迎演讲，然后晚宴开始了，不知道从那个角落里开始响起轻柔的音乐声……

杨妈今天临时请了几个钟点工，他们穿着洁白的佣人服，在这里来回的穿梭，收捡客人吃完食物的盘子。晚宴一切井然有序，杨妈真的是个很有能力的人，一切都在她的掌控之中。

男人们边喝边吃边谈着，他们嘴里都谈论些什么大经济小环境，明年又即将出些什么调控政策，银行利息又要上涨多少，海外投资……莲娜觉得这里的一切都和她隔得太遥远了，像她这样平凡无奇、下班后还要站在寒冷街头叫卖的无照小贩和这里的美食佳肴太不沾边了，简直是两个世界……

莲娜现在身处这个豪华的场所心却系在阿豹的身上，阿豹现在怎么样了？

"喂，莲娜你怎么啦？发什么呆，走，我们去拿些果汁来喝。"

杨兰打断莲娜的遐想带她去餐桌那里倒饮料喝。

莲娜和杨兰朝摆满美味佳肴的餐桌款款走去……莲娜正在倒饮料，咦，她盘在后脑勺上的发髻掉下来了，整个头发散掉了，非常尴尬。

杨兰一看就把莲娜悄悄地拽进一楼的洗手间，把洗手间的门锁上，杨兰开始给莲娜重新盘头……

头发新盘好了，莲娜弯下腰在水龙头上洗手。突然，杨兰就像看见一出魔术一样看见莲娜身上的晚礼服从身后拉链处一下子爆开了，整个晚礼服一下就从莲娜的身上掉了下来……莲娜一下子身上光光的，只剩三角裤头。

"啊?!"莲娜一下子惊叫起来，赶紧双手护胸，整个人吓傻了。

杨兰也吓的一下子跳了起来。万幸的是这是在她们两个人的私人空间里上演的惊人一幕，要是她们现在站在外面的大庭广众之下，莲娜像这样晚礼服一下子掉在地上，整个人几乎赤裸地站在那里，莲娜就真的没法子在这个圈子里混了，太丢脸了，太可怕了。

杨兰把莲娜的晚礼服捡起来仔细地看那些裂开的地方，一看真是吓了一大跳，那些在拉链着劲儿的地方，已经被人用剪刀精心把线断断续续地剪开了，只有少数地方连着，莲娜穿着它走动要不了一个小时衣服就会被崩爆开来，那样她将会赤身裸体地站在众人面蒙羞。

"是谁？是谁这么歹毒！"

"莲娜，你，你知道是谁干的？"

杨兰把吓得战战兢兢的莲娜推醒，莲娜好像在做噩梦似的恍恍惚惚的。

"是她，一定是她，是杨妈，她说我不配做张总的夫人，不配做这个豪宅的女主人……杨兰，求求你去把我的衣服拿过来，我要回家……"

"哎，莲娜你不要怕，和杨妈这个恶奴斗，我帮着你，我有战斗经验。"

"我不想和她斗，我也不想做张夫人，你省省吧！"莲娜有气无力地说。

"莲娜你怎么就是一根筋呢，这么好的姻缘你不要，张总真的是个不错的人，多金和蔼，还有张总说你和他母亲就是你未来婆婆关系很好，这是多么难得呀。我的未来婆婆可难缠了，老郑的前妻就是和他母亲合不来每天吵吵闹闹的，老郑最后才和老婆离婚的，现在她又来折磨我，我得付出多么大的忍耐力来和她周旋呀，还有那个小丫头片子也不是省油的灯，我活得多么紧张呀，你这才哪儿到哪儿呀！"杨兰苦口婆心地劝着莲娜。

莲娜围着披肩抬起头有些不解地问杨兰："你这么难过，为什么还要和老郑在一起？"

杨兰猛的抬起头来。

"我当然要和老郑在一起了，除了老郑我还能去找谁？你也看见了，李婷现在能找到什么样的人？我们都想找没结过婚的有钱人，可是根本就是没门儿，我们没背景，没社会地位，爹妈都是普通人，何况我们都是剩女呀。你不要傻了，抓住张总，与天斗与地斗其乐无穷，你就可以幸福一生了，莲娜，你一定要加油哟！"杨兰做战斗状紧紧的握紧了拳头。

"你等等，我马上去给你拿衣服，你把门关紧了，等我回来！"

杨兰快步走上楼去，她到刘贝贝以前的衣帽间，找了一件非常漂亮的白色晚礼服，放在一个黑色的塑胶袋里悄悄拎下楼来。杨兰快速地给莲娜换上刘贝贝的白色晚礼服。好了，另一个楚楚动人的莲娜出现了，好美呀！

杨兰和莲娜又悄悄地走出洗手间……

杨妈左右找不见莲娜的身影，她在密切注视着莲娜的一举一动，等待着那个精彩时刻的到来！刚才她去厨房回来就找不到莲娜的身影了。

可是，她的心剧烈跳动起来，她看见什么了？她看见莲娜把那个她精心弄过的黑色晚礼服换掉了，怎么？莲娜现在穿着刘贝贝夫人最得意的那件吊带白色晚礼服出现在大厅里，怎么回事儿？她的阴谋被莲娜发现了？

杨妈看着笑意盈盈的莲娜，美丽动人，她气得暗暗咬牙！

张总和别人谈完话转过身发现换了装的莲娜有着更加不同的美丽风韵，心中欢喜得不得了。

角落里传来了萨克斯悠扬的旋律……有支小乐队站在大厅一角开始演奏，人们纷纷开始相约起舞。

张总走过来向莲娜伸手，莲娜迟疑了一下，被杨兰轻轻地推了一把，莲娜就被张总一下子轻轻地拥在手臂里，他们俩在悠扬的乐曲声中开始翩翩起舞……

40 晚会精彩结束

　　张总拥着莲娜在音乐声中陶醉地旋转……太美了，莲娜这个女人不可思议！

　　张总的心荒芜了多少年，他初中那次发高烧般的单恋……心跳，手出汗，每天上学前惴惴不安，挖空心思想讨好对方，自己受多大苦也心甘情愿，只要看到女孩儿的笑脸，自己就像吃了蜜糖一般甜蜜……久违了这种感觉，张总觉得自己在这个物欲横流的大染缸里浸泡很久的麻木的心开始流进一缕清泉，是这个叫莲娜的女人让他青春再现，这个女人在张总眼里根本不是什么老剩女而是天仙一样的仙女妹妹，他已经荒唐太久了，遇到莲娜这个女人真的是上天对他的恩赐，让他在这混沌的世界里开始清醒，让他想要过一种简单的生活。

　　遇见莲娜张总像抓到了一根救命稻草，虽然他们没有经常见面，可是只要在繁忙的工作间隙张总想想莲娜就觉得心里甜丝丝的。

　　现在就像在梦里，爱情的感觉真是太妙了！

　　莲娜这个女人太特别了，张总知道，自己并不是莲娜最佳的候选人，这是张总最纠结的地方。

　　对莲娜张总会用十足的耐心去等待，他已经知道还有两个战斗力不弱的年轻小伙子在追求莲娜，他的"钱"并不一定能打败他们，他必须要和他们战斗，他不停地在内心鼓励自己，对莲娜的等待和追求一切都是值得的！

　　他知道现在和莲娜谈那些有关和他建立恋爱关系的事情莲娜马上就会拒绝，并会和他撇清一切关系不再出现在他的身边，张总不傻，他目前不谈这些，他现在给莲娜的感觉就是他和她是比朋友好一些的"好朋友"的关系，这样循序渐进，莲娜就不会拒绝参加他的一些聚会、派对……人是感情动物，感情深了，一切都好谈，张总懂这些道理。

　　十二点时，大家一起度过了新旧年交替的那个激动的时刻，每个人都在心里默默祈祷来年好运……

　　后半夜，晚会结束了。

　　莲娜换回自己的衣服，和杨兰、李婷一起走出大门，张总走出来送她们。

　　莲娜径直走到自己的昌河小面包车面前，打开车门大度的邀请李婷坐她的车回家。李婷一看莲娜那个小面包车马上羞红了脸连连摆手！

　　"我坐杨兰的车走，你先走吧！"

　　她心想，这个莲娜，开这个车子来真的是很搞笑，简直是"恶搞"，丢死人了！没有车，打个车来不好么？莲娜也不知道从哪里搞来这么一部破车来这个富人俱乐部现眼，这不是恶心人么！

　　开这么个破车，把她们刚才在晚宴上挣的那点面子都丢光了，自己和莲娜是好朋友，莲娜在众人面前这样穷酸，自己和莲娜是绑在一起的，不是会被他们这些势利眼们看成是一路货色了！不行！

莲娜的小面包车停在一大排名车里，像个可怜的灰姑娘缩在那里，有些一起出来的达官贵人，看见张总的女人开着这么一辆滑稽可笑的小面包车都在心里笑了，他们看莲娜的眼神马上就变了，这个女人还真的穷啊，张总怎么就看中了这么个女人。

张总平时很大方的，对女人尤其大方，这是怎么回事儿！

"呵呵，老张，这个车莲娜小姐是从哪里淘来的，很特别呢！"有个中年男人是一家银行行长，他忍不住笑呵呵地拍着来送行的张总肩膀说。

"哦，这是她们公司拉货的小车，莲娜小姐的宝马车今天坏了，拉去4S店修了，还没修好，她临时借了这辆车过来，见笑了！呵呵！"张总对这个银行行长自然地笑呵呵地说。

"哦，呵呵，我以为你大老总怎么突然对女人刻薄起来了，这可不是你的风格哟，好了，谢谢你今天的晚宴。"

"好的，好的！"张总热情地送银行行长一家。

"哦，张总好大方，一下子要送给莲娜一部宝马车。"

李婷一听张总的话黑暗中的脸嫉妒得都绿了！

杨兰一听张总的话也觉得惊人，莲娜和张总还八字没一撇呢，张总就这么大手笔。莲娜什么也没有说，她觉得张总也就是急中生智说些挽回莲娜开这种车给张总丢脸的话吧。

莲娜的小面包车消失在暗暗的夜色里……这混乱的一年已经结束了，莲娜新的一年里究竟会是什么样子呢？

41　失声痛哭

莲娜怎么打阿豹的电话阿豹都不接……

现在阿豹生活得怎么样？莲娜也不知道。阿豹现在当然是缺钱的，这个莲娜知道。想了好几天，莲娜想出一个蠢办法，但是这个方法很有效。

星期六一大早，莲娜就开着车躲在南希家所在的高级公寓大门口蹲守，她把小面包车远远地停着。

快十点了，来了，有辆出租车开到大门口，莲娜远远地看见阿豹伸出头对门卫讲着什么，过了不久，门卫给这辆出租车放行了。

莲娜蜷缩在车上耐心等待着……过了快一个小时，那辆出租车又开回来了。莲娜赶紧打着车，心情极度激动紧张地开着车跟上去……

这辆出租车左转右转，开进这个大都市里一个著名的脏乱差的城中村的巷子里，这个地方现在墙上到处都是白圈里写着大大的"拆"字。

载着阿豹的出租车开到一个房门紧闭的大房子前停下来，莲娜看见阿豹艰难地下车然后敲门，过了一会儿有个50多岁的大妈给阿豹开了门。阿豹挂着拐一瘸一瘸地走进这个院子里，大门又"咣"关上了。

一切恢复了平静。坐在车上的莲娜眼泪一下子流了出来……

第二天是星期天，莲娜早早地就收拾好，和肖文打了个招呼说出去办事儿就走了。她开车到菜市场买了阿豹喜欢吃的基围虾和牛腩，还有一些配菜，又买了些山货包了一大包，然后开着车朝阿豹住的城中村进发。

莲娜把车停在一个隐蔽的角落，远远地等着。她看见那天来接阿豹的出租车准时开到阿豹住的院子门口，阿豹走出门来匆匆上了车，出租车慢慢开走了。

莲娜等车开不见影了，就提上买的那些东西去敲门。敲了好几分钟，那个50多岁的大妈来开了门，她警惕地上下看着莲娜疑惑地问莲娜找谁。

莲娜热情地说："大妈，我是阿豹的女朋友莲娜，前些时候出差了，现在才回来，今天过来拜访下您，这是以前肖刚租的房子，现在借给我男朋友阿豹用了吧，大妈这是我和阿豹送给您的一点儿小礼物，请笑纳。"莲娜把那袋装得鼓鼓的山货袋子往这个大妈手里塞。

大妈一听说莲娜是阿豹的女朋友，又听莲娜提肖刚的名字，脸上马上就漾开了笑容，又看见莲娜递给她的山货袋子眼睛都笑开了花儿。

"莲娜姑娘，一看你就是个喜庆的好姑娘，阿豹可是个不爱说话的主儿，每天就躲在房间里画呀画，生活过得可糟糕了，你确实应该早回来了，你得多往这里跑跑，男人离开女人确实不行呢，你来了就好了，哦，我姓吴，你就叫我吴大妈吧，这里现在就住着我和我老头老吴，我们这里也快拆迁了，可是，他们赔我们的房太少了，这不是欺负人呢吗？我儿子们的户口都在这里，该给我们多一套房呢。他们说不能给，莲娜姑娘，你说他们是不是不讲理，你是读书人，你给评评理……"

胖胖的吴大妈把莲娜让进院子，这个院子被分成两部分，篱笆上缠绕着好多枯死的藤蔓，隐隐约约地也看不见对面。

莲娜被吴大妈让进阿豹朝北的院子，这里有一溜长房子，全是肖刚当时租下来的。莲娜进到这间大房子里时，她被这里的景象惊呆了！

站在这个长型的一大溜通间的房子里感觉凉飕飕的，这里没有烧暖气。

房间里面一长溜放了十几个大画架，上面放了十几幅正在画的油画，房子里乱七八糟，油画、画棒、颜料、画册、草稿、铅笔丢的到处都是。一张桌子上放的都是快餐盒和快餐面的碗儿、方便筷……衣服没有地方挂，胡乱放在地上，上面都是灰尘。

一张大床缩在墙脚，被子枕头倒是新买的，可是现在也是胡乱卷在床上。

"哎哟，男人没有女人这是过的什么日子哟，莲娜姑娘，你来得正好，帮阿

113

豹这个小子好好收拾一下，都成猪窝了……"

莲娜看见阿豹现在住在一个这样的地方，痛心不已，她忍不住哭起来……那种无法述说的痛搅动着她脆弱的心，面对这一切她无法原谅自己。

"哎呀，莲娜姑娘，阿豹真的是太苦了，自己又不会做饭，每天叫外卖或吃方便面，我看他可怜有时给他送点儿吃的他也不要，长久下去哪儿有营养呀！他自己也不会生炉子，每天就这么冻着，这个暖气片能抵个什么用啊！哎，他就是个不爱惜自己的男人，你来了可好了，他自己的腿也不方便，这活得多遭罪呀！他父母也不知道在哪里。"吴大妈在莲娜身后不停地说着话。

一语惊醒梦中人，是啊，莲娜必须把炉子生起来，这里马上就会暖和起来。

"吴大妈，您老教我生这个炉子吧，把这个土暖气片烧起来好吗？"

吴大妈一听有些为难起来，"哦，那个，阿豹没有买蜂窝煤，没蜂窝煤就生不了炉子，现在蜂窝煤可贵了，已经涨到八九毛一块了。"

莲娜一听马上接过去说："吴大妈，您老现在能先卖给我20块蜂窝煤吗？"

"哎呀，莲娜姑娘，你真是的，几块蜂窝煤算什么，那啥，你先去我那里拿十个来先用，等你买了蜂窝煤再还给我好了……"吴大妈有些扭捏地说。

"对了，吴大妈哪里是厨房，我要马上给阿豹做饭。"

胖胖的吴大妈出去了，莲娜把羽绒服脱掉，拿着扫帚大干起来……扫地，抹桌子，整理床上的被子，颜料盒归置好，衣服挂起来……

莲娜把厨房收拾得干干净净，开始做饭。洗菜的水冰凉冰凉的，把莲娜冻得够呛。莲娜把自己带来的菜洗干净，又淘米，把饭焖在电饭煲里，开始炒菜……

莲娜干得有条不紊的，不久吴大妈在外面的棚子里把炉子生起来了，屋里开始渐渐暖和起来，哎，这下莲娜身子开始暖洋洋了，这才像个家嘛！

吴大妈生完炉子走进屋来，看见屋里翻天覆地的变化，眼睛都看直了。

"呵呵，吴大妈，哪天我煲锅柴鸡汤给您老和吴大爷尝尝鲜，冬天喝很补的。"莲娜殷勤地对吴大妈说。

"哎，那怎么好意思呀？嘿嘿，好吧，我和老头子就等着尝莲娜姑娘的手艺了。"这个胖胖的吴大妈很逗，她每次都是嘴上客气一下下，马上就接受莲娜的"贿赂"了。

莲娜看看钟表，估计阿豹快回来了，加快了做事儿的节奏……她把电饭煲放在桌子上，把做好的几个菜也盛好盖上盖子……最后莲娜把一个方方的像小被子一样的棉包盖在这些饭菜上，这是保温呢，省得做好的饭菜马上都凉掉了。

她匆匆写了张纸条放在棉包的上面，最后再看了一眼干净整洁的屋子，莲娜有些伤感，她眼睛湿润了，一狠心，关上阿豹的门，匆匆离去了！

真的很惊险，莲娜跑出去没有几分钟，阿豹坐的出租车就开过来了。

莲娜躲在角落里看见阿豹艰难地下了车，挂着拐杖走去敲门，是个50多岁的大爷开的门，应该是吴大妈的老伴吴大爷了，阿豹走进大门，门哐一下子又关起来了。

莲娜的眼泪又流下来……她知道阿豹现在不想见她，她把阿豹骄傲的心伤得太狠了，用那么龌龊的心怀疑阿豹是"小偷"，她给阿豹打了那么多的电话，发了那么多道歉的短信，阿豹都没有理睬她，莲娜觉得自己心都要碎了。阿豹不原谅她，可见阿豹有多恨她，莲娜现在怕阿豹见到她就要暴跳如雷，会当着她的面把她做好的饭菜掀到地上。

等了好久，她心怀侥幸地以为会看见阿豹追出站在门口来张望她的影子……可是她等了半个小时也没有见到阿豹追出来的身影。哎，看来阿豹真的是恨她入骨了，不会原谅她的了！莲娜抹了几把眼泪，上了车，发动车子，昌河小面包车不情不愿地沿着窄窄的胡同开走了。

阿豹走进自己的大画室，推开门后的一瞬间，他惊呆了！

窗明几净的画室，整洁有序的画架，整整齐齐的被子，温暖如春的气息，尤其是那股熟悉的令他魂牵梦萦的菜香扑鼻而来……

仿佛现代版"田螺姑娘"的故事正在上演。一股酸楚的眼泪从阿豹的眼里涌出……那个女人，那个让他痛彻心扉的女人的味道霎时弥漫了整个空间。

莲娜来了！阿豹的心中一阵狂喜，他觉得自己颤抖得都快把持不住了。

"莲娜，莲娜，莲娜……你出来，你来看我了……这些都是你做的吗？"

阿豹激动地拖着那条瘸腿一拐一拐地跑到厨房里找，可是这里没有莲娜的影子，阿豹又奔进厕所，这里也没有。

阿豹又往床底下找去，并大声的用颤抖的声音狂叫："莲娜，莲娜，我……我爱你，我爱你……对不起……我那天太粗暴了，不该摔破杯子让你受伤，我错了……你出来……你出来，我错了，我这几天有多后悔，每天做梦都梦见你，你出来，我爱你，原谅我，你每次打来电话我都不敢接，我怕，我怕自己把持不住，可是看见你打来的电话我就心中甜蜜，你没有忘记我，我知道的，你没有忘记我……现在……现在我要对你告白……莲娜，我爱你，你愿意接受一个对你曾经像暴君一样的男人么？以后我不会这样了，我那样都是在掩饰自己，怕自己爱上你，现在我知道，我不能没有你，宝贝，我要和你一起奋斗，让你实现你的梦想，房子、老公、宝宝都会有的！莲娜你听见了吗？你听见了吗？你躲在哪里，你不要吓我……你出来见我……我求你出来……"

阿豹房里房外又喊又叫地找了好几遍都没有找到莲娜的影子。

"莲娜，莲娜……你在哪里？你，你不出来……你不愿意原谅我，我爱你……"阿豹的声音已经变成了苦苦哀求。

这时来院子里拿大白菜的吴大妈听见阿豹在院子里大声呼叫莲娜，听见阿豹又认错又哀求的声音，赶紧跑过来，把急得满院乱叫的阿豹拉回屋子里去。

"阿豹呀，莲娜姑娘刚才说有很急的事儿急急忙忙已经走了，你不要叫她了，哎，这么好的姑娘，阿豹，你是不是惹莲娜姑娘生气了，你不要对莲娜姑娘不好哟，小心把莲娜姑娘气跑了看你到哪里去找这么好的媳妇儿，刚才你说你自己错了！你做了什么？这么好的女人打着灯笼都难找，你看，她给你这里收拾得多么好，哎哟，饭都做好了，给你捂在暖被里呢，洗洗手快吃饭吧，真香，莲娜姑娘做的什么菜呀？"

吴大妈把暖被掀开，那张放在上面的白纸飘落下来，阿豹看见飘落的那张纸心头一震，他挣扎着快步走过去捡起那张纸。

"哎哟，莲娜姑娘做了这么多好菜呀，有新鲜的基围虾呀，这个虾好贵呀，这个活的大虾我从来就没舍得在菜市场里给我家老头买过，还有牛腩，花菜，豆腐白菜粉丝汤……哎哟，闻起来真香啊！阿豹你这小子真的好口福哟！……真想尝尝菜的味道……"吴大妈看着桌子上的菜肴馋得口水都快流出来了。

"哎，老太婆，你锅里在烧什么呀，都煮糊了……"吴大爷在院子里大声喊吴大妈。

"哎哟，我锅里还熬着猪肉炖粉条呢！"吴大妈惊呼一声跑开了。

那边阿豹看见莲娜留的纸条已经泪流满面。

阿豹：

你好！

这些天打你电话你也不接，给你发了无数条短信你也不回，我知道你还在生我的气，气我怀疑是你拿了那个包，是的，我该死，做事儿太莽撞，不问青红皂白就对你大发脾气，是我错了！

我是一个很平凡没脑子的女人，如果那天不是我斜穿马路也不会撞到你，也不会让你受伤住院，让你腿断掉，是我的错，给你造成了这么多困扰，害你现在走路都很困难，我真该死！

我现在很穷，一下子拿不出十万元赔给你，拖着你过着这么困难的生活，我很惭愧，让你这样一个有才华的青年画家过着这样不体面的生活……

我常常感谢上天让我认识了你，让我看见你金子般的心，你对孩子们做的那些善事非常感动我，我觉得能为你做饭烧菜，尽自己的一份努力很开心。

可是一切都让我自己搞砸了，我怀疑你高尚的品质，那是你不能容忍的。

我知道你怪我，恨我，不屑接我的电话，不再给我回哪怕是一个短信，我就是这样一个让你不屑的女人，是我自己辜负了你的信任，我无法原谅自己。

我知道你不想再见到我……

我不会再打扰你！

另，我现在卡里没有过多的钱，我会更积极地去赚钱把欠你的钱尽快还给你。先还你一万块，不要太快就花完了，在你的黑西装口袋里面去找（这两句话是用英文写的，估计是怕吴大妈看懂）。

原谅我这个犯了错误的人，我会尽快还钱给你，你不用担心，我不会赖账的。

肖文也很关心你现在好不好，我们一起祝你尽快好起来！

饭在这里，趁热吃吧！

莲娜即日

　　阿豹看见那句"我不会再打扰你"，还有那句"我们一起祝你尽快好起来"的话，心一下像被刀刺穿了，他几乎不能呼吸了，他仿佛已经看见自己心中温暖的爱情已经被漫天狂暴的大风刮得歪歪倒倒，飘飘摇摇……

　　一阵翻天覆地的激荡，一转眼那种彩色的美好已经不见了踪影，阿豹一下支撑不住，无力地跌倒在地上，整个身子形成一个"大"字躺到在石砖地上。

　　"啊……"一种从心底突然升起的悲伤击中了阿豹，阿豹凄惨的嚎叫声在空旷的大房子里不停地回荡……回荡……

42　买蜂窝煤

　　莲娜第二天下午找了个机会三点钟提前溜了。

　　莲娜按电话里说的地址，把三轮车骑到一片乱乱的胡同巷子里，在这曲里拐弯的巷子里找到那个卖蜂窝煤的小作坊。

　　门口有好几个脸上黑黑的运煤工人正在20个一组的拿着运煤筐往停在门口的三轮车上装煤呢。

　　莲娜和小作坊的小老板死缠硬磨，苦口婆心地砍价，还拍着自己胸脯说以后就一直买他家的蜂窝煤，小老板看莲娜白皙漂亮，经不住眼晕就有些飘飘然地给这个美女每块煤便宜了五分钱。莲娜算了算，每天按15块煤的用量，一个月用400多块，每块煤便宜五分，400块煤是20元，自己来运输，又节约了50元的运输费，这样下来总共节约了70块钱。莲娜算下来欢欣鼓舞的，有了这节约的70块钱，她又可以给阿豹买好些好吃的菜了。

　　"莲娜，加油！"莲娜对自己挥拳喊道。

　　莲娜交了钱，开始准备自己往三轮车上搬煤。别的男熟练工一次可以搬20块，莲娜只能搬得动六七块，不停地搬了十几次莲娜就累得气喘吁吁的，之后她只好搬几次就停一停，歇几口气就再搬运。

　　莲娜累得浑身都是汗，那几个背煤的工人都在旁边偷偷地笑莲娜呢，看见这么漂亮的女人自己在那里艰难地弄这些，哎，有些不落忍呢。

　　这时有个很机灵的小伙子看不下去了，他把莲娜背上的煤筐一提，把莲娜的煤一下子悠上莲娜的三轮车。

　　"大姐，看你好像不常干这种活儿，我帮你吧！"

那帮运煤的工人看这个小伙子敢帮莲娜都起哄起来。

"小李子，嘿嘿，你真行，看见大姐长得漂亮你就心眼儿活动了，帮这娘们的忙呀，你看你黑的像碳头，想白吃豆腐呀!"大家伙儿都笑起来了。

小李子黑黑的脸上，有些红了。

"别瞎嚼舌头，你们看大姐一个人弄也弄不动，她不就像我的大姐么？帮两下会死呀。大姐你别害羞，他们开玩笑的，别急，我等一下子就给你上好煤。"

莲娜满怀谢意地对小李子说："谢谢!"

"哦，没关系，反正一把子力气有的是，不用白不用。大姐你这是往哪里运呀?"小李子问，莲娜就说了阿豹住的地方。

"喔，我马上也是往那里给几家送煤的，那我帮你上煤，到了你家地方再帮你下煤吧。大姐，你好像是个知识分子，怎么你家爷们儿不来买煤要你个女人家来弄这个?"小李子加紧步伐运煤上煤。

莲娜说："哦，我家那个……他……他……腿受伤了，做手术，不能动……"

"哦，是这样啊?!"

小李子骑的是满载的三轮车，莲娜只载有400块煤，所以莲娜没有被小李子拉下，他们一路沿着已经被拆得乱糟糟的胡同巷子里窄小的路小心地骑着。

"大妈，我今天买蜂窝煤来了，来，先还您老昨天借给我的10块蜂窝煤。"刚一到，莲娜就笑嘻嘻地对吴大妈说。

吴大妈拿了个小煤筐子，莲娜装了15块煤给她。

吴大妈虚让了几下就乐呵呵地接受了，她乐颠颠地把煤搬自己家里去了，昨天借10块今天还15块，呵呵利息这么高呀! 吴大妈高兴死了。

小李子麻利地一边帮莲娜运着煤一边和莲娜说话。

"大姐，你要注意你家炉子，房子里的烟道一定要封闭好了，万一泄露了，会发生一氧化碳中毒的，不要把所有窗子都关死了，要时时警惕!"

哦，莲娜看见阿豹的炉子早就熄灭了，阿豹真的不会保护好炉子呀。

莲娜有些无奈。小李子帮莲娜弄完了拍拍手就准备走了，莲娜赶紧从自己口袋里拿出50元钱，这是运煤工的报酬。

小李子死活就是不要，他说自己纯粹就是帮忙的，不能收费。

莲娜就说那你给我个电话号码，下次我要用煤就给你打电话，你就直接把煤送来这里，我付你运煤钱，照顾你生意总是可以的吧。

小李子说这当然可以了。他们交换了电话号码。

莲娜蹲在炉子跟前生炉子，天已经慢慢快黑了，莲娜在外面弄炉子冻得不行，好不容易，莲娜生起了炉子，把水槽里的水也加满了。

这时肖文打来电话。哎呀，早就过了去接肖文下班的时间了，莲娜手忙脚乱的都忘了这个事儿了。莲娜让肖文自己打车回去。肖文很想问莲娜现在究竟在哪里，在做什么? 可是，他忍住了。

肖文觉得忘记阿豹莲娜是需要时间的，时间久了就会淡忘的，所以，他现在要做的就是在莲娜身边默默地守候就行了。时间会医治一切创伤的，他可以忍受和等待，莲娜最后会接受他肖文的！他这样想。

　　莲娜生好炉子本来就想走了，可是她又停住了脚步。她觉得有些奇怪，自己在外面弄了这么些声音，屋里的阿豹一点动静也没有，莲娜想怎么着阿豹也会伸出头来看看的，或许阿豹不在家？

　　莲娜想进去给阿豹检查下土暖气管道，顺便给阿豹留个条，让阿豹晚上睡觉留个小窗子，以防煤气中毒。

　　莲娜悄悄地打开门进去了，里面一片漆黑，莲娜打开灯，一眼望去，昨天走时的棉包还好好的放在那里，莲娜有些疑惑地走过去，掀开棉包，昨天的饭没有人动过，那张留条却扔在地上，莲娜有些迷惑地往四处看，呀！那个墙角的大床上躺了个一动不动的人。

　　莲娜大着胆子走去一看之下大惊失色，这不是阿豹么？

　　莲娜快吓晕了，只见阿豹紧紧地闭着眼睛一动不动的……

　　莲娜赶紧跑上去用手试了试他的鼻息，还有气息！没死！莲娜又赶紧去摸阿豹额头，哎呀，额头上滚烫滚烫的。

　　"阿豹，阿豹，你怎么啦？你怎么啦?!"

　　吴大妈听见莲娜吓人的叫声和吴大爷一起跑过来，他们三个人都弄不动躺着的阿豹，莲娜心里不停地想谁可以帮忙，肖文不行，他手都没有好，肖刚？她不知道他的手机号。莲娜突然想到一个人，她马上拨了那个叫小李子的电话。

　　莲娜赶紧对小李子说："小李子，我是那个莲娜大姐，你下午帮我送煤的那个大姐，你现在能不能来我家一趟，我……我男人现在昏迷不醒，你来帮我一起弄他到医院去好么，我付你100块钱好么？"

　　不一会儿小李子就骑着他的送煤三轮车来了，他刚给客户送完煤准备回自己租住的地下室里去呢。

　　"大姐，我姐夫怎么了？怎么昏迷了？是不是煤气中毒了?!"

　　小李子急急地跑进来喘着气说，看见阿豹房间里那么多的油画儿架子他眼中现出好羡慕的神色。

　　"哦，姐夫是画画儿的？画了这么多啊？"

　　"小李子，别看画儿了，赶紧上医院。"

　　"哎，好!"

　　小李子把阿豹的双手一提，就把阿豹背起来了。

　　"哎，小李子你注意点儿，阿豹的腿受过伤，做手术还没好呢，你要注意。"

　　阿豹被送进急救室，医生检查了一下，还让小李子背着阿豹去到二楼的透视室去拍胸透，看片子时说是急性支气管炎，现在昏迷是因为着凉、营养不良及劳累、心情郁闷、睡眠不足，造成身体免疫力急速下降，加上没有保温好，就造成

现在这种情况了，好在病人的原本体质很好，打两天点滴，多吃些有营养的食物调养一下就会好了。接下来要好好照顾病人，不要再着凉了！

听完医生的病情解释，莲娜松了口气。

阿豹已经躺在观察室里的床上扎上点滴了。

莲娜放下心来，看来阿豹没什么大事了。医生和护士歇下来时看见莲娜和小李子浑身黑乎乎的样子，他们不约而同地望着他们俩掩嘴笑了……

"嘿嘿，大姐，我们都像个煤猴子了。"小李子一边洗脸一边笑嘻嘻地说。

"嗯，小李子你现在不着急回家？你妻子和孩子在等你吗？"

"哎呀，大姐，您什么眼神呀！我这么年轻像是有老婆有孩子的爷们儿吗？我才22岁呢！"小李子把脸洗干净，莲娜看见一张很年轻的大男孩儿脸。眼睛很亮，说不上英俊，但是五官周正，头发还有些自然卷，身体敦实，可惜就是身上文化味儿少点儿，但是脸相显得敦厚老实。

莲娜想要是不良少年，或是好吃懒做的孩子，谁会来做这个又苦又赚不来钱的苦差事呢，对莲娜乐于助人，帮阿豹也积极热心，看来，这个孩子是个好孩子，以后要是不学好可就毁了。

"你不是本地人吧，你父母好么？怎么干这个？"莲娜问小李子。

"嗯，我叫李军，我父母已经去世了，我们老家穷，是个卖血艾滋病村，我父母都死于艾滋病，但大姐，我没有得艾滋病，您不信哪天我给您看我的艾滋病检查报告，前一段时间我自己赚钱去这里的大医院验的，我要是有病不能出来害人呀。我初中毕业就跑出来了，怕感染上艾滋病。我在这里干过好多活计，为了活命呗！现在冬天我给别人送煤，大姐您不要和别人说我是从艾滋病村里来的哟，看您善良我才说的，不然，现在的老板会让我走路的！"小李子边洗脸边说。

"哦，这样啊？我不会和别人说的，你放心好了！"

莲娜突然对这个大男孩子有了些怜悯，看他干事儿很认真，就想帮帮他。

"小李子，你看阿豹不会自己管炉子，我也要每天一大早就去上班，这样，你每天去给阿豹换几次煤，不要让煤炉子灭了就行，大姐每个月给你300块钱，你说好不好？还有，你要是喜欢学一些电脑知识，晚上可以来大姐家，大姐给你找个老师教你好不好？"莲娜问小李子。

"好呀，我可想学电脑知识了，就是没有钱学呢！大姐这个添炉子的事儿您交给我，没问题，我每天去把姐夫的炉子烧得旺旺的，谢谢大姐啊！"

小李子一听有这个好事儿高兴极了，他敦厚的脸上露出灿烂的笑容。

"那好，就这样说定了。"

43　阿豹的眼泪

　　莲娜送走小李子回到观察室。阿豹手背上扎着吊针，他的呼吸已经平稳，眉头也舒展了，莲娜用手摸了摸阿豹的额头，烧也退了些。

　　莲娜把自己口袋里的手帕打湿搭在阿豹的额头上。

　　这时莲娜口袋里的手机响了，是林红打来的。

　　自从阿豹搬走，莲娜就很沉闷，郁郁寡欢，林红也很担心她。大家一直不知道阿豹住在哪里？现况如何？现在知道了，阿豹却是躺在医院里，林红和肖文都很担心，她问了阿豹住的医院地址。

　　肖文、林红、小燕子他们三个人打车过来了，林红今天也就不去摆摊了。

　　小燕子穿着厚厚的棉袄，像个小稻草人，她来到阿豹的病床前，看见闭着眼睛躺着输液的阿豹，就使劲儿地推着阿豹。

　　"阿豹叔叔，你快睁开眼睛呀，小燕子来看你了，你生病了打针很疼吧。"

　　小燕子用小手摸着阿豹扎着针的手背，小心地撅起嘴轻轻地吹。

　　小燕子看阿豹一直不睁眼睛，她就用小手去拨开阿豹的眼睛。

　　林红马上去制止小燕子，不过阿豹还真被小燕子弄醒过来了，他慢慢地睁开眼睛，迷迷糊糊地望着四周，慢慢地他才看清病床前站着的几个人。

　　"哦！"阿豹出声了。

　　莲娜、林红和肖文看见阿豹醒过来了，他们都松了口气。

　　"我……我……这是，怎么了？"阿豹有气无力地问莲娜。

　　"你……你干吗这样？……阿豹，你生气……你怪我无端怀疑你……你不理我……你骂我都可以……你……你为什么要这样虐待自己……一个人搬到肖刚的大画室里，那里冷冰冰地像个大冰窖，你自己又不会生炉子取暖，每天在那样空旷的大屋子里挨冻……你吃快餐、方便面……没有营养……疯狂地作画儿，和生活在垃圾堆里的野人一样！……你就这样惩罚自己惩罚我么？昨天给你做好的饭你不吃，是不是从此以后你都不吃我做的饭？自己就这样活生生地饿了两天，还不盖被子就躺那里挨冻？……医生说你得了急性支气管炎，你一个人昏迷在床上，要是没人发现你一直躺在那里……你死了都没人知道……"

　　"唔……唔……"莲娜说着说着哭了起来。

　　林红听了莲娜的哭诉也悄悄地流泪，肖文低着头不做声，小燕子睁着大眼睛左看右看不理解为什么莲娜阿姨会哭呢。

　　林红说道："阿豹，你看你真的是太骄傲了，莲娜可能当时处理问题很毛糙伤害了你，可是……莲娜做的那么多努力我们大家都看见的，她有多么难啊！白天上完班，晚上给你们做完饭急匆匆地马上去摆摊儿，你们可能没去摆过摊儿！

那种憋屈的滋味有多难受？每天别人在温暖的屋里合家团聚，我们却在寒风中冻得瑟瑟发抖，自己的孩子亲人都照顾不到……遭人白眼，受人驱赶……还要时时防备城管的突然袭击，要是被逮到了，没收货物、罚款……有时赚的都不够交罚款，那些血泪史没有经历过的人是无法体会的，十万元钱，我们要摆多少个晚上的摊儿才赚得到……"

"阿豹，你要体谅莲娜对你的一片苦心哪，这样的好女人你到哪里去找？你以前的那个女人薛丽，啊？是个什么样的女人你不知道吗？你倒霉了，没钱了，她就和你翻脸了，去攀别的有钱老男人，这样的教训对你还不够惨烈吗？人要将心比心，做什么样的选择自己才会幸福，难道我的亲身教训还不够深刻吗？心心相印，患难见真情，这才是比金子都宝贵的东西啊，阿豹你不要犯傻呀，不要轻易丢掉自己的幸福啊！"

林红的一番肺腑之言说得在场的所有人都动容不已。

阿豹翻过身子侧身躺着，他不想让别人看见他的脸，他眼里的泪水不停地流淌着……林红说的每句话都像针尖似的锥进他的心里，他无法不被莲娜对他所做的一切感动流泪！

林红和小燕子待了半个小时就被莲娜和肖文劝走了。

肖文和莲娜俩人还守着阿豹打点滴，他们两个人一言一语地小声说着话，阿豹侧过身背对他们俩，偷听他们两个人说话。

肖文从自己带的小提袋里拿出一包蛋黄派和一瓶矿泉水递给莲娜。

"莲娜，你还没吃饭吧，喏，先吃这个你垫补一下，等送完阿豹回家我给你煮醪糟荷包蛋吃，从今往后晚饭由我来煮吧，当然肯定没有你煮的好吃，你就凑合吃吧，呵呵！你看，我手臂上的石膏已经去掉了，可以帮你做些事儿了！"肖文悄悄地把手臂伸到莲娜面前轻轻上下晃动着小声说道。

"虽说是取掉了石膏，可你的手臂还是不能用太大的劲儿，你千万要小心，万一碰到没长好的骨头茬会很危险的，等再长一个月你就可以帮我做饭洗衣了吧?！嘿嘿！"莲娜有些高兴地说。肖文的手臂终于快好了，可喜可贺！

阿豹侧身朝里躺着，他闭着眼睛听他们说话，越听越生气。肖文和莲娜俩人的样子看起来越来越和谐，他们说话的语调越来越亲密，阿豹腿骨伤得比较重，石膏还不能去掉，阿豹还得拖着这个笨重的石膏腿一瘸一拐一个多月呢，阿豹的心情烦透了。

刚才林红的话说得阿豹羞愧不已，他决心以后一定要对莲娜好，帮助莲娜。可是现在肖文在他的面前表现的和莲娜这么亲密让他的心里充满了嫉妒，还有就是一想到莲娜那天写的字条，说以后莲娜不会再打扰他，他们会一起祝福他，阿豹的心就痛得无法呼吸，阿豹又觉得自己和莲娜已经没有希望了。

现在看见他们两个人在他的面前表演亲密恩爱和谐，阿豹快气疯了。

他一下子从病床上坐了起来，用左手指着肖文和莲娜他们怒斥到："你们，你们……两个在那里腻歪，讨厌死人了……这里是医院……不是你们谈情说爱的地方，要腻歪回你们家去，我都快病死了，你们还要在这里给我秀恩爱，要把我气死你们才高兴是不？我不要看见你们，你们滚……"

莲娜和肖文正在轻言细语地说话，被阿豹这么一翻脸怒斥吓坏了，他们站起身来面面相觑，尴尬地看着阿豹，不知道他们又触怒了阿豹哪根神经。

"喂，你们别吵了，这里是医院，不许喧哗，你……你躺下。"

值班护士跑过来呵斥阿豹，阿豹怒目而视，看着莲娜和肖文气鼓鼓地不肯躺下继续输液。

肖文也气得涨红了脸，他极力克制着自己，最后沮丧地低下了头。

莲娜把肖文劝离开病房，肖文悻悻地走出病房。

"莲娜，我先走了，你自己要注意，你陪他打完针送他回去就打车回来，我给你留门。"肖文依依不舍地对莲娜说。

"嗯，你走吧，我没事儿，弄完我就回去，你先走吧。"

莲娜把肖文送走，看见阿豹气鼓鼓地勉强躺下继续输液，莲娜回来他也不看莲娜一眼，莲娜也没有说什么，看了下阿豹输液的药瓶和滴液速度，她放心下来。

44 悸动

阿豹终于打完了点滴。莲娜把阿豹的左胳膊搭在自己的肩头上，让阿豹的重心都倚在自己的肩头上，阿豹就用搂着莲娜一瘸一拐的亲密姿势走路。没办法，当时急了忘了把阿豹的双拐带来，阿豹先是很抗拒这样亲密的姿势，可是，不这样也没有办法，阿豹只好紧紧地靠在莲娜的肩膀上，没多久，刚走出医院大门的莲娜就累得直喘气，说歇歇再走吧。

阿豹在自己清醒的时候从来没有这么近距离地接近过莲娜，尤其是几乎把莲娜搂在怀里，阿豹的心一下子悸动起来……

莲娜是他心中的天使，他爱慕她，倾慕她，这种姿势搂抱着怎不让他浮想联翩？阿豹可以闻到莲娜头发上飘来若有若无的淡淡薰衣草洗发水的味道……阿豹突然有些把持不住，他闭上眼睛陶醉地嗅着莲娜头发的幽香。

莲娜突然不动了，她发现自己已经被阿豹紧紧地抱在怀里，那天晚上那种激情的梦幻氛围又出现了，恍恍惚惚那种情意绵绵的情景，那种让人心跳加速的激动陡然急升。

两个人的嘴唇越挨越近，恋人之间的那种吸引不用语言，只有不断的引力把相爱的男女朝一起吸引。莲娜已经被催眠般的闭上了眼睛，这是默许恋人热吻的邀约姿态。阿豹呼吸急促，微微颤抖，面对自己从内心深处无比珍惜和倾慕的女人，他小心翼翼，不敢造次，他好像处男般的羞涩起来，就在阿豹鼓起勇气准备

好轻轻吻上莲娜的嘴唇时……

"哎，要车吗？"一个男声此时突然响起。

两个人好像做美梦被叫醒了一般，马上分开，莲娜立刻羞得扭转了头。

"哦，要车。"莲娜赶紧对这个开到他们身边的出租车司机说。

阿豹咽了口口水，低下头，莲娜帮阿豹上了车，就坐在了前面，这样他们被分开了，那种奇妙的氛围一下子消失殆尽。

阿豹在想自己刚刚怎么了，好像邪魔附体一样，竟然要做出那么出格的事情，对莲娜那样也不尊重呀，好险呢！阿豹心猿意马地东想西想，心中忐忑不安。

莲娜也羞红了脸，自己这是怎么了？像一个怀春的少女一样，愚蠢地在做什么，心猿意马地竟然想等待阿豹来吻自己，好害羞呀！阿豹要是知道自己悄悄地喜欢他，真要羞死了，她命令自己不要想自己无法得到的东西，不然自己要徒增许多烦恼的，莲娜现在想的应该是温饱问题，不是爱情，尤其是对阿豹的爱情对莲娜来说就像是天上的月亮，遥不可及，好好把阿豹护理好，让阿豹的生活走上正轨才是莲娜应该想的，莲娜硬是把自己的心给拽回来。

车来到了吴大妈家的门口，莲娜叫开了门。

大屋子里很冷，莲娜把阿豹扶到床上坐下，却发现阿豹带到医院的被子遗留在了注射室，唉，这可怎么办？大冷的天正生着病的阿豹没有被子盖？

莲娜把阿豹安置在大床上，匆匆忙忙把阿豹所有的厚衣服都穿在阿豹的身上，然后马上就到外面去生炉子，火炉很快就生起来了，屋子里渐渐暖和起来。

莲娜想了想，问吴大妈要了一把大门的钥匙，给电饭锅里淘了些米放了些水插上电，说要熬稀饭让阿豹自己小心照看着，她回去取被子，然后她就匆匆地把三轮车骑了出去，这时已经晚上十点钟了。

肖文正在屋里的沙发上看书等莲娜回来。莲娜开门后，也没有换衣服，匆匆忙忙地从冰箱里拿了些蔬菜、牛奶、酸奶，还有一块排骨、一块牛肉、一包肉馅儿……几乎快把冰箱里的东西搬空了，她把这些东西装在一个大塑料袋子里，又去自己的卧室把床上的被子叠起来卷紧塞进一个黑色大塑料袋里。

拎着这两样东西莲娜准备出门，肖文吃惊地站起身来，他不明白这么晚了莲娜还要去哪里。

莲娜转身对肖文说："我去给阿豹送被子，他的被子忘在医院里了，病人晚上没有被子盖可不行，你先睡吧。"

莲娜说完转身就要走，被肖文一把抓住了胳膊。

"莲娜，现在太晚了，一个女人很危险的，我打车给他送过去。"

肖文说着来拿莲娜手上的东西，莲娜忙躲避说不用了，自己骑三轮车很快的。

肖文一看莲娜这个样子脸色一下就变了，他斯文的脸上充满了愤怒。

"莲娜，你……你难道……不懂我的心意吗？我的所有意愿你都要忽视吗？

你不知道，我，我已经爱上了你，我认为你也最适合我，我不喜欢你再去关心阿豹，阿豹已经走了，他有了他自己的生活，他已经离开了我们，我们不要再去关心他了，你来多关心关心我吧，难道我对你来说什么都不是么？"

"莲娜，这张卡里有十万块钱，是我所有的积蓄，你把这张卡里的钱还给阿豹，我们和他的恩恩怨怨就一笔勾销了，让他拿这笔钱雇个保姆照顾他的一切，你就可以安心了。我们要开始过我们自己新的生活，规划我们的未来，我爱你，这次我不会再放手你了。莲娜你醒醒，你和阿豹是没有未来的，阿豹不合适你，我们俩才是真正合适在一起生活的两个人！"

肖文的这番真心表白让莲娜惊住了，她不知道自己该说什么，该怎么表态，如果直白地拒绝肖文，她怕伤害肖文那颗敏感的心，可是做肖文的女人又是莲娜一直没有确认的事情，其实是她不想确认肖文对她的一往情深，她就像鸵鸟，不想理会……但她还从来没有想过肖文会对她陷得这么深，愿意拿出自己所有的积蓄为她还债，这意味着什么？意味着肖文对莲娜是真心的，这种行为真的很感动莲娜，可是，爱情呢？自己对肖文有爱情吗？为了这十万元就感动地和肖文在一起，不管不顾自己对肖文究竟有没有真正的爱情就和肖文在一起这对肖文公平么？

莲娜一时想不清，脑子很乱。可是，她就是站着不动，她不愿意伸手去接那十万块钱，她不想用这十万块钱把自己和阿豹硬是分开。今天，就在刚才，她和阿豹那种甜蜜目眩的感觉一直在她的头脑中盘旋，难道就被肖文这十万元完结了这一切吗？把她从阿豹身边生拉硬拽地扯开去，这样的结果就是让她痛苦无奈，把阿豹就这样从她身边扯开她怎么也做不到，雇个保姆能像自己这样尽心尽力地照顾好阿豹吗？

莲娜不舍，她觉得自己就是配不上阿豹，也不愿离开，她愿意守在阿豹的身边，即使是单相思，也是幸福和甜蜜。阿豹吃她做的饭，穿她洗的衣服，睡她洗的床单、被褥……为阿豹做一切莲娜都不觉得累，就觉得是一种幸福，她做得无怨无悔！

"走，我们一起去阿豹那里送被子，我怕你一个人去危险，那里乱哄哄的。"

夜幕中莲娜把车骑得歪歪扭扭的，肖文坐在三轮车后面，他在积蓄着力量。

一场风暴就要来临了，肖文已经想好了，这次他要和阿豹正面交锋，把莲娜完完全全地从阿豹那里夺过来。

45　阿豹·心碎

阿豹正在按照莲娜的吩咐，眼睛一直盯着在电饭锅里翻滚的稀饭思绪万千。阿豹确实很饿了，两天没怎么吃饭，整个人很虚弱，可是，莲娜来了，一切都不一样了！寒冷的屋子变暖和了，温情充满着这个大大的家……莲娜马上会给他拿被子来，屋子里现在暖洋洋的，阿豹正在心情极佳地等待莲娜的到来，和她一起喝稀粥，阿豹现在沉浸在美丽的遐想之中……

莲娜一来家里就有温暖，有饭香，有甜蜜，阿豹的精神好像一下子好了许多。等待莲娜的过程就是心中有希望的过程。刚才在医院门口莲娜和阿豹之间的无法述说的暧昧给了阿豹许多幻想和甜蜜，莲娜好像并不拒绝阿豹对她的那种亲密举动，或许莲娜对自己也是有意思的，只是还没有被她意识到？今天晚上，莲娜马上就要回来了，阿豹要不要表白自己对莲娜的爱慕呢？这样好不好？对不对？不知道莲娜会不会相信自己的爱，以前自己对莲娜都是板着个脸，很凶的，莲娜会不会不相信自己对她有爱慕呢？阿豹心中很害怕！可是，最近一段时间莲娜很喜欢和自己说话讨论问题呀，每次莲娜有点儿空闲时间就有些害羞地凑过来让自己教她学摄影，听自己给她侃侃而谈，两个人其实谈得很愉快，莲娜是阿豹最好的听众。她是个很好学的女人，智商情商都足够，最特别的是莲娜是个内心强大行动很快的了不起的女人，她应该是个很有前途的女人，不应该只做个贤妻良母，她会有更大的驰骋天地，成就一番不平凡的事业。阿豹觉得自己应该点拨莲娜去认识自己的人生价值，她的梦想都会实现的，阿豹会竭尽所能帮助莲娜，把她的人生价值淋漓尽致的发挥出来，让她活得精彩，活得豁达。

对，阿豹今晚就要行动，立刻马上！

他要用自己的真情感动莲娜，他要对莲娜真情告白，告诉莲娜他爱她，他会尽自己的所能让她发挥自己最大的能量做出一番事业来，她的爱情和事业都会丰收的。想到这里阿豹的嘴角露出甜蜜的微笑，他知道，他们在一起一定会幸福的！他相信！

稀饭已经熬好了，阿豹把两碗稀饭端到桌子上面对面放好，坐下等待莲娜。

外面大门被打开了，莲娜回来了。

阿豹站起身满脸欢笑地迎接莲娜的到来。可是，他脸上的笑容一下子僵在了那里，先是肖文板着脸进来了，莲娜低着头跟在肖文的身后。

肖文动作很大的把那包装着肉和蔬菜的塑料袋扔到地上，随后把莲娜抱着的大被子抢来扔在阿豹的大床上，然后，他大踏步走过来，对着阿豹板起脸说：“阿豹，现在我说的话你听清楚了，莲娜现在是我正在交往的女朋友，以后她都不会再来你这里了，她不是欠你十万块钱么，在这里，我们赔偿你这十万块钱就不再和你有任何瓜葛了，莲娜以后不会再来伺候你了，拿这笔钱自己找个保姆照顾你吧，莲娜已经太累了，她以后要在我的保护下生活。以后不许你再大声地斥责她，她不是你的奴隶，也不是你的出气筒，请你以后不要再骚扰我们！我们走，莲娜。”

肖文把那张卡放在阿豹的桌子上，硬拽着惊愕万分不知道该说什么的莲娜走出阿豹家的大门。

接着阿豹听见外面的大门哐当一声关上了。

阿豹仿佛被一记闷棍夯晕过去了，他好像没有听懂肖文的那些话，可是，他好像又听懂了肖文的意思，那就是莲娜不会再来了，她会是肖文以后平庸的女人，为肖文这个平庸的男人生儿育女，平平淡淡地过一生，不知道这样的人生对这个女人是好还是坏，莲娜这个女人已经和他阿豹没有关系了，没有关系了，没有关系了！阿豹心被一阵巨大的痛击中了，真的痛，太痛了！

为什么？只有真的失去了才知道后悔，只有真的远离了才觉得那种挖心挖肺的痛不能承受，世上有后悔药么？有的话阿豹愿意用自己的所有去换，只要能留住莲娜他什么都愿意，拿什么交换都可以，可是，有吗？有这种药么？

阿豹拿起那两碗稀饭恶狠狠地朝大门砸去，叮当，碗砸到门上落地摔成碎片，就像阿豹的心已经碎了，在这个严寒的夜里，阿豹的美梦破灭了，阿豹的甜蜜碎掉了，所有美好的未来都没有了！

阿豹滑坐在屋里的地上，他哭了，哭的无法控制，没有解药，没有希望，所有美好的想象全部都破碎了！

莲娜被肖文拽走，这次是肖文骑三轮车把莲娜硬按在三轮车后面带回了他们的租住屋。

莲娜一回到屋子里就气得语无伦次。

"肖文，你太不像话了，你怎么这样？怎么能这样和阿豹说话，你真的伤害他了，你的良心安妥吗？他还是个病人呢……"

莲娜的话还没有说完，肖文接上了话茬："怎么？我说的不对么？你和阿豹是情侣关系吗？他爱你吗？你现在在他的身边就是充当他的未婚妻的角色，可是，阿豹向你求爱了吗？他向你承诺要照顾你一辈子、给你一个幸福的家、和你结婚了吗？你别做梦了，阿豹就是个花花公子，他不能给你稳定的未来。你真能和阿豹玩得起吗？和那个富豪张总你也玩不起的，不是吗？他连做母亲的权利都不给你，莲娜你醒醒，不要再像个无知小少女一样做美梦了，你就踏踏实实静下心来，和我在一起，过个半年看看条件允许了，我们就去领结婚证。当然目前没有钱了，房子是买不起的，但是我会努力去挣钱，我们齐心协力，几年后我们一定买得起房子，你一定要相信我，房子会有的，我们一定能过得很好！"

莲娜看着这个肖文觉得好像不认识他了，现在他能和莲娜这样说话就是因为刚才他替莲娜还了那笔十万元的欠款，十万块钱不是白给莲娜的，那就视同于聘礼了。

"肖文，你不要这样，明天我就把那张卡拿回来，我的欠款我自己还……"

"莲娜，你就听我的，我已经为你付出了这么多，你不应该再辜负我。"

肖文有些累了，他不想再争论这些问题就朝自己的大卧室走去。

"我很累了，现在也晚了，你也早点儿睡觉吧。"

肖文走进大卧室把门一关就不理莲娜了，把气愤的莲娜扔在客厅里。

46　阿豹不见了

　　莲娜忐忑不安地过了一个晚上。一大早起来后她做了早饭和肖文吃了就骑车带他去上班，肖文临上班之前对莲娜说，晚上他俩早些回去做饭吃，吃完一起去看个电影，算是正式交往的第一次约会，还没等莲娜说出反对的话肖文就快步走进公司的大门了。

　　中午她急急地给小李子打电话，可是小李子没有开机，莲娜犹豫了一下给阿豹打手机，阿豹也关机了，莲娜急得不行，怎么回事儿？

　　莲娜开始心不在焉了，她挨到下午提前就开溜了。

　　莲娜骑着三轮车来到阿豹家，她要带阿豹去医院打点滴。

　　用钥匙开了吴大妈家的大门莲娜就往阿豹的大屋子里跑。

　　咦，阿豹不在家，门边有两个打碎的碗。她看阿豹好像把一些衣服拿走了，怎么？阿豹这是到哪里去了？

　　吴大妈有些惊诧："怎么？他去哪里没有告诉你吗？我看见阿豹下午两点多钟提着个小行李箱穿得整整齐齐地出了门，看样子好像是要出远门。"吴大妈慢悠悠地说。

　　莲娜给肖刚拨了个电话，这次通了。

　　"肖刚老师，你好，我……我是那个把阿豹腿撞坏的那个……人，我叫莲娜，是这样，阿豹现在在你那里吗？我来给阿豹送东西没有看见他呀，房东大妈说看他拿了行李箱出去了，你知道他去哪里了吗？阿豹昨天晕在房子里了，医生说得了急性支气管炎，我现在是来带他去打吊针的，可是他不见了。"

　　莲娜还没说完肖刚也有些着急了。

　　"他没有来我这里呀，也没有和我联系，这个阿豹太让人担心了。"肖刚说。

　　"那么，你能不能和他认识的好的朋友们打电话帮我问问阿豹的踪迹……"

　　"好的，我现在就打。"

　　肖刚打了一圈电话都没有阿豹的消息，肖刚也有些着急。

　　"哦，这个，莲娜小姐，我们共同的朋友都没有阿豹的消息，这样，你再找找，我也再找找，找到我们再联系。"肖刚电话里这样说。

　　"好的，谢谢你。"莲娜沮丧地挂掉电话，想想她又给小李子拨了个电话。

　　"小李子，我是莲娜大姐，你现在在哪里呢？你能不能来一下？"

　　不一会儿小李子骑三轮车来了，脸上身上都是煤灰。

　　"大姐，怎么？今天开始我帮姐夫生炉子？"小李子匆匆忙忙地问。

　　"我，我和阿豹生了一点儿口角，他今天走了，不知道去了哪里，我……哎，我太混乱了。"莲娜说着开始流眼泪了，小李子一看有些慌了。

"大姐，您别哭呀，姐夫说不定只是气一会儿做个样子给你看看，不是他的腿不好么，走不远，我骑车带着你兜兜转转，说不准就能迎上他呢。"

"好，你带我去这附近转转，大姐对这里不熟，晚上大姐请你吃饭。"

小李子把三轮车骑得飞快，他对这一片了如指掌，这个城中村面积很大，各种小网吧、小饭店、杂货店、村委会密密麻麻地挤在一起，各种载人三轮车在这个城中村里是主要的交通工具，路上跑的大部分车也是几万块一辆的杂牌车子，虽然这里快拆迁了，可是依然热闹，像野草一样旺盛的生命力在这里蓬勃向上。

小李子把这一片从南到北、从西到东的跑了一遍，根本没有看见阿豹的影子。莲娜的眼睛像雷达一样地搜寻着，不放过一点儿蛛丝马迹，可是眼睛都瞪疼了，还是没有看见阿豹的影子，天慢慢黑了下来。

这时莲娜口袋里的手机响了，是肖文打来的，电话里传来肖文气急败坏的声音，肖文已经在公司门口等莲娜一个多小时了。

"你怎么还不过来？我不是说今晚吃完饭看电影吗？你干什么去了？"

莲娜把这个事儿早忘了，她急忙说："阿豹不见了，我现在正在找他，他病还没有好，还要再去医院打两次点滴，可他人现在不见了……"

莲娜话还没有说完肖文就气愤地打断："我不是说不要再去管阿豹了么？你怎么把我说的话当耳旁风？马上回来……"

莲娜不悦地说："不行，阿豹生病我怎么能不管，人哪能见死不救，何况我对他负有责任，你先自己打车回去吧，别等我……"

"不行，你马上回来，我不允许……"

莲娜不等肖文说完就把电话给挂掉了，这个肖文是怎么了？从昨天晚上起就像变了个人似的，不可理喻，莲娜现在没时间和他瞎扯，找阿豹要紧。

肖文气得又拨电话，两个人说不了两句肖文就气得不行，他一直叫莲娜回去。

莲娜现在很不想听肖文说话，让她放弃阿豹是绝不可能的。

电话又响，莲娜已经有些不耐烦了。

"我说过了，我现在正在找人，你就不要固执己见了，我哪里有时间看电影，没心情，我现在忙得不行，今晚我又摆不了摊儿了，我说过……"

莲娜的话还没有说完对面电话里的人笑了出来："莲娜，你说你今晚不摆摊儿了，那正好，今晚我请你吃晚饭。"

莲娜仔细一听是张总的说话声，张总这一段时间去上海出差，刚回来。

"这个？"莲娜有些踌躇，张总前几天说一回来就要请莲娜吃饭，莲娜勉为其难地答应了，现在她想反悔，可是怎么说得出口？现在就这样盲目地转好像也没有什么效果，反正这顿饭也不可能躲得过去，今天就先等肖刚的消息也好。

"好吧。"莲娜答应道。

"哎哟，不好！"莲娜在心里叫道，自己不是说请小李子吃晚饭了吗？莲娜左右为难，又想想小李子对自己的帮助，莲娜决定带他一起去。管他呢，一举两得，让小李子也吃顿好点儿的，看小李子骑车累的模样，想必已经很饿了，想完莲娜对小李子说："小李子，你看，你能不能现在回去把你的脸好好洗洗，换一件好点儿的衣服，大姐带你去吃饭，好么？"

"好呀，大姐请我吃饭，我高兴呀。"

47 小蟑螂

小李子一听有好吃的脚下骑得更有劲儿了，一会儿就把莲娜带到这个城中村附近几栋有 20 多年历史的塔楼群中，曲里拐弯的来到其中一栋楼跟前停下车。

"莲娜大姐，走，去我住的地下室，您小心一点儿啊。"

小李子从一个口子走下去，莲娜小心地跟在后面。妈呀，这里是什么地方呀，越往里走越钻得深，像地下迷宫一样，走道上放满了锅碗瓢盆，煤气炉子也裸露放着，只是上面被粗粗的铁链子拴着锁在门把手上，不让人偷走。地下室里憋闷的让人有呼吸不过来的感觉，现在已经是下班时间了，好多人已经回来了，莲娜看有学生模样的，有打工模样的农民工，还有做小生意的……真的是三教九流的人物都在这里出没，当然还有就是小李子这种送煤的。

"莲娜大姐，您慢些走，这里。"

小李子引领着莲娜走进巷子里很深很里面的一间小屋子跟前，小李子打开小门让莲娜走进去，莲娜一走进去就觉得憋屈的喘不过气来，小李子把灯打开然后又拽了一根细绳子一下，"嗡嗡"的声音一下子响了起来，原来这是个简易换气抽风机，这个屋子几乎没有窗户，这里没有这个抽风机根本住不了人的，小房间大概有八九平方米，摆了两个床，屋子里其余的空间都堆满了乱七八糟的东西，插脚都很难。

"莲娜大姐，这里可比姐夫住的那个地方小太多了，您不习惯这里吧，呵呵，很便宜，一个月 280 块，我们这种人只有这里才住得起，当然这里冬暖夏凉，不用交取暖费了，很不错吧！"

小李子洗完脸回来，莲娜看见小李子的手指甲里还是黑乎乎的煤灰，莲娜就说："来，小李子，大姐帮你洗干净，我们今天大鱼大肉的好好吃一顿。"

她把小李子的手浸在温水里，过了一会儿她找了个软毛小刷子帮小李子一个一个手指甲的刷……

"莲娜大姐，自我父母去世后我就没有流过眼泪，这是第一次，你对我这么好，像我妈妈一样对我这么好，我……我一看见你就觉得你是个好人，我就想帮助你，可我还没有帮助好你，你就已经对我这么好……我……我……我以后一定会报答你的！"小李子哽咽的有些说不下去了。莲娜也有些鼻酸，小李子好可怜啊，住在这么个地方，莲娜想以后一定要帮助小李子走出这里，多让他学些本事就是对小李子最好的帮助，莲娜暗暗下定决心。

"小李子，大姐以后帮你多学些知识，要学些谋生的技术，你就会越来越好，大姐相信你是个好学的好孩子，你一定能行的！不会让大姐失望。"

"好的，大姐，我一定好好学，不会让你失望的。"

莲娜也感慨地流下了热泪，这个大孩子憨厚的品行让人喜欢。

莲娜开始帮小李子选马上要穿的衣服。确实，小李子很穷，没有什么穿得出去的，莲娜几乎翻遍了小李子的衣服都没找到合适的，毕竟是和张总一起吃饭，去的估计也是很高级的地方，小李子这些行头真的不行。

莲娜坐在小李子的床沿，突然她觉得自己的耳朵眼里奇痒无比，然后她觉得有个活物在爬动。

"啊！啊！啊……"

莲娜吓得一下子蹦跳起来，耳朵眼里进什么可怕的东西了？

"大姐，你不要用手，来，我用手电给你照着，估计是小蟑螂爬进去了。"

小李子的话还没说完，莲娜已经吓得花容失色，她这辈子最怕的就是这种东西。

"啊！啊！小李子快把它弄出来呀。"莲娜尖叫的声音令人觉得恐怖。

小李子拿了个小电筒冲着莲娜的耳洞照着，果然，从莲娜的耳朵眼里爬出一个小小的蟑螂。小李子眼疾手快一下子按死了这个小蟑螂拿给莲娜看，莲娜觉得自己快恶心死了。

莲娜让小李子穿了一件干净的黑色羽绒服就仓皇逃出了这个"地宫"。

一来到地面上莲娜马上大大地吸了好几口新鲜空气，好舒服呀！能畅快的呼吸竟然是件美好的事情。

"谢谢你小李子，你让我懂得了什么是幸福，你让我懂得了幸福的真谛，谢谢！"莲娜紧紧地握着小李子的手默默流泪。

小李子在一块空地上看手机有信号了，他就低头拨了个电话。莲娜也低头看自己的手机，她看见有好几个来电都是肖文的，可没有肖刚的，她就有些惆怅，想了想把手机给关了。

小李子和电话里的人说完，然后拿着手机就对莲娜说："莲娜大姐，您来听听我们家乡邻居郝叔的话，他是我爹妈死后对我最好的人，我和他说我在这里遇见了一个好大姐，他说要和您说几句，您来听。"

小李子有些激动地把自己的手机递给莲娜，莲娜有些意外。

"喂，您好！"莲娜对着话筒轻声说。

"哦，你是这大城市李军这娃认的一个大姐呀！……小李子说你是个很好的大姐，对他好着呢哦，这个娃娃可怜，但是个乖娃子，没有歹心眼的，不会干坏事哇，他爹娘死得太早，家里穷哇，高中没上就离开我们村……"

话筒里有个方言味道很重的中年男人极力用蹩脚的普通话说着什么，他说很高兴莲娜对小李子好，谢了莲娜很多……

莲娜不知道说什么，其实她还没有帮助过小李子什么，人家就谢了这么多，莲娜心中暗暗想一定要帮到小李子。

随后他们朝张总约的地方奋力骑去，那是个很高级的地方，莲娜也没有进去过。莲娜只知道那附近有个很著名的大酒店，小李子把三轮车骑得飞快，好容易骑到饭店门口，莲娜和小李子想方设法把三轮车拴在附近街道上一段护栏杆上。

莲娜抬头张望着这家高级餐馆，有些眼晕，他们硬着头皮假装潇洒地朝这个奢华的饭店大门口走去，门口有好几个穿着制服拿着对讲机在指挥来吃饭的客人停车的工作人员，莲娜和小李子没有从名车上下来，而是从那辆三轮车上下来的，他们就有些犹豫稍稍拦了莲娜一下，问他们是哪个包房的，小李子缩头缩脑地跟在莲娜身后有些不知所措。

"莲娜大姐，您……您……不用请我吃这么贵的馆子，我们去路边小吃馆就行了，这个太……太奢侈了。"小李子扯了扯莲娜的后衣襟小声地说。

"哎，我当然没有钱请你吃这么贵的饭馆，是，是我的一个朋友请我，我就顺便带你来了，今天你不要多话，也不要插嘴，默默地吃你的就行了。"莲娜回头小声对小李子说，小李子赶紧点点头。

"好好，我一切都听您的，您说怎么样就怎么样。"

48 小李子奇遇

他们走进 208 号牡丹亭，张总已经等在这里了。张总看见莲娜进来很高兴，又见到她身后跟上来一个毛头小青年就有些诧异。

"哦，这是我远房亲戚，一个老实能干的表弟，叫李军，我叫他小李子，他最近帮了我不少忙，本来今天我约好了要请他吃饭，谢谢他对我的帮助的，可是，您刚才打电话约我，我……不能对他爽约所以就把他一起带来了，您不会觉得不方便吧？"莲娜对张总介绍小李子说。

"哦，没有不方便，一起来最好，不然你对他爽约就不好了，本来他就在前我在后嘛，呵呵，是不是小李子？"

张总向小李子伸出手，小李子害羞地不敢伸出手去和张总握，他怕自己的手没洗干净让张总看了笑话，能请他们来这里吃饭的人一定是了不起的大人物，这里多贵呀，进来到现在小李子都觉得自己是踩在棉花团上软绵绵的不真实。

这个孩子太纯洁了，长相敦厚，眼神清澈，像极了自己刚从农村来上大学时的那种青涩模样，他不禁对小李子有了很好的感觉，人和人相识第一印象很重要。

"来，来这里坐，莲娜你今天想吃什么你先点吧。"

张总把他们让到圆桌前，让服务员把印制考究的大菜谱递给莲娜。

莲娜看了看菜谱，那些个菜价确实是价格不菲，她就没有让小李子看，不然小李子看见那些个菜价估计都不敢动筷子了，他保准以为是在吃金子呢。

莲娜想，小李子劳动了一天一定饿极了，鸡鸭鱼肉应该都是他最喜欢吃的吧，莲娜就点了一个东坡肘子，一条红烧鲢鱼，一只柴锅鸡，这是为小李子点的，她为自己又点了些，然后把菜谱推给张总，张总又添了几道清炒时令小菜，还给每个人要了一盅鱼翅，这三碗鱼翅可是这些点的菜里最贵的菜肴了。

菜陆陆续续端上来了，果然，小李子对端到他面前的鱼翅根本不感兴趣，只浅尝了两勺子吧唧了几下嘴就不动勺子了，估计他以为就是粉丝汤吧，但对那个东坡肘子眼神就闪闪的，暗暗地吧唧嘴巴，张总善解人意地把东坡肘子让到小李子面前，小李子不好意思地笑了。

莲娜和张总边吃边谈，小李子对那个东坡肘子发起了进攻，他鼓起腮帮子大口地吃着肥厚的肘子。张总不经意地看见小李子的吃相觉得小李子很可爱，这个小李子让人情不自禁地就想疼爱他，看他的穿着，他骨节粗大的手指，这个孩子一定吃过很多苦，就像自己年轻时一样。

"小李子现在在做什么？"张总不经意地问。

"哦，我……那个被撞断腿的……债主阿豹从我们现在住的地方搬出去了，他现在住的地方是个大画室，在快拆迁的城中村，那里没有暖气，要买蜂窝煤自己烧炉子取暖，我就去买蜂窝煤，小李子现在是送煤的他很帮我。"

张总点点头，问他送煤多久了。

"嗯，这个冬天都在送煤，这个季节过去了再找别的活儿干。"小李子说。

"小李子是个孤儿，很能干的小伙子，在这个城市无依无靠，不靠偷鸡摸狗老老实实地生活着，我觉得很感动，我准备帮小李子一把，让他学些电脑知识以后找个工资高些的工作……"

莲娜的话还没有说完张总接话了："小李子你愿意到我公司来上班吗？"

"哦?!"小李子吃了一半的肥肉还没有吞下去，听张总一问差点儿噎住了。

"好呀，你们那里有什么活儿给他干？他可是初中文凭，做不了你们公司的文员，你们不是大学生不要的吧?"莲娜小心翼翼地问张总。

"嗯，不过我说小李子可以当我们公司的司机，只要有高中文凭就可以了，你最好考一个高中文凭。"

"嗯，没关系，高中文凭小李子没问题的，我会教他功课，他会拿到高中文凭的，这只是个时间问题，但是，你不要唯文凭看人，小李子是个可以塑造的人，你不会看错小李子的。"莲娜赶紧替小李子回答。刚才还有些沮丧自己没有帮到小李子什么，要是小李子能到张总这样有实力的公司去工作，是多少钱都求不来的好事儿啊！现在有多少大学生都找不到工作。

"小李子，快和张总保证自己一定会好好工作的，快呀！别吃了!"

莲娜让小李子表决心，小李子赶紧用袖子擦了下油乎乎的嘴："张总，我……我……我一定会好好工作……我……我工作后……要报答您……我……我没有父母了，我把张总当亲叔叔报答，给您养老，伺候您……"

小李子结结巴巴地说着话，张总忍俊不禁，这个小子还真的是让人怜爱呀！自己的儿子对自己一点儿也不亲，就是他们刘家养的，儿子也嫌贫爱富呀，他对他的姥姥姥爷很亲，知道自己的姥爷是高官，在同学面前都是自己姥爷怎么牛，怎么威武，可从来不说自己爷爷奶奶，爷爷奶奶都是农村种地的，炫耀不起来，他也从来不爱和自己一起回农村老家，倒是去美国他妈妈刘贝贝那里去了几次，从贵族学校回来也喜欢上姥姥姥爷家，连张总都很少能见到他。哎，还真的，自己要是有个像小李子这样憨厚的侄子自己还巴不得呢。

其实张总想帮小李子有自己的私心呢。

最近张总的妈妈老是打电话问他，你和莲娜现在发展得怎么样了？你可不能掉以轻心呀，莲娜和好几个小伙子在一起，她这么好，那些个小伙子会不动心？你比不上那些小伙子俊，虽然你有钱，但是莲娜姑娘好像也不是这么喜欢钱，所以你要抓紧喽，妈就稀罕莲娜做儿媳妇，要多想法子讨她的欢心，要是过年你能把莲娜姑娘带来给妈就好了，那妈就觉得你们一定能成。

可惜现在莲娜就是有些油盐不进的味道，张总从来没有盼到莲娜主动给他打电话，倒是以前的那个小文不停地电话骚扰他，哭喊着说还要回他的身边来。

对肖文和阿豹的担心让张总寝食难安，可是他现在真的没有时间天天来盯着莲娜，他想讨好莲娜的机会也找不到，可是今天，这个机会送上门来了。这个小李子好像很得莲娜的喜爱，莲娜这个人爱心泛滥，不过看看这个小李子也不错哦，人很淳朴，还没有被城里的庸俗污染。他现在也很想换掉自己的私人助手，这个助手已经知道他太多的秘密不安全了，帮这个小李子也是在帮自己，现在到哪里去找这么单纯的人，那些个大学毕业生一个比一个精明，像都能看穿他似的，让他很不舒服。哎，这下好了，这个小李子来了还可以给自己报告一些莲娜的真实情况，现在莲娜和那两个小子到底是个什么状况张总还真的是摸不清楚，有了这个小子，自己就可以掌握莲娜的底牌了。

"嗯，好吧，下个星期你来我公司报道，来了先去驾校上课，晚上莲娜你要教小李子学文化，学开车费用公司先给你垫上，以后从你的工资里扣，就这样。"

小李子一听立刻感动得留下了热泪，他站起身走到张总面前恭恭敬敬地给张总鞠了一躬，又走到莲娜面前给莲娜恭恭敬敬地鞠了一躬。

"谢谢您，你们就是我的再生父母，我一定好好干来感谢你们的大恩大德。"

小李子哭了，莲娜站起身，默默地拍着小李子的肩膀也有些唏嘘。

小李子哭得鼻涕一把眼泪一把，很难控制，后来张总让在一旁伺候的服务员带他去洗手间清理一下，小李子被服务员让到洗手间里去了。

张总微微地笑了一下，他喝了一口饮料，然后他考虑了一下，从包包里拿出一把精致的车钥匙。

"莲娜，喏，这是我上次说要送给你的宝马车的钥匙，是辆白色的，我最近很忙，今天才给你，你拿着以后就开这个车吧。车在我们公司的地下车库，你拿这个钥匙去把车开走就行了。"

张总是个很要面子的人，他那天当着那个银行行长的面说莲娜开的是一辆宝马车，当然不会食言，他的女人不开宝马就是笑话，其实给莲娜开这辆宝马是给他张总争面子。

"我不要，我开不起宝马，张总您不要和我开玩笑了，我开那个昌河小面包车就好了，那个车省油。"

其实张总看莲娜不接受这个车内心还是很有些高兴的，看来莲娜是真的不爱他的钱呀，那些个贪钱的女人看见宝马马上就会扑过来献媚。

莲娜硬是不要，张总就硬是不接，两个人把车钥匙你推过来，我推过去，小李子这时红着眼睛出来了，他们俩才作罢，莲娜趁机把车钥匙推到张总面前，张总也不好意思再推过去了。

张总和莲娜依依不舍地告别，他开着自己的宝马车走了。

他们两个骑上车，莲娜坐在车斗里面，小李子问莲娜去哪里，莲娜说去阿豹那里，看看阿豹回来没有。

车刚骑到城中村的巷子里，小李子突然把车子骑到便道上下了车，他下车后有些痛苦地弯着腰，像要呕吐一样，莲娜赶紧下车问他怎么了。

小李子说肚子有些难受，想吐，莲娜说是不是刚才吃多了，现在又急急地骑车胃挤着了，想吐就吐出来吧，吐出来人就舒服了。小李子忙说："别，我不想吐出来，刚才我吃了那么多好吃的，吐出来多可惜呀，那个大肘子多少肉呀，我从来没有吃过这么多好吃的，大鱼大肉，在自己家里过年都没有一个人吃过一个大肘子，不能吐，吐了太可惜了。"

莲娜忍不住笑了："小李子你知不知道那碗鱼翅是最值钱的东西，那是一碗好东西呀，其实你吃的那个大肘子不怎么值钱。"小李子听莲娜说那么一小碗像粉丝汤的鱼翅值那么多钱，自己才喝了两口哦，他后悔得直跺脚。

"莲娜姐，你咋不早点告诉我，那个山珍海味叫啥玩意儿，我要是知道那个最值钱，我一定通通倒进肚子里，一点渣渣都不剩呢……哎，可惜死了！"

小李子悔不当初的模样逗笑了莲娜，不过笑过之后莲娜有些心酸，其实自己也是第一次吃鱼翅，托张总的福，比小李子还不如，她是快30岁才吃到鱼翅是什么滋味的，穷人有什么资格吃燕窝鱼翅。她比小李子也好不到哪里去，前几天还了阿豹一万块现在自己卡里的钱也不超过两万，过几天她还要拿钱去进货，马上就要过年了，自己要不要回家去看父母，去看父母又是一大笔支出，来回车票，给七大姑八大姨买些东西，还要给爸爸妈妈一些过年的钱，七七八八一花莲娜就没有多少钱了，阿豹怎么办？回去还要耽误做生意赚钱，看来这个年莲娜是回不去了。

一想到这里莲娜的心又沉重下来，阿豹怎么办呢？阿豹回去过年吗？阿豹也没有钱回去过年吧，哎，这个阿豹去哪里了？

"来，小李子，你坐车上，大姐来骑车，万一阿豹回来了，他不会生炉子家里多冷呀！"

小李子硬是把想要吐的东西咽了回去，保住了他一肚子山珍海味的胜利果实，莲娜骑车载着他晃晃悠悠地回了吴大妈家。

🌸 49 新三人行

阿豹没回来，肖文却来了。

"我猜你就会在这里，你太不尊重我了，我在寒风里一直等，你就忍心？"肖文走进阿豹的大房间里很生气地对莲娜抱怨。本来他想说："你究竟是脚踏几只船？怎么连这个小弟弟你也勾引？"可是他忍住了，他其实也有些顾虑莲娜说"那十万块我马上会还给你"。

即使那十万阿豹不还给莲娜，莲娜想和他肖文撇清，也可以轻轻松松从张总那里搞来十万块还给他肖文，莲娜还给肖文那十万块钱肖文在莲娜这里就没有戏可唱了。肖文知道阿豹很爱莲娜，情敌是最摸得清对方爱的程度的，这是最敏感的东西，莲娜自己傻，看不到阿豹对自己的感情，所以肖文这个时候还是要多忍耐。从今天莲娜不理他，放他鸽子，肖文就觉得自己目前还是没有把握抓住莲娜，现在要紧的就是要把阿豹和莲娜分开，让他们没有办法在一起彼此吐露心声，所以在肖文还没有正式把莲娜抓在手里时肖文还是要小心从事，不能把莲娜逼走了，只有让莲娜对他心生愧疚，肖文才能把莲娜捏在手心里。莲娜是他肖文的最佳老婆人选，勤快、脾气好，不虚荣，能为家里的经济做贡献，最主要的是对自己那有些刁难人的妈会容忍的，不像他的前女友王慧不容人，针尖对麦芒的。

何况，莲娜不会对自己没有实力买房子产生怨言，这就好办，莲娜以前和他谈论过李婷结婚就要新房不现实的事情，莲娜说只要相爱，两个人的爱就是房子，租房结婚也可以啊！房子可以婚后再慢慢攒钱买嘛！

这些话是最对肖文胃口的，反正他的十万块钱在这个房价高涨的城市是根本别想买到房子的，用这十万块可以买到这个不要房的媳妇比什么都划算，当然，除了这些功利的想法，肖文也是真的喜欢莲娜，和莲娜在一起他感觉很愉快。何况莲娜很会做菜，以后他一辈子都有口福了。至于莲娜以后有什么发展，会有什么成就肖文就看不到了。阿豹的担心是有道理的，莲娜如果嫁给了肖文那她以后就是肖文一家任劳任怨的媳妇加保姆，这是肖文对莲娜的定位，女人只要贤惠能干家务孝顺婆婆生儿育女就行了，至于什么发展事业，肖文自己都没有找到门路，何况一个剩女莲娜能有什么作为呢？

肖文其实现在就是担心阿豹的存在对他的威胁，至于张总，好像不太靠谱。有次和莲娜谈到张总，莲娜不小心说出张总以后不想让后妻生孩子，这哪个女人能接受呀，莲娜绝不会答应张总的这个条件的，所以，肖文就不担心张总了。

今晚莲娜关机后把肖文气得要死，他没舍得打车，等下班高峰过去了，才坐公共汽车回家。他现在已经没有那十万块钱了，又是个穷光蛋了，又要一分一毛地开始攒钱了，这个过程有多么痛苦，肖文知道。所以，肖文付出的一切一定要物有所值，绝不能空投，莲娜一定会是他的，这种强烈的愿望鼓动着肖文的心。回家后没有莲娜忙忙碌碌在厨房里做饭的身影肖文觉得很不习惯，他生气地躺在大床上隔不久就给莲娜拨手机，不通，还是关机……一直躺到快九点多了，莲娜还是没回来还是关机，肖文很饿，没办法，他就勉强爬起身来到厨房自己泡了一碗方便面吃。

真的，没有莲娜的日子很难过，泡面加快餐的日子肖文是一天都过不下去了，习惯了莲娜丰富的菜肴再回去过吃方便面的日子简直就是下地狱！

肖文无比怀念莲娜的菜香味，他深深地知道，阿豹也无比怀念莲娜的菜香味，所以肖文内心要把莲娜抢到手做老婆的愿望愈发强烈，不行，肖文对莲娜绝不能放手，莲娜绝对不能让阿豹给抢去。

等到十点半了莲娜还没有回来，肖文有些沉不住气了，他穿好衣服找了辆载人三轮车往城中村骑去，到了吴大妈家的门口敲门，果然出来的是莲娜。肖文有些愤怒了，而且屋子里又多了个莫名其妙的愣头小伙子，比莲娜小多了，这个莲娜怎么回事儿？那个富豪老头，加上这个小年青，加上阿豹，肖文快招架不住了，快疯了，可是在这个小年青面前自己还不能爆发。

莲娜吞吞吐吐地把生病的阿豹不见了的经过仔细说了一遍，只是很含糊地说自己和这个小李子刚吃完饭又来看阿豹回来了没有，阿豹这样不见了让人很不安，莲娜要在这里等阿豹回来。

肖文听完莲娜的诉说叹了一口气："莲娜，阿豹已经是个很成熟的大人了，你就不要再这样关心他了，他如果觉得有必要告诉你他就会给你打电话告知的。可是，他选择不告诉你，那意思已经很明显了，他的生活已经不需要你的帮助了，何况我们已经还了他那笔钱，他也拿了默认了，那这件事情已经就告一段落了，你又何必自寻烦恼呢？回去吧，这样擅自闯入别人屋子的行为很不好，你要开始克制自己的冲动，不要让阿豹误会你对他有什么企图，知道吗？"

肖文说得很巧，句句敲在了莲娜的心上。

她不确定阿豹会不会收肖文的钱，要是阿豹真的要了肖文那十万块钱那莲娜的债主就变成了肖文，这让她很不舒服，还是欠阿豹好，阿豹虽然喜欢对她吼叫，可是他已经默认了莲娜分期付款的方式，可这个肖文可以让她分期付款吗？

何况肖文已经向她表白，那这笔钱肖文还会不会让她还呢？她要是硬还肖文会怎么办呢？她不喜欢什么都混到一起，说不清，何况自己还没有想清楚要不要和肖文交往，但是错过了肖文是不是她一辈子都要遗憾呢？她脑子里现在是乱麻一团。

"这位是?"

"哦，这位是我同事的一个远房表弟，来这里打工没地方住，不是阿豹的床铺腾出来了么，我答应让他住那个床。对了，他需要学些高中和初级电脑知识，晚上你有空就教教他，来，小李子，叫肖文哥哥。"

莲娜拉着小李子的胳膊让小李子叫肖文。

莲娜想得很好，阿豹搬出来后，肖文总想对莲娜做些亲密的动作，莲娜很怕，有时肖文很晚了还来敲莲娜的房门和她谈话，她不想很快和肖文有什么实质性的接触，她还没有想好和肖文的关系，现在有了小李子住在一起，肖文动作上也不敢对她放肆了，一切都可以慢慢来，一切都应该想深想透。冲动是魔鬼，何况莲娜是个大龄剩女，婚姻这个问题一定要想明白了才不会后悔，现在她觉得肖文是可以考虑的结婚对象，虽然她对肖文现在没有爱情，可是如果条件一切合适，他们之间还是可以谈一谈的，这个世界上有多少普通夫妻之间没有爱情也可以生活在一起的，她莲娜和肖文难道不可以吗？

"肖文哥哥好。"小李子对肖文恭恭敬敬地鞠了一大躬。

肖文很诧异，他有些恼怒，本来他打算短时间内攻下莲娜这个堡垒，可是，莲娜又给他整了这么个半大孩子来，肖文想莲娜的心其实离他还很远呢，想到这里他很不痛快，可是也没有办法，心急吃不了热豆腐，何况莲娜对阿豹还有那种朦胧的爱情，肖文不能太着急了。

"好吧，但是我没有太多的时间给你，你只能问我很关键的课程和问题，大部分时间你是需要自学的。"肖文很不友好地对小李子说。

小李子高兴极了，这下他有地方住了，哪天能住到"上面"是小李子的一个愿望，从今往后他再也不用过暗无天日的生活了，小李子一下子激动地又哭了。

莲娜帮小李子从地下室搬过来。莲娜借吴大妈的大盆子用滚烫的开水烫那些衣服，烫死那些蟑螂，小李子的衣服都很低档普通，洗破了好几件。莲娜挠头想了很久把阿豹留在出租屋里已经不穿的衣服挑了几件给小李子穿上，呀，真的是人靠衣装，佛靠金装，小李子穿上阿豹的那些品牌服装马上改变了形象，小李子本来长得就高大，骨架子很能撑衣服。莲娜又带小李子去发廊设计了一个清爽的短头发，小李子平添了几分英俊。小李子彻底改头换面了，成了个利索干练的小伙子。

莲娜时时提醒小李子要注意自己的礼仪，不要随便挠头、抠鼻子，走路要步履轻松轻快，对人要有礼有节不卑不亢，说话不要抢别人的话等等。

小李子住到莲娜和肖文的住所，他非要每个月交给莲娜500元钱的房租，说不能白住，还要给莲娜500元的伙食费，说不能白吃，去到张总的公司报到后，张总让小李子到会计那里领了几千元报名去学驾驶，其余的时间在公司实习，给张总打杂。小李子很勤快，他手脚麻利，也很会察言观色，办事儿尽心尽力，话也不多，没几天他就博得了张总的喜欢。现在小李子拿着公司最低的薪水一千八，可是他没有怨言，不给钱让他在公司学习他都干呢。

小李子的生活很快走上了正轨，晚上小李子不时地担当做饭的任务，莲娜反而轻松起来，她吃完饭就出去和林红摆摊，小李子也想帮莲娜去摆摊，莲娜说他的学习很重要，要抓紧时间学习，所以晚上小李子就跟在肖文后面让肖文教他学高中课程。小李子每天都会学到很晚，直到莲娜回来，莲娜洗漱要睡觉了，他还在埋头做习题。实话说小李子来了肖文轻松很多，小李子手脚勤快，抢着做事儿，把肖文伺候得舒舒服服，然后就是拿出课本求着肖文教他功课。他现在知道拿不到高中文凭他就不能在这个公司转正，那他就不能在这个公司扎根，他很怕失去这份工作，他现在已经爱上了这个工作，他知道他想融入这个城市就必须逼自己下死功夫拼命去学习，拿下高中文凭再去拿大专文凭，他就能在这个城市扎下根生活下去。

莲娜每天都会和吴大妈联系问阿豹回来没有，也会和肖刚联系，但还是没有阿豹的消息，阿豹好像是人间蒸发了。

西蒙已经开始正式追求林红。

这天晚上她们在摆摊，摊子上来了一位特殊的客人，西蒙。西蒙穿得很厚，带着黑帽子，围着很高档的红黑格子围巾，笔挺的西装大衣，尖尖的意大利皮鞋。

林红没想到他会来，前几天西蒙不经意地听林红说过自己晚上没时间去和他约会，她每晚要去摆夜市，西蒙经不起相思苦今晚就开车过来了。林红看见西蒙这样帅，而自己现在摆摊儿穿的就像个小贩很不好意思，脸羞得红红的。

西蒙很逗，开始不停地用怪腔怪调的中文帮林红和莲娜叫卖货物，由于他是个老外，有人来围观，他的吆喝带来了不少生意，这晚莲娜和林红的生意很好。西蒙绅士的问林红工作结束了他能请她去喝咖啡吗？

莲娜回到家，小李子在台灯下做习题，肖文在灯下低头做一份工作方案，小燕子已经在自己的床上睡着了。肖文让莲娜不要再去摆摊了，莲娜不听，每天继续去摆摊，肖文拿莲娜也没办法。

小李子见莲娜回来了，马上去给莲娜泡茶，嘘寒问暖的。肖文当着小李子的面也不好发作，也只好看着莲娜和小李子亲热地聊天。

小李子有些怕肖文，本来肖文就是个比较闷的人，除了莲娜他就是个没有什么朋友的人，现在莲娜和肖文在对阿豹的问题上有隔阂，他们现在可说的话就更少了。肖文有些着急，他想向莲娜表达更近一步的关系，莲娜就很躲他，让他有力使不出，也就晚上莲娜回来他们可以有些说话时间，现在也给小李子占了。他很恼火！他的急切莲娜是看在眼里的，莲娜很怕肖文找她深谈，她不肯定阿豹会不会收那十万块钱，要是阿豹收了，她该怎么面对肖文？

快十一点半时喝咖啡的林红红着脸回来了，莲娜可以从她的脸上看见恋爱中女人的那种幸福感觉，莲娜把小燕子裹好，送林红和小燕子回家。

莲娜把车开出小区。林红有些窘的对莲娜说："西蒙想上我家里去拜访，我那里太寒碜了，我不能让他去那个地方做客。他一个人住 300 多平方米的别墅，房子漂亮干净的不得了，有个大妈给他做保姆，我住的地方比他的佣人房都不如，今天让他看见我这么狼狈地摆摊，你看我穿得这么臃肿像个老大妈一样，和他去漂亮的咖啡厅喝咖啡，哎！你没看我差点儿没敢进去。"

"哎，你也别太在意了，你本来就是这个样子，他要爱就是真爱，不爱你这个样子那就不是真爱，管他有什么想法！"莲娜边开车边对林红说。

"哎，哪个恋爱中的女人不愿给自己的恋人看最美丽的自己，谁喜欢让别人看最狼狈的样子呀！"林红有些无奈地说。

50 飞来的宝马

这天快下班时，杨兰和李婷已经在莲娜公司楼下等着她了。

莲娜收拾好东西去打了卡，然后下楼，出公司大门左右看，没看见杨兰那部奥迪，却看见一部新白色雅阁停在面前，她没注意，只听白色雅阁滴滴响了几声，车窗降下来了，露出李婷带着大蛤蟆镜的脸。

"咦，开车带什么大蛤蟆镜，你看得清前面的路么？"莲娜边说边看着这部白色雅阁，很漂亮。

她拉开后车门上了车，看见杨兰坐在副驾驶座上了。

"李婷，你哪里借来的这部车，好漂亮。"莲娜由衷地赞美道。

李婷有些不快地发动车子，把车开上主道，汇入车流中。

"你说，有些人就是爱讲风凉话，自己有人送宝马，还来嘲笑我们这种穷人，我们也只能开个雅阁了呀。"李婷开着车阴阳怪气地来了这么几句。

她们来到 D 区停车场，李婷停好车，她们都下车了，莲娜看见李婷现在真的是不一样了，全身都是名牌。

"喂，我已经把两万元打到你卡上去了，你注意查验一下，包包的事儿我们已经两清了呀。"李婷小声地对莲娜说。

杨兰拿出一把精致的车钥匙，伸手朝四处按动，果然，一辆白色宝马车有了动静，杨兰兴奋地跑上前去，把这部宝马车的车门拉开了。

"哎哟，是这部呀，你们快来，快来。"

李婷看见也兴奋地扭着小屁股跑过去。

"喂，莲娜，你来，你来开。"

杨兰一看莲娜要往后面去，就把莲娜推到驾驶座上，让莲娜来试试。

莲娜忙说自己没有开过这种豪车，开不了。

李婷就撇嘴，说你真是烂泥扶不上墙怎么的，说得莲娜有些生气，什么嘛，不就是宝马嘛，我莲娜也会开的，莲娜颤抖着手打着车，妈呀，车一下子就开了起来。哇，开这个车的手感和开那个小面包车完全不一样，好车就是好车么，开起来，人有一种飘飘然的感觉。

莲娜把这部宝马车开出停车场，开到主路上去，她问杨兰去哪里，杨兰说去郊外，那里车很少，马路宽敞，可以好好体味一下试开这部车的感觉。

莲娜稳稳地把车开上一小段高速路，然后很畅快地跑了起来，哎呀，真像在云里飞一样，下了高速，李婷让莲娜把车停在路边，她说她要开开宝马。

她们最后把车开到郊外一片开阔地上停了车，三个人下了车，趁着晚霞的余晖上下左右的开始欣赏这辆好车。

"莲娜，好羡慕你，你是我们姐妹们中最早拥有豪车的，你这次是第一名哟！"李婷又羡慕又嫉妒的说。

"什么？你说什么？我，我拥有豪车？我哪有豪车，就一辆小昌河产权还是阿豹的，我只有使用权，别说笑了，这不是老郑送给杨兰的宝马么？怎么成我的了，你是不是发烧脑子烧坏了。"莲娜有些好笑地对李婷说。

"老郑送她豪车？搞错没有，她那个老郑就是个老抠，给她辆旧奥迪还要到处说嘴，严重鄙视中，这是你家张总，张明哲送给你的，好好开呀！"

李婷说出这么些让莲娜惊愕的话来，杨兰默默地点了点头。

"莲娜，这是张总送给你的，他让我把钥匙给你送来，你好好开这部车吧。"

杨兰的话让莲娜如坠云端，这是怎么啦？上次吃饭的时候她不是拒绝了吗？怎么张总又来这样，太不好了，这怎么能接受呢？

"不行，我不要别人的名车，我和他什么关系都没有，他为什么送我这么贵的车，真是莫名其妙嘛，现在去还给他。"莲娜上车就要开回去。

"喂，莲娜，你有没有搞错，这是什么？这是宝马车不是LV包。"

"喂，莲娜，你怎么能这样处理这个事情呢？你和张总不就是因为他不让后妻生孩子吗？这个问题我去和张总好好谈谈，这个确实是不能接受的条件，其他的，我觉得你们之间应该没有障碍，莲娜你不要太傻了，把这么好的姻缘错过了！你要稍安勿躁，不好太伤人心的，好么？"

不管杨兰怎样好声好语的对莲娜说，莲娜就是不应。

"哎，不同人，不同命，咱们拼死拼活的也只能弄辆雅阁和一辆旧奥迪，你看你别人送上门的新宝马你竟然不要，该不会是你看上那两个穷小伙子中的一个了吧？我猜猜是谁呀？是阿豹？别看阿豹这个人外表很凶，可他应该是个男子汉，底子不错，现在没有钱，但确实是一只潜力股，有才华，前途无量，应该没有小肚鸡肠，要是我，我就选阿豹，他身材好，有型有款，就是太帅了，有些让人不放心，你配他平凡了一点儿；另一个肖文，这个人有些阴，不爱表露自己的想法，但是很有小主意，典型的凤凰男，跟那个小王有一比；再说说张总，据说你和张总的妈妈关系很好，张总的前途就不说了，他儿子快上美国留学去了，你只要能和张总生个孩子就一切 OK 了。张总是个很爱家的男人，他绝不会是个为了外面的女人把你们母子抛弃的男人，你有多幸福？有保姆做家务，也不会很快变成黄脸婆，你的任务就是好好保养自己，学会花钱，学会做有钱人的太太，哎，多么令人向往的生活呀，我要是有这样的男人马上就不带一丝犹豫的嫁了。"李婷坐进车滔滔不绝地讲，杨兰频频点头。

"李婷说得不错，你也许是身在其中看不清楚，好好想想，嫁给肖文好像是最不靠谱的事儿，日子会是很难过的，我们现在去吃饭吧。"

"好的，我带你们去一家高级会所，我有那里的金卡，很有特色。"

这个金卡是刘主任给李婷的，他们是那里的常客。她们来到李婷说的那个高级会馆，这里金碧辉煌，来的人个个都是很有派头的人，看外面停的名车豪车就知道了，她们开来的宝马也很有派，在外面指挥停车的服务员对她们点头哈腰的殷勤备至。

她们三个漂亮女士被让到一个精致私密的小包间里，坐下上茶，她们开始点菜。李婷和杨兰优雅地研究吃什么菜式，有钱人的派头和穷人就是不一样，李婷已经和前一段当丢鞋小王前女友时代的窘迫样（那时小王请她和莲娜吃拉面，李婷都不敢点菜吃的那种穷酸相）大相径庭了！李婷和刘主任在一起短短的时间什么山珍海味都吃过了。现在李婷点菜的那种派头让莲娜都认不出来了，李婷现在可以大方地请她们去任何高级饭馆吃饭，一切刷卡就搞定。

"我现在没钱请你们吃大餐，等以后发大财了，再请你们，嘿嘿！"莲娜有些不好意思地笑了笑，这是她的心里话。

"哎哟，你就不要得了便宜还卖乖了，你守着一个聚宝盆还和我们哭穷，你要是这样说，我们都不要活了。"李婷说。

"李婷，我说了，张总的钱是张总的，和我没有关系，你不要老把张总和我扯在一起，我就是我，老老实实本本分分地生活着，开心着，痛苦着，快乐着，从来没有非分之想，从来不会索取不属于自己的东西，天下没有白吃的午餐，拿了不属于你的东西就是偷窃，我不会做这种寄生虫，所以你以后不要说这些让我不舒服的话……"

莲娜的话还没有说完，李婷就有些坐不住了，她激动地大声嚷嚷："莲娜你不要自命清高，拿这种话拐弯抹角来骂人，是，我是做了小三儿，本姑娘没有你们命好，没有可以做大婆正室的机会，你也不用这样讽刺挖苦我。有多少像我这样的女人，在错的时间爱上对的人，原配有多么了不起，打击、谩骂我们，她们和她们的男人之间早就没有爱情了，为什么还要拖着那个名存实亡的婚姻苦哈哈地过生活？所以，我们得不到名分当然要得到钱房子车这些东西，你不要看不起我，你以为你现在过得可怜兮兮的我们就佩服你呀，不，我可怜你，可怜你太不自量力，你没有背景没有靠山，藐视潜规则你这么穷那就是你的命运，没有人会为你感动，没有人会认为你高尚，只是觉得你假清高，矫情，惺惺作态。你看张总刘主任他们哪个以前不是社会最底层的人，可是他们懂得适时做出最正确的选择，娶了他们并不真爱却可以让他们飞黄腾达的女人，成就了自己的人生，现在他们鸟枪换炮已经可以做出第二次选择了，这次他们是主动的选择，可以选择自己想要的女人，这就是他们当时处在人生十字路口时做出的明智选择，可谓识时务者为俊杰。他们现在就是俊杰，看他们当时的选择和我现在的选择又有什么区别呢？不都是把自己的身体和灵魂出卖给魔鬼，经过这么些年的炼狱终于熬出了头，现在可以掌握自己的命运了！现在他们可以掌控别人的人生，这就是他们最后得到的结果，我现在处在这个位子上又有什么可自责的呢？"

李婷脸上爆红，慷慨激昂的一通说。

李婷今晚终于爆发了，杨兰和莲娜一直不想当李婷的面拆穿她当小三的面目，可是李婷知道她们在内心都看不起她现在做刘主任情妇的这个角色，她今天终于忍不住自己承认了，承认得彻底而决绝。

莲娜和杨兰面面相觑，不知道李婷做小三儿做得这么深入而心甘情愿。

杨兰不想姐妹们翻脸吵起来，她摆手道："大家好姐妹，有话好好说，不用这样剑拔弩张的，喝茶去去火。"

"杨兰，你现在那个房子是不是多出一间小卧室没人用，空着？"莲娜问。

"是，怎么？"杨兰道。

"是这样，我有个朋友刚离婚带着个小女孩儿，没有地方住，很可怜，不过这个女人很优秀、善良，目前和一个很优秀的老外西蒙算是谈恋爱吧，老外想不时地去拜访她一下，她现在住的地方很糟糕，咱们不好让老外看见她住在那个地方，可是她现在没什么钱还欠着债。她那个白眼狼前夫很恶劣，还有她的婆婆也欺负她，重男轻女极其严重，还怂恿他前夫搞外遇和她离婚要外面的女人给她儿子生儿子，反正林红是个很可怜的女人，现在这个老外追她，要是他们俩成功了，我这个朋友就苦尽甘来了，你把那间小卧室租给林红吧，如果这样能成全一段美好姻缘也是你的功德，怎么样？答应吧。"莲娜把林红的难处说了出来。

"这个？"杨兰一时有些犹豫，她现在有钱了，不喜欢和别人同租房子。

"哎，你的猫咪不是没人看管吗？让林红帮你，她一定会伺候得好好的。"

"好么，帮我照顾猫咪妞妞我可以考虑。"杨兰终于松口了。

"喂，那个外国男人为什么看上一个拖儿带女的离婚女人，你说他……叫什么西蒙……很优秀，为什么会看上她，真有这么好的运气？"李婷有些疑惑地问。

"有次阿豹和我带她和她女儿一起去参加西蒙学校的圣诞联欢，西蒙就一眼看上林红了，就开始追求她了呗，人家老外才不认为林红是残花败柳呢，他认为林红这样的女人美极了，比小女孩儿有味道懂生活。"

李婷打断莲娜的话："这个老外长得肯定像猴子一样难看，他眼里的女人肯定丑得不能看，那一对儿肯定是一对儿怪物，情人眼里出西施罢了。"

莲娜没有说话，懒得理会李婷的怪腔怪调。

51 林红授计

莲娜帮林红搬来杨兰的小卧室住，小燕子睁着大大的眼睛看着这里的一切。

杨兰这里很干净，布置得比较温馨，房东的房子还很新，小卧室有 12 平方米，比莲娜现在住的小屋子还大些，林红很满意这个新居。搬来时杨兰和林红见了面，俩人对对方印象都不错，都是莲娜的好朋友，所以，关系一下子就比较融洽了。小燕子很喜欢猫咪，林红也很喜欢，林红对杨兰说，她会和小燕子把猫咪姐姐照顾好的，谢谢杨兰便宜她房租，实话说 700 元能租到这种地段、这种小区的房子里的一间已经是很便宜了，林红真心地感谢了杨兰的好意。林红很勤快把家里弄得很干净，她也很会做饭炒菜，杨兰就很有口福了，她们相处甚欢。晚上杨兰大部分都是去老郑家的别墅过夜，所以，林红其实就像一个人租这么大的空间一样，林红很满足。

西蒙第一次来到林红这里做客时，对林红收拾的家赞不绝口，说林红是个很会生活的人。有次，杨兰回家和西蒙见到面，杨兰惊为天人，西蒙太帅了，智慧幽默，有极好的教养，杨兰就对林红刮目相看，一个女人找什么样的男人，就可以看出这个女人的魅力指数有多少，西蒙的优秀不是一般的，那真的是凤毛麟角！

杨兰后来在电话里对李婷说起这个西蒙用的那个赞美之词，李婷都不相信世上还有这么优秀的西方男人看上这个林红，后来李婷也见着了西蒙，李婷就对杨兰说这个西蒙的脑子坏掉了，林红也没有到那种羞花闭月的程度怎么就把这个西方美男子迷成了这个样子呢？

西蒙对小燕子好得就像是小燕子的亲生父亲，那种好不像是装出来的，这也让杨兰和李婷有些不解。

杨兰如果和老郑结婚就要给小红当后妈，杨兰一想这事儿就头大，她哪儿有这个能耐当好这个后妈，一定第一时间马上就怀孕生自己的孩子。别人的孩子养不亲，打死也要自己生个孩子。

李婷想当后妈都没有机会，刘主任一开始就和李婷说，他是个不可能离婚的男人，李婷说自己不在意他的婚姻，只要他们之间有爱就够了，那怎么可能？李婷是不可能只安于做刘主任小三儿的，但是现在李婷没有什么资格和掌握刘主任什么把柄逼婚的，她现在只有用妖媚和柔情把刘主任弄进温柔乡，用柔情做武器用温柔做匕首，慢慢来。

杨兰和李婷其实活得够累的，每天苦心钻营，想得到美满姻缘，整天算计来算计去的。

林红就很自然，她认为和西蒙恋爱是上天的安排，不是她刻意求来的，所以林红把这一切看得很平和，他们能在一起恩爱是上天的恩赐，不能在一起了也随缘，她不会把得失看得太重，因为她已经跌到底谷了，再惨的事情林红也能坦然接受，她要活得自我，精彩，不会再让别人左右自己的命运！

女人在一起兜兜转转就熟悉了，何况林红是个很善良的女人，杨兰也比较大度，不久两人相处就比较和谐了，后来杨兰就一点儿一点儿地把自己的苦恼说给林红听。林红起先不想多管别人的闲事儿，可是，看见杨兰这么苦恼，何况她和老郑的结合也不是不合理，杨兰老是念叨能怀孕就好了。

林红问杨兰："你是不是真的怀孕就可以和老郑结婚，你可想好了？"

杨兰说是的，老郑的母亲已经说了这个话，可是老郑为了女儿，说暂缓结婚怀孕，可是如果杨兰有了，去婆婆那里吹一点风，老母亲会出来主持公道的，就是小红闹翻天也应该没有用的，就是老郑现在不给杨兰怀孕的机会。

林红说："你现在开始去买个口含女性温度计，每天一起床什么也不干伸手就去摸温度计放进嘴里测体温，连续两个月，看看你自己体温的规律，有一天体温突然降的很低，然后快速升高，那么这一天就是你的排卵期，这一天同房，你就可以怀孕。"

杨兰问："真的？可是老郑都要用避孕套的哟。"

林红哑然一笑"你把你们买的避孕套都用针扎几个小洞，就行了。"

"哎，对呀，我怎么没有想到这么好的方法，你是怎么知道的？"

"是女朋友告诉我的，不知道管不管用，你试试看吧，不过你一定要想好，怀孕上位是不是值得，把自己这样煞费苦心地嫁给老郑是不是值得。"

"我已经想好了，一定要嫁给老郑才是我杨兰的出路。"杨兰坚定地说。

从此以后，杨兰积极地开始了这个计划，几个月后杨兰真的怀孕了……

52　意想不到

这天晚上，肖文和莲娜正式谈了话。

谈话的主题是让莲娜很正式地答应和自己交往。莲娜不知道怎么回答，在和肖文的关系上莲娜就像鸵鸟，不去想不去理会，可是肖文第一次这样紧迫地把话挑明了让莲娜表态，莲娜不知道自己该怎样回答，怎样表态。

"怎么样？我现在很明确地向你表白，我要和你建立恋爱关系，如果没有问题的话明年这个时候我们就去把结婚证领了，把婚结了，这是我的想法。"

肖文很干脆地把话说到这个分上令莲娜很吃惊，肖文太自信了吧，他认为莲娜这就可以嫁给他了？因为，他给莲娜出了十万块钱，莲娜就应该是他的了？可是莲娜就是低着头不说话，不知道她在想什么。

"你快说呀，表个态，好让我放心了。"

肖文催促莲娜表态，莲娜心里真的很乱，不知道该怎么办！她从来没有为哪个男人动心过，除了阿豹，可是阿豹现在已经走了，不知道到哪里去了，他就像一缕云彩，飘在天上她想抓也抓不住。可是想着阿豹心还是很痛，痛得她人都是麻木的，肖文现在逼她表态，她实在是无法表这个态。

"那笔钱我会还给你的……"莲娜说了一句牛头不对马嘴的话。肖文不耐烦地把她打断："我让你说的是和我交往，然后结婚的事儿，和这十万块钱没关系，你说话呀。"肖文很急切地问莲娜，他要听莲娜说她愿意和他交往。

可是，莲娜把嘴闭得很紧就是不表态。这种态度让人很焦急很抓狂。

"你不说话我就当你是默认了，从今以后你不许再和别的男人来往，我不允许，尤其和那个富豪张总，不要再接受他的一丝帮助，人要活得有骨气。好了，快过年了，我要回家一趟，本来想带你一起回家，可是，我们的关系还没有到那种地步，所以，这次我就不带你回我家了，你是准备回自己家看望父母还是留在这里过年你自己决定，好好地等我回来，我们来年一定会越来越好的。"

肖文把这些话说完就想抱着莲娜吻一下，可是莲娜巧妙地把身子一扭转过去，肖文没有吻到，有些生气，可是，他也不敢强迫莲娜，怕莲娜翻脸说不和他交往，现在莲娜没有反对他说的默认为男女朋友交往已经是很大的胜利了。

肖文也有私心，怕带莲娜回家，怕莲娜看见他家的穷困，怕自己的母亲对莲娜刻薄，他母亲就觉得自己的儿子肖文是多么的优秀，别的女人对他儿子必须言听计从恭恭敬敬，她的儿子是无价之宝，那种在儿媳妇眼中的恶婆婆形象她自己是看不见的。肖文怕自己的母亲把莲娜吓跑了，他想等莲娜对自己的感情已经很牢固了，再让这两个女人见面，那时婆媳再打起来，也不容易分手了。肖文相信以莲娜的为人，她不会太难为婆婆，会为了家庭和睦委曲求全的，这就是肖文看好莲娜的价值所在。他改变不了自己的母老虎母亲，可是他有信心让莲娜做"肉包子"，莲娜的善良、隐忍是他最需要的，只有莲娜的忍让他以后的家才不会闹得鸡犬不宁，这就是莲娜做他女人的价值，至于，爱不爱，莲娜对他有没有爱情，那是次要问题，成家立业哪里需要什么浪漫的爱情，爱情能当饭吃么？结婚了，成家了，不就是柴米油盐酱醋茶么，哪里还有什么浪漫，农村人不兴这个什么浪漫，老老实实过日子，挣钱买房，生儿子这才是正道，别的都是瞎扯。

这就是肖文最真实的想法，莲娜要是知道了肖文的这些想法肯定会被吓跑！莲娜虽然没有想过要什么浪漫，但是也接受不了肖文这种过日子的想法，要是他们交往磨合的话肯定会矛盾重重，可是现在一切都没有进展，所以，他们之间目前还没有什么矛盾。莲娜在这个问题上有些不知所措，她既没有答应也没有拒绝，她想的就是船到桥头自然直，到哪步说哪步的话吧。

小李子现在每天骑着莲娜的那部破烂自行车去上班，然后就去驾校学开车，没有约到练车时间他就在公司打杂，他很勤快，谁支使他他都乐呵呵地帮助别人。大家不知道他和张总是什么特殊关系，认定他有张总这个大靠山，因此，他在公司的日子很好过，张总有什么支使他更是心甘情愿尽心尽力，人很纯洁、善良，这更是惹得张总对他爱怜，干什么事儿都喜欢带着他。

眼看快过年了，莲娜很高兴，单位发了8000块钱的年终奖。小李子也很高兴，他过年前发了三个月的工资，有6000多块钱呢，小李子第一次拥有这么多钱，激动得流下了热泪。晚上莲娜摆摊回来时他衷心地感谢莲娜姐对他的帮助，这一切对他有重生的意义。

肖文公司只发了几小袋大米和一桶油作为年终奖，他发誓过完年后跳槽到别的公司去发展。

肖文过年前一天坐火车回老家去了。

莲娜给自己父母寄了2000元钱过年。杨兰、李婷也回父母家过年去了。林红没有回家，她离婚了不想被父母知道被唠叨，何况，西蒙是外国人也不过春节，他们正好在一起过。小李子和莲娜就准备在这里一起过年了。

莲娜打电话问肖刚有阿豹的消息吗，肖刚说一直没有。莲娜有些难过，对阿豹的思念就更是深不见底了。

大年三十这天早上，张总开车来到莲娜和小李子的家。他穿着驼毛蓝色大衣，系着格子围巾，一脸的高兴。

"快，你们现在收拾一下换洗衣服和我一起回家过年去，我们现在开车走，莲娜你和我换着开车，估计晚上七点钟可以到家。快点儿！"张总来了个突然袭击。

张总算好了，他听小李子说莲娜不回家过年，他就想了这个办法，只有这样莲娜才会和他一起回家过年，不给莲娜时间思考，这样和他回家他们俩是不是有关系更近一步的可能？张总的母亲张妈就会用对儿媳妇的待遇对待莲娜，莲娜也无法抗拒呀，这可是张总思考了很久选择的方案。

果然，在莲娜有些愣的时候，小李子说："姐，快收拾，快呀！"

莲娜就稀里糊涂地收拾了一些洗漱用品，被张总和小李子"快快快"地弄到张总的宝马车里去了，张总一踩油门，车就像离弦的箭，飞出莲娜他们住的小区。

车在路上飞驰，已经大年三十了，路上的车已经不多了，张总很高兴，车子不久上了高速路……

这样三个很不一样的人在一起，开着一辆车，朝着家乡飞去，去过一个祥和的中国年。想想很温馨，尤其是对莲娜和小李子这样过年也不能回家的人来说，去别人家过年是个很感动的事儿，对张总来说，更是个感动的事儿。刘贝贝从美国回来带着儿子张刘桢回到大舅子刘启的家里过年，张总就落了单。他也不太敢从刘贝贝手里把张刘桢抢过来和自己回老家过年，张刘桢也不愿和张总回老家过

147

年的，张刘桢瞧不起张总农村的家，他只去过有限的几次，就不愿意再去了。张妈每次问张刘桢怎么又没有回来过年，张总也只是含糊地说张刘桢的功课紧张快高考了，在家里复习功课。张总其实每次过年心里都很酸，所以，这次把莲娜和小李子带回家张总很高兴，总算不是孤独一个人回家了，说不定，这个女人就是自己以后的合法老婆，一定会这样的。

出了城市来到田野的时候莲娜就开始高兴起来，是的，之前的一切事情都太沉重了，肖文的告白，阿豹的失踪，还有十万块钱的欠债，晚上摆摊的辛苦，让莲娜累得都快喘不过气来，现在好了，一切都不要想了，只要跟着车子不停地驰骋，那些个痛苦和心痛就不要再想了，让自己也快乐一回，不理所有的心痛和疲惫，开开心心快快乐乐地过个好年！

他们的车子停在一栋三层小楼房的院子前，莲娜看见车灯里站着一个熟悉的身影，这是张妈，张妈已经在这里望眼欲穿地等了三个多小时了。

看到车张妈就欢快地来帮着打开了车门，张妈里外张望，当确信没有看见张刘桢的身影时，莲娜看见一丝失望的神情出现在张妈的眼里，可是看见莲娜来了，张妈马上又快乐了。

"哎哟，莲娜姑娘你来了，大妈真的是太高兴了，老头子，莲娜姑娘来了，就是给你送毛背心的那个莲娜姑娘来了。"

张总的姐姐姐夫、哥哥嫂子、弟弟弟媳，还有外甥外甥女，一大家子还没有吃饭，一大桌子的年夜饭还没有动一筷子呢，这是在等张总和张刘桢的呀。

"爹，姐姐姐夫，哥，嫂子……"

张总忙不迭地跟大家打招呼，大家都站起身欢迎张总和他身后的莲娜和小李子。张总是他们家的有功之臣，没有张总出去读大学，攀上刘贝贝家做生意发家致富，他们家能盖起这么漂亮的小洋楼，全家都小康富裕起来？不能，所以张总是他们家的大恩人，年夜饭怎么着也要等着他回来吃。

张总的爹长得很瘦，其余的兄弟姐妹都长得和张总很相像，人高马大结实得很呢，他们的穿着打扮都很干净、整洁。张妈给大家隆重地介绍了莲娜，莲娜给大家的印象很好，比那个一来这里看见他们就皱着眉头的刘贝贝好了不知多少倍。这个莲娜姑娘才靠谱做张家的媳妇哟。

53　征服张家

张妈拿出干干净净的被子、被套、枕套，这些以前是准备给她的儿媳妇刘贝贝来时用的，可是，他们搬了新家好几年了，刘贝贝一次也没有来过。这次给了莲娜用，看来张妈是把莲娜当成自己的儿媳妇了。

大年初二早上，张妈等莲娜和张总、小李子吃完早饭就说："莲娜姑娘，你等下和我一起去山上的果园里摘些新鲜果子来吃。"

莲娜微笑着点头说好的，早晨的空气清新而略带凉意，她们走了好长的山路，来到一个小山上，那里是个果园，张妈让莲娜学着她上梯子摘些果子。

张妈笑眯眯地对莲娜说："莲娜姑娘，你知不知道，我儿子明哲很喜欢你的，他以前真的没有这样喜欢过别的女人。我知道，我儿子结过婚有个孩子，你还是个大姑娘，可是，现在他已经离婚了，他会比小伙子更疼你的，你一定要相信，明哲会疼爱你的。莲娜，你和大妈这么有缘分，你做大妈的儿媳妇有多么好，大妈可稀罕你了。"

张妈一边说，一边看着莲娜的表情。莲娜深深地低下头，这个问题大妈今天终于提出来了，莲娜不知道怎么回答，她是不愿意和张总有什么的，这个是她最清晰的意愿，可是面对大妈这么善意的笑容，她却不敢断然拒绝，她在想怎么和大妈讲明白她和张总是不可能的……

这时大妈正要下梯子，可是，不知道她脚下怎么一滑，整个人咕噜一下子栽倒在地上，头碰到梯脚上，啊！莲娜吓得大叫一声，张妈的头出血了，她一下子昏迷过去，不动了，莲娜赶紧摇动张妈，张妈昏迷不醒。

莲娜给张总打电话，可是手机却没有一点儿信号，不行呀，这样不是等死么？莲娜一咬牙把张妈背在自己背上，上山容易下山难，何况她还背着一个昏迷不醒的人。好不容易莲娜把张妈背下山，等了好一会儿，才等来了一个三蹦子，莲娜拦住三蹦子，三蹦子载着莲娜和张妈往县医院跑去。

一个小时后来到县医院，莲娜把张妈背上就往急救室跑。张妈现在脑出血，医院脑科马主任看了张妈拍的 CT 片子对莲娜说必须马上做开颅手术，莲娜吓傻了，说自己不是张妈的直系亲属，不能决定是不是马上开刀。

莲娜去给张妈办住院手续，医院一下子从莲娜的卡上划走两万块钱，莲娜的卡上又剩下一万多块钱了。这些不算什么，反正莲娜也欠张总 LV 包包两万元，这些钱莲娜就算还给张总了。

莲娜赶紧给张总打电话说了这个紧急情况，张总一听就吓傻了，张总说马上就来医院，可是他并没有说同意马上做手术，说再等等，等他来到医院再作决定。

可是已经来不及了，张妈又紧急做了个 CT，马主任说："签字儿吧，马上救人，不然来不及了，时间就是生命，你不签字这个手术就做不成！"最后莲娜咬着牙，手哆嗦着签了这份手术同意书。

张妈被推进手术室 20 多分钟后，张总和张大爷、小李子才匆匆忙忙地赶到医院，莲娜一看见张总进来紧张的心突然一下子放了下来，她刚想迎上去，身子一软昏了过去，累的，急的，慌的，护士说她是虚脱了。

莲娜被张总和小李子背进病房里。

这里有两张单人病床，莲娜晕沉沉地被抬上一张病床。张妈的手术做了几个小时才做完，马主任走出手术室，张总迎上去，说自己是患者的儿子，并递给一

149

张名片给马主任，马主任一看说："哦，你就是我们县鼎鼎大名的张明哲张总呀，听说您的事业做得很大。"

张总谦虚地笑了一下，问自己的母亲现在病情如何。

"病人送得及时，签字也很及时，手术很顺利，不马上做手术后果不堪设想。今天的手术比较成功，再过六个小时，您母亲醒过来手术就圆满成功。"

"病人家属要好好照顾观察病人，不要来太多人，以防病人感染。"护士说。

张大爷看着自己的老伴这个样子老泪纵横。

张总看着躺在病床上痛苦地皱着眉头的莲娜感动得有些想落泪。

难熬的六个小时过去了，张总一家人同时注视着张妈，像要见证一个奇迹出现。莲娜怕极了，她真的害怕张妈一直这样昏迷过去，永远不会醒过来，那她就是张总家的罪人，手术是她签的字，是好结果莲娜就上天堂，张妈醒不过来莲娜就是魔鬼。

漫长的时间仿佛凝固了，连马主任也过来了，手术好坏就在这个时刻揭晓了。

终于张妈的眼睛努了几次力睁开了，大家一下子欢呼起来。

马主任在床前问张妈："大娘，您老好吗？过年好！"

张妈嘴张了几张，"我……儿子……明哲在哪里？"

"娘，我在这里。"张总激动地挤到床前握住张妈的手。

马主任把张妈的眼皮翻开看了看，"手术成功，你们要注意护理病人时的各种注意事项，我马上要下班了，张总，你们要和护士密切配合。"

此时的莲娜泪流满面，她终于躲过一劫，救了张妈一命，也救了自己一命。

张家的人高兴极了，大家都说莲娜是个救命菩萨，是仙女下凡来救娘命的。莲娜心中百感交集，这是怎样的缘分，让自己在这个时候救了张妈一条命呀。

莲娜已经不知不觉地征服了张家每个人的心，这个媳妇，他们张家要定了！

54 刘贝贝转性？

由于张妈的事，莲娜和张总还有小李子一直待到初五才回来。

那些天，张妈恢复得很好，做完手术醒过来后，一切记忆如常。马主任也很高兴，自己做了一个这么成功的手术。张妈天天拉着莲娜的手说让莲娜做她的儿媳妇，她这条命是莲娜捡回来的，她要做牛做马给莲娜以后看孩子报答莲娜的救命之恩。

莲娜不知道怎么回答张妈，她只是笑眯眯地看着张妈，不点头也不摇头。

张家的人也都说让莲娜嫁给张总，他们等着吃他们俩的喜糖呢。

张总的姐姐还自作主张地叫莲娜弟妹，大家也开始这样叫了，有叫舅妈的有叫婶婶的，莲娜如坐针毡，很不自在。

回来之后，张总有很多的工作应酬，小李子跟前跟后的。

刘贝贝，这次从美国回来，她发现张明哲与以往和她在一起的那种卑怜的感觉不一样了，张明哲不太和她说话，也不再讨好她，气质谈吐、修养都明显地进步一大截。

"明哲，听说你母亲做了开颅手术？在你们那个小县城有会开颅的医生吗？"刘贝贝很傲慢地对张总说，她根本不相信那个穷县可以做这么高级的手术。

"嗯，做得很好，我母亲运气好碰上了一个好医生，捡了一条命。"

张总不想和刘贝贝费口舌，也根本不想提自己母亲被莲娜救了的任何事。

晚上吃完饭，刘爸爸想让张总不要回家在这里过夜，可张总就说要回去了，说明天还有重大活动。

刘爸爸又发话了："贝贝你也和明哲一起回去，桢桢也和爸爸一起回家，杨妈给桢桢收拾一下东西。"

刘贝贝看见张总与以往不一样的感觉，她突然对张总有了些别样的感觉。这些天杨妈不停地在刘贝贝的耳旁说着那个莲娜怎么样，莲娜怎么贤惠，张总怎么对莲娜情深意重，刘贝贝突然很想会会这个叫莲娜的女人，敢和她刘贝贝争男人的女人还没有出生呢，即使她刘贝贝不想要的男人，也不可能随便便宜别的女人。现在和美国那个男人其实过得没有什么意思，那个男人也没有什么钱，激情过后就是平淡，那种生活还不如在国内过得惬意，那里毕竟不是华人的主流社会，刘贝贝在那里也没有什么可值得炫耀的，而这个张明哲真的是越混越来劲儿了，现在混得风生水起的。刘贝贝现在开始意识到张明哲这块宝的巨大价值了。

可是，现在张明哲好像已经不想再和她刘贝贝有任何关系了，刚才张明哲就干脆拒绝刘爸爸要他在这里过夜了，不就是明白地拒绝她么？这在以前是不可想象的事情！那时的张总对刘爸爸的话都是言听计从的，可是这次他明确地拒绝了，刘爸爸也很惊愕。

张刘桢不想回去，刘贝贝立刻训斥他说快收拾，马上回家去。

张刘桢这个大男孩儿，一身名牌，撅着嘴不情愿地收拾了一下衣服和学习用品，随着张总和刘贝贝、杨妈一起回到张总家的别墅，一家人终于在自己家团聚了。

可是张总这晚把自己的寝具收拾了一下搬到客房，和刘贝贝分房而眠，刘贝贝觉得一股凉意从自己的脊背处升腾起来，她隐约觉得自己很有可能真的会成为一个弃妇了。

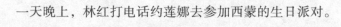

55 心潮澎湃

一天晚上，林红打电话约莲娜去参加西蒙的生日派对。

莲娜就把前一阵张总送给她的那件黑色晚礼服拉链缝好穿上了。莲娜自己在镜子前化了个淡妆，把头发给盘了起来，戴了一串珍珠项链和耳环，最后在晚礼服的外面套了一件阿豹没拿走的大羽绒服。

莲娜穿着阿豹这件大衣服走出自己的小卧室，肖文和小李子也没有看出大衣服里面的样子，肖文只是吩咐莲娜和小李子别玩得太晚了，早些回来。

"嗯。"莲娜答应了一声就和小李子下楼了。

车子开出了小区，小李子说："莲娜姐你从我们公司拐一下，我要去拿个东西。"莲娜把车开进小李子单位也就是张总公司楼下的地下停车场里。

"你去拿东西，我在这里等你。"莲娜对小李子说。

小李子诡秘地一笑说："莲娜姐你下来。"

小李子让莲娜下车，然后他领着莲娜往后走，走到一辆白色宝马车跟前他拿出车钥匙按了一下，宝马车的车灯亮了，车门被小李子打开了。

莲娜很诧异，这个车不是张总说要送给她，她让杨兰给退回去了吗？怎么？

"这，这是谁的车？是你们公司的？"莲娜诧异地问小李子。

"我拿到驾照了，这是姐您的车，张总让我把车钥匙给姐送过来，上车吧，你去参加老外的洋派对，要开个好车给我们脸上增光是吧，请上车。"

小李子殷勤地把车门给莲娜打开，恭敬地请莲娜上车。

"小李子，你知道，姐是不会接受张总送的这辆车的，这么贵的车，姐消费不起，姐是穷人，每天还要去夜市摆摊儿赚钱，怎么可能接受这么贵重的礼物，你明天把这个车还给张总去，以后你也不许接受张总送的任何东西，也不许用我的名义和张总做任何交换，不然姐就不认你这个弟弟。姐不喜欢贪图别人财富的人，你要是这样的人姐从此就没有你这个朋友和弟弟，你听清楚了没有？"莲娜语气很严肃地对小李子说道，小李子连连点头。

"那，姐，今天为了去赴宴，您就坐一次这个车吧，不然也辜负了张总的一片心意，你说好不好？"

莲娜想了想说："好吧，就一次，下不为例哟。"

小李子开着这辆比较拉风的宝马很开心，车开得很轻松，他们不久来到西蒙住的国际别墅区，快到门口时小李子看见有辆出租车也快开到门口了，他年轻气盛猛一踩油门车跑到那个车的前面，然后一脚刹车，后面的车急促地也赶紧踩了刹车，这两个车差点儿撞上了。小李子赶紧下车看后面有没有碰到，后面那个出租车司机也赶紧下车看看两辆车碰上没有，只差几厘米就碰上了。

"你怎么开的车？看见我们来了你还开这么快？"小李子很恼火，第一次为莲娜姐服务就出了糗，他觉得很没有面子。

"哎，对不起，下次注意。"

出租车司机看没有碰到宝马就松了口气，开这种车的人都有些霸道，他们惹不起躲得起。

"哎，你这个小伙子，开个宝马车就这么横？明明是你不对，快道歉！"出租车上的乘客下车后，口气很不友好地冲着小李子吼着。

莲娜坐在打开车门的副驾驶座上，听见这个特殊的声音和口气不由得浑身一震——这，这不是阿豹的声音吗？

莲娜赶紧下车，她看见穿着一身笔挺黑西装，还是挂着双拐但是石膏已经拆掉的阿豹正站在两个车的跟前。

莲娜刚才在车上很热，早已经把阿豹的大羽绒服脱掉了，她现在正穿着高跟鞋、晚礼服，披着那个惹眼的貂皮披肩，站在阿豹的面前，阿豹一开始没看清这个穿着华美衣裳的女人是谁，以为是个刁蛮的贵妇人。

"有钱，开个宝马也没有这么不讲理吧，哪有这样抢道的？两车差点儿就撞上了，这样大家都走不了，你们以后开车收敛点儿，别太飘了……"阿豹自顾自地冲莲娜说道，可等他看清楚这个站在他面前穿着华服女人的面孔时，他惊得嘴巴张成了个大 O，莲娜现在的形象已经被彻底颠覆了，她不再是那个显得有些可怜、眼含幽怨逆来顺受的样子，现在是个真正的贵妇人模样，高贵而妩媚，端庄而美丽。

她像一个女神一样站在华灯初放的大门口熠熠生辉！

小李子还想多说些什么，莲娜赶紧把小李子喝住了。

"小李子快道歉，是你不对，你开车太猛了，抢了别人的道。"

小李子一听莲娜说话的语气不对，马上收敛了那些重话，对出租车司机小声说："对不起，我抢了你的道，我道歉。"

这时从出租车里下来了一位年轻漂亮的外国女士，年轻的面孔娇嫩得让人嫉妒。她穿着一件名牌驼毛大衣，可以看见下面光着的美腿，纤细的美脚穿着水晶高跟鞋，大衣里面一定是美丽的晚礼服，她叫阿豹"BAO"。

阿豹叫她"阿黛拉"，他们就此下车要走进别墅外面的大门。

莲娜赶紧神情紧张地对阿豹说："阿豹，一起坐车进去吧，你腿不方便。"

阿豹面对雍容华贵的莲娜，英俊的脸上现出有些讥讽的表情说："你终于做出了最正确的选择，跟了富豪有了名车，还有专门的司机，高档晚礼服，这些东西你都有了，呵呵，也是，人么，为什么要活得那么累，那么苦呢？想开了，一切都好办，我恭喜你，这个你还是赶紧还给那个穷小子肖文吧。"

阿豹站定从自己的西服口袋里拿出一个皮夹子，他从里面拿出肖文那张卡塞到莲娜的手上，然后在阿黛拉的陪同下挂着拐杖昂着高傲的头朝大门口一拐一拐地走进去。

莲娜看着阿豹的身影在眼前越走越远，泪水一下子奔涌而出。

小李子紧张地看着莲娜姐痛苦的样子，他突然有些明白莲娜姐的心，她爱的不是肖文也不是张总，她真爱的是阿豹呀。

林红和西蒙站在门厅口迎接客人，林红看见莲娜从这么拉风的车上走下来，而且身上穿着漂亮的晚礼服，肩上披着贵重的貂皮披肩，她惊得嘴巴张得老大，这还是那个天天晚上和她一起在寒风中穿着臃肿棉服叫卖假货的莲娜吗？今晚莲娜太漂亮了！

"莲娜，是你么？太漂亮了，我都认不出来了。"林红拉着莲娜的手很高兴地说。林红今天也很漂亮，她穿着一身淡青色很雅致的丝绒旗袍，头发在脑后挽了一个髻，庄重而美丽。小燕子被打扮成了一个带翅膀的小天使，可爱漂亮。西蒙现在和小燕子情同父女，小燕子叫西蒙"爹地"，这是西蒙自己让小燕子这么叫的，林红也不好拒绝。现在看来林红和西蒙发展得很好，西蒙满面红光像是个幸福极了的男人，林红温文尔雅，贤淑大方，勤快聪明，尤其林红烧得一手好菜，使喜欢中国饮食的西蒙高兴极了，他说自己捡了两颗珍珠回来。

西蒙的家装饰得很有品味，墙上挂着西蒙从世界各地收罗来的各种壁挂、盘子、银器等，还挂些油画。莲娜仔细看了一幅很清新的表现中国人胡同生活的水彩画，她看清了那个签名是非常熟悉的阿豹的缩写。这是阿豹送给西蒙的生日礼物，西蒙早就给这幅画儿配了很雅致的画框，衬着高级灰的卡纸，挂在大厅最显眼的位置。

西蒙还把好几个看来比较重要的朋友介绍给阿豹认识，他们被带到那幅画儿前仔细观赏。

那个叫阿黛拉的漂亮女孩儿好像对这里不太熟悉，她只是紧紧地跟着阿豹，始终用崇拜的眼神看着阿豹。阿豹始终没有看一眼莲娜。

西蒙做了开场白，说欢迎大家来到他的家里做客，他还把林红拉到自己的身边说今天隆重介绍一位美丽的中国女人给大家认识。现在西蒙对林红展开了热烈的追求，西蒙希望林红考察他的人品和学识。如果在某一天他合格了，希望林红会和他结婚。大家热烈鼓掌，其实，这是一种变相的求婚，林红羞得脸红脖子粗，不知道说什么才好。

小李子一开始有些拘束，他第一次近距离看见这么多金发碧眼的外国人，他们说的英语他一句也听不懂，他很羡慕阿豹可以用流利的英语和那么多老外熟练地交流谈话，小李子仰慕得不得了，他觉得阿豹是个了不起的艺术家。小时候他也喜欢乱画，可是想成为艺术家那简直是痴心妄想，为了生存他现在才开始高中课程的学习，如果不是莲娜姐对他发善心把他带回家，并推荐给张总，他现在还是一个每天脸上黑乎乎的住地下室不见天日的送煤小子，哪有什么前途，比起阿豹来那是差的一个天上一个地下。他老想往阿豹的身边挤，即使听不明白阿豹在和老外说什么，他也愿意待在他身边。

阿豹已经注意到这个有些土气、穿着他留在莲娜那里的红黑格子棉衬衣的小伙子，他猜不透这个小伙子是莲娜的什么人，看他的样子，应该是莲娜家的远房亲戚吧？

吃完自助餐桌子撤下来了，西蒙开始给大家放舞曲。大家随着热烈的舞曲开始扭动身体。莲娜今天心情不好坐在那里没有动。

阿豹虽然已经把腿上的石膏拿掉了，可是他还必须拄着拐杖才能走路，所以，阿豹也坐在椅子上没有动。小李子被阿黛拉引领着也扭动着，惹得阿黛拉不停地笑。阿黛拉是个快乐的姑娘，现在在二外读汉语。她热情奔放，小李子也被她感染，跟着阿黛拉跳起舞来。

莲娜眼中只有阿豹的身影，她看见阿豹坐在那里有些无聊地看着大家跳舞，又见他习惯地摸脖子，这是他口渴时的习惯动作，莲娜没想什么赶紧倒了一杯热果汁给阿豹端过去。阿豹就有些发呆了，这时就好像又回到了他们最熟悉的时光，那时阿豹被莲娜照顾着，他的一举一动都牵扯着莲娜的神经。

阿豹在接过莲娜递过来的杯子时手指轻轻触到她的手，阿豹一阵心旌摇动，差点他就忍不住抱住莲娜。阿豹那些天来为莲娜这个女人流了多少眼泪，那种心痛像犯心绞痛一样周期性循环，每天都在折磨着他。

在无数次命令自己把这个女人忘掉后，阿豹觉得自己现在已经有足够的坚强。他曾无数次想象过自己再看见这个女人时会心如磐石不动摇，不会再被诱惑，可是就在刚才在大门口看见莲娜的那一瞬间，他几乎就快站不住了。他是用怎样的意志力让自己眼中显出冷酷，颤抖着手把那张卡从自己皮夹子里拿出来塞到她的手中，莲娜眼中那种特别的忧伤看得阿豹心痛。可是，也许，莲娜现在很幸福，她不是已经接受了张总给的一切吗？宝马、晚礼服、专职司机……阿豹不知道自己怎么了。脑子很乱，他很气恼，他觉得自己早就应该已经梳理好和这个女人的一切关系了，可是，现在自己这么混乱，这究竟是怎么了？

莲娜递给阿豹果汁顺便就坐在阿豹身边，她也不知道说什么，也很怕阿豹拂袖而去，可她又心疼阿豹这些天受的苦，就不知不觉地眼泪汪汪起来。

阿豹看见莲娜的眼泪马上就心慌意乱起来，他怕大家看见莲娜这样，他慌忙站起身，可是慌乱中忘了拿放在一边的拐杖了，莲娜看见阿豹站着颤颤悠悠地摇晃着，赶紧用手搀扶起阿豹的胳膊，阿豹被莲娜扶着胳膊摸到洗手间的门，阿豹把门打开和莲娜躲进去。

"你别哭，别人不知道还以为我怎么你了……"

莲娜用身体抵住阿豹的身体怕阿豹没有支撑滑倒，阿豹一回身俩人正好面对面紧紧挨在一起。其实俩人之间已经没有距离了，两个人不由自主地又被在医院门口的那种气氛包围在一起了，也许是这些天两人都太想念对方了他们以为现在就是在梦境里呢，两个人不由自主地就紧紧抱在一起，嘴巴情不自禁地靠拢在一起。

就像那天在酒吧，莲娜又尝到了那种滋味，她被阿豹吻晕过去了……

这是怎么浸满泪水的相思之吻……阿豹也是自己晕乎乎的脑子一片空白……他希望就这样一直晕过去，不要再醒过来……

这样不知过了多久，有人敲门。

155

阿豹慌得转身打开洗手间的门，阿黛拉冲进洗手间，把阿豹揽抱在自己的怀里，阿豹迷迷糊糊还没闹明白怎么回事儿，这个吻就这样莫名其妙地结束了。原来阿黛拉刚才看见莲娜把阿豹扶进洗手间，等了一会儿没有见莲娜出来，她就觉得有些不对劲儿，就来敲门了。

阿豹被阿黛拉扶出洗手间坐在一把椅子上呆了好几分钟才清醒过来。他刚才是在做什么呢？莲娜已经是张总的女人了自己刚才那是在做什么呀？他羞愧万分。

莲娜呆呆地看着阿豹被阿黛拉带走，心想看来这个阿黛拉已经是阿豹的新女友了吧，自己刚才在干什么呀？

莲娜回身把洗手间的门关上，她滑坐在地板上忍不住痛哭失声，泪水不停地流下来……心，太痛了，痛得她几乎无法呼吸！

🌸 56 误会

阿豹和莲娜就这样莫名其妙地抱在一起，又莫名其妙地分开了。

莲娜坐在地上哭了一阵子，这时有人敲洗手间的门，她才慌忙站起来，洗了一把脸，把门打开，低着头走出洗手间。

晚会快结束了，西蒙和林红来送客人们回家。

小李子殷勤地问阿黛拉说如果方便他可以载他们一起回去，阿豹说不用麻烦了。莲娜也很想知道阿豹现在住在哪里就说一起走吧，不麻烦。阿黛拉就兴高采烈地和小李子坐到前面去了，留下后面的位子给阿豹和莲娜坐。

先送阿黛拉到二外，接下来该送阿豹回去了，小李子问："阿豹哥你住哪里？我怎么走？"

阿豹冷漠地哼着鼻子说自己住在城中村吴大妈家里。

莲娜惊问你什么时候回来的，阿豹说昨天回来的。

小李子把车开到城中村那个狭窄的胡同里，来到吴大妈家门前，阿豹下了车，他骄傲地昂着头自己一个人挂着拐去开大门上的小门，进去后他头也没回，阿豹一个人走进大房子寂寞地开了灯。他凄凉地坐在毫无生气的大房子里，心情低落无法平静，这个女人就这样走了？没有热情的问候，没有往日的温情，阿豹很想哭，他是多么眷恋莲娜那里的温暖呀，可是，失去的无法再回来了。现在在这个冰冷的大空间里阿豹觉得很孤独，寂寞得只能听见自己的心跳。他看了看钟表快十二点了，实在是忍受不了这种孤寂，他起身准备去附近的酒吧。他想让自己喝醉了，回来倒头就睡，这样，这个寒冷寂寞难过的夜晚他才过得去。

这时他听见有人在屋子外面生炉子，是谁这么晚给他生炉子？阿豹心中一动，该不是莲娜？阿豹急忙到屋外去看个究竟。

只见小李子正低着头在昏暗的灯光下给阿豹生炉子呢。

"咦，你在这里，那你莲娜姐呢？"阿豹有些奇怪地问小李子。

"莲娜姐现在正坐在外面的车子里等我给你生炉子呢，我们一会儿一起回去，我和莲娜姐是住在一起的。"

小李子回头看了阿豹一眼，嘻嘻笑了一下，继续低头生炉子。

"瞎搞！你个浑小子，你让你莲娜姐这个时候一个人坐在宝马车里，这里是什么危险地方你不知道？万一有人起歹意打劫怎么办？你找死呀。"

阿豹急得训斥了小李子几句，急忙往大门口走去，他担心莲娜的安危。走出大门，果然看见莲娜一个人坐在停在门口路边的宝马车里，车里还亮着灯。阿豹走过去，把前车门打开，坐进去。

"你怎么这样？一个人穿得珠光宝气的坐在宝马车里，停在这个破烂的胡同里，不是自己告诉别人，我是富婆，快来打劫吗！我看你也不过就是如此，虚荣啊女人，不过这样也好，省得你做穷人，辛勤劳苦地过活不是滋味，我也就放心了，你以后不至于受太多的苦，也彻底摆脱了肖文那个穷小子，祝贺你！"

阿豹嘴里说着这些个讥讽的话，心里很不是滋味，不知道他是真的认为这样对莲娜好，还是妒忌莲娜的这个选择。

莲娜一听阿豹这样说话就知道他还在误会自己开宝马和穿这个晚礼服的样子了，可是，她也分辩不来了，现在自己多说也说不清楚，是的，自己现在是开着宝马来的，还穿得这么漂亮，不是富婆谁弄得起这身行头，何况，阿豹现在也有了阿黛拉，自己再说什么也是此地无银三百两，不如不解释，时间会证明阿豹误解她了。莲娜觉得心里很痛苦，可是，不管自己现在怎样痛苦，关心阿豹是她无法放下的责任。

"你这些天到哪里去了，为什么不让别人找到你，你这样是不是太幼稚了？"

那天晚上肖文面对阿豹宣布他对莲娜的告白后就硬拉着莲娜走了。

阿豹良久才醒悟过来，他气得把两碗稀饭甩到门上，痛苦地滑坐在地上哭了很久，很久。阿豹是多么骄傲的一个男人，他以前都是抱着仅仅谈恋爱的态度和那些女人交往，并没有想到婚姻这个问题，可是现在碰见莲娜他的想法变了，看见莲娜他就想有个家，有个温馨而甜蜜的家。这是不是一个男人成熟的标志？想把自己和一个女人的命运绑在一起共同度过未来岁月的想法一经进入男人的大脑，就标志着这个男人已经找到了一生想停靠的港湾？

阿豹看见了莲娜所拥有的不凡品质，所以倾慕于她。要和这样的女人结婚，他就已经对自己想要的生活有了比较清晰的认识。"想好了"的情感生活对男人很重要，他对自己要和这个女人在一起的生活比较认同，基于这种情感的婚姻生活是很牢靠而又有生命力的，这真的是阿豹已经变成熟的表现，他会为了这个目标而奋斗，可是，现在这个机会被肖文抢走了！

那晚阿豹盖着带有莲娜体味的被子无限地悲伤，他闻着被子上那些弥漫着莲娜的味道伤心不已……

第二天，阿豹九点多才起床，他坐在床上愣了半天也没有理出头绪来。这时一个救命的电话打了进来，是南希来的电话。原来，从美国总部来了一个叫保罗的头要参加中国某文化节的一个重要活动，他对阿豹这次获奖也很重视，想见见他，接下来阿豹在美国的画展也要由保罗这个部门来策划安排，所以，南希希望阿豹马上来一趟希尔顿饭店见见保罗。

阿豹梳洗整齐去见保罗，保罗和阿豹一见如故，谈得很好。中午一起吃饭时，保罗问阿豹这些天能不能全程陪伴，给他做翻译及文化旅程的陪同人，他会给阿豹一些合理的报酬，阿豹一听很高兴，本来他被莲娜弄得很痛苦，不想一个人待在那个大房子里胡思乱想，而有这个机会给保罗工作又有钱赚，还可以离开那个伤心地，太好了。

阿豹下午回家简单收拾了一下行李，就去希尔顿酒店和保罗会合，那些莲娜找不到阿豹的日子里，阿豹就在给保罗当翻译陪同保罗参加各种文化活动。保罗的侄女阿黛拉在第二外国语学院学习，保罗有次吃饭请阿黛拉去了，这样阿黛拉就认识了才华横溢的阿豹画家。后来保罗说美国现在正好有一系列很好的画展在展出，阿豹如果有时间可以随他一起过去看看，阿豹就和保罗去美国参加画展了。

在美国纽约，阿豹和他在某著名银行工作的哥哥陈虎见了面。阿豹的画展也被提到计划日程里来了。保罗带阿豹和一家画廊老板见了面，这家画廊老板布农早就看过了阿豹获奖的明信片油画组画及其相关的各种报道，他说愿意花50万美金全部拿下这些画。阿豹很聪明，知道自己的画已经开始值钱了，这样全部卖掉有些舍不得，阿豹说自己还要考虑。这些画展的收入的20%是要捐给基金会的儿童们的，因为这是基金会给这些各国获奖画家提供的在纽约知名画廊开画展的机会。在这个画廊开过画展就意味着这位画家已经开始步入纽约知名画家的行列了。阿豹已经开始起飞了。

阿豹在美国一个文化活动上遇见了一个著名设计师韦伯，韦伯现在正在和别人一起代理一个欧洲奢侈品品牌，他们很谈得来。韦伯看了阿豹获奖的油画明信片很喜欢，接下来韦伯提到自己正想在中国找一家有艺术品味的公司来做这个奢侈品品牌的总代理，估计这个品牌应该会很有市场，现在这个品牌在美国做得很好。阿豹心中一动，莲娜这么喜欢做生意应该很合适做这个，这是个好项目。

阿豹带着这个想法回来之后本想和莲娜谈谈，可是，他们第一次见面莲娜就给他来了一个当头棒，既然莲娜已经选择了做富豪的阔太太，这个公司又有什么意义做下去呢？阿豹很失望莲娜竟然是这样的选择，所以阿豹没好气地对莲娜说了这么些不好听的话，他对莲娜是失望过度了。

"我去了一趟美国，昨天才回来，现在活得很好，有了阿黛拉的陪伴，以后你就不用担心我了，去过好你自己的生活，你……你只要自己觉得幸福就好了。"阿豹咬着牙对莲娜说出这些言不由衷的话。其实，离开莲娜的这些天他每天都在想念，想念莲娜的一颦一笑，想念莲娜做的可口饭菜，想念莲娜的一切一切。

可是现在面对珠光宝气的莲娜，他很不习惯，更痛苦了。

莲娜刚想说这部宝马是小李子借来的，可小李子已经过来把车门打开了。

"阿豹哥，炉子我已经帮你生起来了，今晚你不会挨冻了，明天早上你起来后马上打开炉子换蜂窝煤，炉子就不会灭了。"

阿豹没再说话就下了车。

"得了，小子，你赶紧把莲娜姐载回家去吧，这个豪车这个时间停这里比较危险。你半夜三更把她一个人放在外面，出事儿怎么办？你负得起责任呀？"

57 张总的心事

当小李子把那把宝马车钥匙还给张总的时候，张总的脸开始变黑了。

他死死地盯着小李子看了半天不做声，小李子被张总看得浑身发毛，只有尴尬地死死盯着脚尖看，半天不动一下。

好半天张总才说话："你，我不管你用什么方法一定要把这辆宝马车替我送给莲娜，完不成任务你就不要再来上班了。"

小李子左右为难："张总，我完不成这个任务，那以后，我……我就不来公司上班了。"

小李子难过得流下了眼泪，这个工作小李子有多么喜欢，这让他觉得自己成了一个有用之人，开始融入了这个大都市，可是，面对张总和莲娜姐的选择，他宁愿选择莲娜姐的温暖放弃张总这里的工作。因为是莲娜姐的温暖让他感觉到了人间的真情，工作没有了可以再找，可是如亲人般的温暖没有了，人就从心里开始冰凉了，有再多的钱人也不会幸福的。

面对小李子的热泪和这些坚定的话语，张总有些诧异。他没有想到小李子是这样选择的，他宁愿选择贫困的莲娜而放弃他这个富豪，这是他没有想到的。

"为了你莲娜姐你要放弃你在这里的前途？"张总加重语气沉着脸问道。

"嗯，我对莲娜姐的感情……不是任何物质能左右的……她是一个有着金子般心灵的好人，我从一个孤苦无依的孤儿到得到那么多人的友情和喜欢都是因为莲娜姐。我不会舍弃莲娜姐给我的温暖，何况，您送莲娜姐这么重的礼物，任谁都会有负担。姐姐是个那么朴实的人，自己每天白天上班，晚上还要给我们做饭，吃完饭还要匆匆忙忙地去摆摊赚钱。我什么也帮不了她，我在心里发过誓，等我学成以后能赚钱了一定好好努力赚钱来报答姐姐对我的恩惠，让她不要再生活得这么苦！"小李子越说越激动。

张总看见小李子的真情流露更喜欢他了。这样的小伙子真的是很少见了，自己的儿子张刘桢现在可自私了，一切都为自己的最大利益着想，他似乎知道家里

159

的一切财产以后全是他的，也开始显出贪婪和自私来。他很恨刘贝贝及刘家把张刘桢培养成这样冷漠的孩子。有钱人家蜜罐子里泡大的孩子那种自私已经是长在骨髓里了。张总失望极了，他觉得自己就是为刘家打工的长工，忍辱负重。以后要是自己和莲娜结婚生孩子了，莲娜一定会把孩子们教育得很好。

张总这次也是想试一试小李子是不是也是个势利小人，这一试之下张总无比欣喜，小李子的这种品德是可以托付重任的，他不会为了利益而背叛朋友和亲人。他的忠诚是张总最需要的。

张总知道自己都没有能力让莲娜收下这部车，何况小李子呢？

"好了，这个车子我自己来处理，你好好工作，好好学本事，不要辜负你莲娜姐的期望，去努力工作吧。"张总对小李子说。

小李子听完张总说的话有些不相信地问："您还要我在这里工作？"

得到张总的肯定后小李子喜出望外："张总我一定好好工作，您放心，我不会辜负您和莲娜姐的，我一定努力工作。"

小李子擦掉眼泪立刻喜笑颜开起来。在小李子要出去时张总说："你明天去二外参加一个英语口语培训班，我已经让张秘书给你报名了，你一定要好好学习，以后我出国做生意也要带你一起去的。"

"是，我一定好好学习，您放心。"

小李子已经有了一个计划，他要找到在二外学习的阿黛拉，让阿黛拉来教自己英语口语。

张总去了一家美容院，他要把牙齿洗一下。以前他没有必要取悦任何一位女子，现在他喜欢上了莲娜，所以，他为了让自己更体面些想在外观上为莲娜做些改变，弄完牙齿，真的好看了很多。张总又问医生自己的头发怎么弄一下，医生说可以看看植发的效果。几天之后张总的头上有了黑色的头发。

张总高大，虽说不上英俊，但是很有中年成功男人的魅力，何况现在牙齿、头发都弄得很好，人一下子就变得精神起来。

这天下班，张总自己开车到前老丈人家。刘爸爸正坐在一个大沙发上喝茶看报，他长得有些瘦，是个很精神的老头，刘爸爸看见张总进来，很热情地招呼他。

张总动了几下嘴巴，最后终于把自己想要说的话说了出来。

"我……我想结婚了！"张总低着头说。

"哦，贝贝已经回来了，你们哪天把仪式办一下就好了。"刘爸爸轻松地说。

"爸，不……我……我，我，我不是想和贝贝复婚，而是想和别人结婚重新组织一个家庭。"张总终于把自己的心里话说了出来。

这次轮到刘爸爸目瞪口呆了，怎么？张总是要真的抛弃自己的女儿和别的女人结婚了？这怎么可以？不，不能，张总不能抛弃刘贝贝，那不是便宜了别的女人了？张总有那么多的财产，何况他们一家都离不开张总。

"不行，你怎么会有这个想法呢？当时你们离婚我就不同意，马上把贝贝找回来你们复婚。"刘爸爸有些恼羞成怒地回答。

"爸，没有用的，离婚是刘贝贝提出来的，她出轨在先。何况，离婚这几年，他们俩已经是同居状态，我怎么可能再接受贝贝，我是不会和贝贝复婚的。我来就是通知您老一声，我要重新组建家庭了，不是来求得您老的同意的。"

张总比较强硬地说了上述的话。以前，他是刘家女婿的时候是很怕刘爸爸的，也是刘爸爸的背景关系使他发家致富的，可是，这几年他已经渐渐地从刘家脱离出来了，他大力投资实业和高科技新型产业，不再仅仅是从很窄的官方渠道发展自己的事业，自己也越来越有意要脱离刘家的掌控。刘爸爸已经感觉到了，所以，他急着要刘贝贝回来和张总复婚，重新掌控张总，自己马上也快退休了，压不住这头正在上升的新生力量，现在不靠刘贝贝和张总的婚姻拴住张明哲，他们就再也没办法掌控张明哲了。

刘爸爸很不客气地说："明哲，你离婚时和贝贝签的离婚协议的内容你忘了？如果你再婚生了孩子，你和后妻及孩子要净身出户的，为了那个什么女人你难道要放弃你的万贯家财？"刘爸爸拿出这个杀手锏。

张总一听眼睛有些冒火，"爸，您老明知道这是个不平等的离婚协议，太欺负人了，我当时也是为了和刘贝贝离婚心切才签的，有良心的人都不会弄出这份东西来，本来就是贝贝出轨在先，怎么能让我这个受害者净身出户呢？这些钱全是我辛辛苦苦赚来的，刘贝贝她没有赚过一分钱，您老还提这个，有些良心的人都不应该认为这是个合法的协议，我根本不认同，您也不应该用这个来压制我，葬送我下半辈子的幸福，这才是讲理的说法。"

刘爸爸有些不好意思地说："是的，这个协议确实是不合理，但是合法。多想想张刘桢你的亲生儿子，和贝贝复婚好好过日子，把孩子好好培养起来，你不是一样幸福么？"

"和贝贝生活能幸福？我和她过的什么日子您老能不知道？她逼得我父母都不敢来这里和我一起生活，我有多么痛苦！爸，您是这个家里最懂事理的人，您不会这样糊涂吧，离了的婚我是绝对不会再复合的。"

"明哲，你回去好好想想，不要这么冲动，贝贝现在已经成熟了，她不会再和以前一样不懂事儿的，我会好好说服她的……"

"复婚我不同意，请您老成全我把那个不平等的离婚协议撕毁吧，求您看在我为张家赚了这么多钱的分儿上，就放过我吧。我承认以前没有您老的关系我不可能赚这么多钱，可是，现在我已经发展了很多别的事业，这些和刘家是没有什么关系的，可我还是把大头的利润给了刘家，爸，您老就放过我吧！"

张总痛哭失声。刘爸爸听完张总的哭诉心里有些震动。张总说的句句是真，可他怎么可能让别人把这么大块美食从自己嘴里掏出来偷走呢？绝对不能。

他硬起心肠，"明哲，你回家和贝贝好好过，爸爸是不能同意这个协议作废的，爸都是为你好，谁知道现在那个女人是不是贪你的钱而愿意和你在一起呢？

剩女奋斗记

回去吧，我把贝贝叫回来，你们俩好好过日子。"

他有些伤感地离开书房出去了，留下张总一个人在书房里，气氛非常压抑。

🌸 *58* 莲娜被解雇了

这天莲娜正在上班，主任让她去会议室，说有人找她。

莲娜收拾了一下手中的工作来到会议室，刚进去就愣住了，竟然是杨妈站在一个陌生女人的身后严阵以待地看着她，莲娜又看见自己公司的副总陪着一位打扮得雍容华贵的40多岁的女人，仔细看有些面熟。

"你回避下，我和莲娜小姐有些话说。"这个女人用有些慵懒的声音对副总说，副总就点了一下头出去了。

"你就是莲娜?"她用很不屑的眼光看着莲娜。

"这是我们张夫人刘贝贝女士，从美国回来的，莲娜姑娘，你不该不道德地插进张总和他夫人幸福的家庭，所以，从今往后你就不要再和张总联系了。"杨妈说道。

"哦，这位夫人有所不知，张总是我的朋友，但我们之间不是恋人关系，这请你放心。"莲娜落落大方地解释说。

刘贝贝看着落落大方的莲娜有些妒忌，心想这个女人和张总以前交往的那些妖艳女人确实不一样，那些女人杨妈都会给她发照片的，刘贝贝看见那些女人一点儿不着急，因为她知道那些都是张总玩玩的。可这次不同了，张总为了和这个女人结婚竟然和刘爸爸说了一些很不敬不客气的硬气话。

原来刘家把去外地游玩的刘贝贝召回家开了一个家庭紧急会议，刘贝贝这才觉得事情已经闹大了。刘贝贝这两年过得很不开心，老情人根本不想和她结婚，脾气比她还暴躁，刘贝贝也开始厌倦了忍让的生活，太不爽快了！四周看看，还真是只有张明哲这个男人可以容忍她，她也想通了，只有和张明哲白头到老才是她这生最舒服的归宿。

"好，既然你这么说我就相信你，记住！不要和我玩花招，不然，我分分钟可以让你走人的，杨妈我们走。"

刘贝贝站起身披着一件高贵的裘皮大衣踩着高跟鞋和杨妈扬长而去。

莲娜觉得很不舒服，刘贝贝其实已经和张总离婚了，她莲娜怎么就变成插进别人家庭的第三者了呢？八竿子够不着么。莲娜不服气，她是个正派的女人，被别人泼了一桶脏水心中很不爽快。她走出会议室，重重地呼了一口气，想了想，把手机拿出来拨通了张总的手机。

"喂，张总，你好!"

"哦，莲娜你给我来电话很难得，我很高兴呀!"张总乐呵呵地说。

162

"这个……张总您前妻刚……在我们公司通过我们副总找我谈了话，让我不要插足你们的家庭，我说我和您只是好朋友，没有别的关系，请她以后不要再来我的公司做这种事儿，我不会参与你们之间的家庭事务的，打扰了！"

办公室里张总的面色一下子沉了下来，刘贝贝难道还不死心么？她自己以前已经做得那么不堪了，在婚内和那个艺术家暗渡陈仓，他碍于刘家的面子和自己的前程还有儿子的幸福忍气吞声咽下了这口恶气，万幸后来那个刘贝贝昏了头，非要离婚，张总一笔签了那个屈辱的离婚协议换来自由身，现在她又想吃回头草。现在的张总已经不是以前那个逆来顺受的张明哲，现在的张明哲要自己掌握自己的命运。他决定不再理会刘爸爸的威胁和控制，最不济，他在国内的某些不动产都被那个协议拿走净身出户，狡兔三窟，他要开始更快的转移财产行动了。

张总让小李子问莲娜拿了她的身份证和一份莲娜的授权书说要帮莲娜和小李子一起办出国护照，张总把自己在国内的好些财产以各种名义办在莲娜的名下，他知道莲娜是个不贪财的人，即使她知道了也不会要的，这点儿是张总最信任的，所以，莲娜不知道自己名下已经悄悄地多了好多财产。

张总想就是那些财产给莲娜他也不会便宜刘贝贝。各种事情都在悄悄地进行当中，刘贝贝也没有看见张总每天去找莲娜，她就天天逼张总和她复婚，张总他懒得理她，刘贝贝实在是逮不到张明哲，气得牙关咬碎。如果一个男人铁心要躲一个女人，那玩失踪的花样是层出不穷的。

杨妈给刘贝贝出了一个主意，只要把莲娜姑娘的工作敲掉，张总就会乖乖露面为莲娜姑娘出头，那时再抓张总也不迟。用那份协议逼迫张总复婚，不管怎么样，张刘桢也是张总的亲骨肉，那时再用张刘桢做文章，对张总打亲情牌，刘贝贝再跪在张总面前痛哭流涕请求他的原谅，就有可能和张总复婚。

果然，不久后的一天，莲娜被副总叫到办公室里谈话，他说，公司调整，莲娜已经不适合再在公司里继续工作了，莲娜就这样莫名其妙地丢了工作。

莲娜这天回家什么菜也没有买，她失魂落魄地爬上楼。

肖文就问莲娜怎么了？莲娜面无表情地说自己被公司解雇了。

肖文和小李子大吃一惊，怎么可能公司一开年就解雇人呢？这可怎么办呢？

肖文急了："你说，你是不是无意中得罪什么人了呢？再去公司求求老板，说以后自己会更努力地工作，好不好？你这样没有了工作我们以后可怎么办呢？阿豹那里的钱还没有还，我们以后结婚还要买房子，没了工作可怎么办呢？"

"小子，你以后要再多交些钱，你交的那些钱吃喝住都不够。"肖文回头对小李子吼叫，好像莲娜丢了工作天都要塌下来了。每月少了莲娜这4000多块钱的工资，怎么能维持这些基本生活呢？难道以后房租都要他肖文一个人来扛？小李子这么低的工资只能占莲娜的便宜，莲娜倒下了，肖文可不能让这个小李子占他的便宜，管莲娜一个人他都够呛！何况还完阿豹的钱，他肖文现在存款为零，压力太大了！

莲娜看见肖文的脸她的心也凉了下来，要是肖文真的是自己的丈夫，那他太担不起生活的重担了。

"没关系莲娜姐，我现在工资有3000多元了，还有一些饭补，我先顶着，你慢慢找工作，不要着急，别急坏了身子。肖文哥，你也不要着急，一切慢慢都会好起来的。"小李子赶紧安慰莲娜，莲娜含泪感激地看着小李子。

"不要紧，姐每天还去夜市摆地摊，没了工作也好，我和林红要做网店，我现在可以白天分出身来筹划开店了。"莲娜对小李子说。

"什么？你想做生意？快别这样想了，本来就欠钱，还要投资做生意，亏了怎么办？那不是血本无归？不行，我不同意你做生意，还是回公司求你们老板，求求他收回开除你的决定。你不要任性，不要不切实际的乱想，好好上班对我们就是最好结果了，不要给别人添麻烦，明白吗？"肖文急忙说道。

"不，我想换种活法，肖文你不要担心，我自己的债务自己扛，不会让你有半点损失的，你的卡阿豹已经还给我了，我会马上还给你的，我们之间还是你是你，我是我，房租伙食费还像以前一样交，这样比较好算账。"莲娜对肖文说。

莲娜觉得自己好像突然看清肖文的真面目了，他怎么把钱看得这么重？现在阿豹倒是闭口不再让莲娜还钱了，好像把让莲娜还钱的事儿忘得一干二净。今天看见肖文这么个样子莲娜突然对肖文很失望，如果是相伴一生的伴侣，对方出现了突发事件，肖文这个态度那太让人心寒了。

这次解雇莲娜明显没有错，是刘贝贝搞的鬼，莲娜为什么要去乞求？这家是非不分的公司不做也罢！难道会饿死人么？

这天晚饭是小李子下厨煮的方便面，他们三个人闷闷地一起吃的。三个人默默地吃着这份没有滋味的晚餐，心情都很郁闷。

不久林红就来了，小燕子也来了，肖文没有像往常一样对小燕子热烈欢迎，他低头走进卧室，心事重重不再出来了。莲娜和林红下楼开车去摆摊了。在车里莲娜说自己失业了肖文就成了这个样子。她说："林红你不是想和我一起开个网店吗？现在正是时候。"

"白天你来杨兰家上网做网店，我去上班。咱们就卖一些服装和皮包，你还可以在网上找一些其他货物来卖或是跑一下批发地淘些货。我们先把手里的钱集中一下，马上网店就可以开张了，我们就算对等投资，一起分成你看怎么样？现在你没有工资，我把我薪水的三分之一给你做工资，等网店赚些钱了我们就请一个店员，你就可以脱身出来只管跑货出货，我上班时也可以偷偷上网盯一下。晚上你去摆摊我上网工作。以后我和西蒙结婚了，就可以白天盯网店，你就可以轻松些了，怎么样？"林红提议道。

"好吧，就这样说定了，但你的薪水我不要。"

🌸 59   阿豹被逮了

这些天小李子按莲娜的吩咐都会在中午吃饭间隙抽空去给阿豹看炉子换煤，顺便送自己职工食堂里的饭给阿豹当午餐。阿豹确实现在画画儿赶得很紧张，他想把一些新的画作也拿出去展出，这是一个很好的展示自己实力的机会，所以，他紧张地沉浸在创作的状态中根本无暇顾及这些生活琐事。

莲娜每天都按时出去，肖文就问莲娜在干什么，莲娜说在工作，肖文马上很惊喜地问你找到工作了？莲娜就肯定地点点头说是的。

莲娜对小李子说不许告诉张总自己因为他的前妻把工作丢了，她知道要是张总知道了一定会加倍给她经济补偿，她不要别人可怜，她要掌控自己的命运。

每天晚上莲娜回去还是会买菜做晚饭，让小李子快吃然后给阿豹送过去，她自己吃完饭就去摆地摊儿。肖文虽然很不满莲娜还要管阿豹的晚饭，可是阿豹的饭钱也不要他掏，他也反对不了。阿豹看小李子每天抽空给他生炉子换煤，每天给他送莲娜做的晚饭，也默默地接受了。他知道自己多么需要这片温暖。他拿给小李子5000块钱说是给莲娜做伙食费用的，小李子把钱给了莲娜，莲娜也默默地接过来，她现在手头真的是不宽裕呢，她就每天变着法儿给阿豹做好吃的。

他们就这样默默地相守着，好像有某种不需要说出来的承诺在互相支撑着。

刘贝贝很纳闷莲娜已经丢了工作怎么张总还是没有回来对她采取行动呢？她请了一个私人侦探去跟踪，私人侦探说莲娜小姐确实没有工作，每天在各个批发店之间跑，只是晚上要去几个固定的地点儿去摆地摊，侦探也没有看见莲娜和张总在一起过。

刘贝贝心想莲娜这个女人还真的是个难缠的角色。她们晚上一起去跟踪莲娜，她们远远地跟着莲娜的小面包车，只要莲娜去哪里摆地摊儿，她就打电话去城管办公室告发。

莲娜觉得最近很怪，晚上摆摊儿总是被搞得鸡飞狗跳，城管老来光顾，也被逮过两次罚了点儿款，搞得莲娜好几天晚上都不敢去摆地摊儿了。

这天晚上八点钟张总给小李子打电话让他去他别墅的家里的书房拿一份文件，张总让小李子拿了就走，刘贝贝问自己的踪迹就说不知道，张总已经躲出去一段时间了。

小李子刚上楼就听见一间屋子里传出刘贝贝讲电话的声音，一开始小李子没有理会，可是他听见刘贝贝嘴里说出了"莲娜"这两个字，便猛的站住了。

"啊，莲娜今晚又出摊了？太好了，我已经通过关系找了一个城管，今晚让他找茬儿把莲娜揍一顿，然后说莲娜暴力抗法，让他们把她弄拘留所里待一个星期，我看这个丫头会不会找张明哲捞她，我看这回张明哲还能躲我几时……不要紧这个人已经拿了我的钱，不给我好好干事儿看我怎么收拾他，你稳住，再过半小时就打电话，今晚准成。"

小李子一听这个可怕的消息惊呆了。这可怎么办呢？他马上躲进旁边的洗手间里，把门关上，把水打开，他打莲娜的电话想让莲娜赶紧跑，可电话关机了。小李子马上又给林红打电话，林红说她现在在西蒙家里，这里是郊区，她赶不回去，林红让小李子赶紧给阿豹打电话，阿豹离得近，打电话让阿豹马上打车去通知莲娜。

阿豹听完小李子的电话穿上羽绒服赶紧挂着拐出了大门，他艰难地瘸着腿走了很久才看见街边有个黑出租模样的车子，这费了阿豹不少时间。阿豹上了车，他想起一个哥们儿，这人是某晚报的记者，叫杨力，现在，或许这个杨力可以帮上莲娜的忙。阿豹电话里简单地对他说了这个事儿，让杨力过去看看。

还真是被阿豹担心到了，这次城管好像就是针对莲娜这个小摊儿的，那个被刘贝贝收买了的人开始找茬。莲娜以为这次被逮到最后就是罚钱，最不济就是没收货物给教训一番就放她走了，可是，今天好像很严重。这些人围着莲娜不停地推搡，莲娜开始老实的站在那里，可是后来觉得不对劲儿了，他们开始推推搡搡，想让莲娜动手，莲娜往后退，不敢还手，头发也被那些人拉散了。

"你们不要乱摸，我站着不动，你们要怎么处理我接受。"莲娜大声地叫着。可是这些人好像没有听见一样越来越过分了，莲娜只有奋力开始推搡他们了。

"啊，暴力抗法，快报警，报警。"这些人里有人开始拨110了。

有人开始按动照相机，那些闪光灯让这些人马上警觉起来。

"谁在拍照，不许拍照，是谁在拍照，把他的照相机砸了……"

这时阿豹正好赶到了，他看见莲娜被一些人围在中间搡的蓬头垢面，眼眶上还有血。阿豹觉得自己的心像被人狠狠地划了一刀，他大叫一声，瘸着腿冲进人群，来到莲娜的身边。他紧紧地护着莲娜，他的背上、头上、颈背马上不停地有拳头落下。莲娜突然间看见阿豹瘸着腿冲进来紧紧地护着她，惊叫起来，她很后怕，怕这些人把阿豹的腿又伤着了，她拼命地要去保护阿豹，自己又暴露在拳头之中，有个家伙拿了块砖乘乱朝阿豹头上拍了下来，莲娜瞥见了，奋不顾身地去迎这块砖，莲娜的额头被这块砖拍到了，鲜血顿时涌了出来。

"啊！"

阿豹惊叫起来，他被彻底激怒了，阿豹从小就是个打架大王，小时候没少惹事儿，后来喜欢健美，还练了一些散打，要不是自己挂着拐杖，这些人，他可以撂倒一片。他心一横，拿起手上的拐杖抡起来，这下，对面的人鬼哭狼嚎地被打倒几个……在这个关键时刻，警察来了，阿豹的暴力行为被逮了个正着。

那个拿照相机的人趁机跑掉了。

警察们一拥而上把阿豹扑倒，随后就把阿豹手腕朝后一扭，用手铐铐了起来，塞进警车里。

莲娜一看快吓晕了，急得嗓子都哭哑了。

"你们抓我吧，我是违法小贩，是我暴力抗法，你们放了他，他是个有名的画家，马上要办画展了，你们不能抓他呀，你们来抓我吧……"

莲娜哭叫着往警车的方向扑去，被警察推开。

"别妨碍我们正常执法，快走开。"警察警告莲娜。

"莲娜快走，别管我，我没事儿的，你快走，快走！"

阿豹急得在警车里喊，他怕莲娜真的被警察逮起来。

"我……我……我打电话给南希，让她和他们说，说你是著名画家，不是抗法的暴徒，他们会放了你的。"莲娜对车里的阿豹喊着。

"不要找南希，她不明白这些事情，你给肖刚打电话……"

阿豹的话还没有说完，警车门就关上了，接着警车就闪着警灯开走了。

这时莲娜想起来阿豹说让她给肖刚打电话，赶紧哆嗦着手指把脸上的血抹了一把，抖着手掏出手机按出通讯录找到了肖刚的电话。

肖刚一听这个消息大惊失色，马上打车过来，这时有个戴眼镜的小伙子悄悄跑到莲娜的身边问："你就是阿豹要救的那个朋友莲娜小姐？"

"是，你是谁？"莲娜惊问。

"哦，我叫杨力，是××晚报的记者，刚才阿豹来之前给我打了电话，我早就来了，躲在一边拍片，拍照时他们说要砸我的相机，我趁机就跑掉了，不要紧，我拍了一些对你们有用的照片。"

"快去救阿豹呀……我被逮没关系，我……我真该死……我这些天就不该来摆地摊呀！"莲娜悔死了，要是阿豹有个什么事她真没法活了。

"我们现在马上去救他。"肖刚说。杨力也说自己会尽力救阿豹。

这时在刘贝贝家别墅里的小李子都烦死了，他准备硬走，管不了刘贝贝的严苛拷问了。这时有个电话打了进来，刘贝贝一听脸色就变了。

"什么？那个丫头没被逮进去？来救她的那个瘸腿被逮走了？那些人怎么干的事儿？白花了我那么些钱……"

刘贝贝神情暴躁地讲着电话。小李子一听，什么？阿豹哥被逮进去了，那怎么可以呀！他可是个了不起的画家呀，这下可糟糕了。

小李子拔腿从书房里跑出去了。

"喂，小李子，你回来，你回来……说张总住哪里？"

小李子把车开出去，开到别墅外面大门口把车停住了，在车里他打电话给张总把刘贝贝做的坏事儿原原本本的给张总说了一遍。小李子恳求张总救救阿豹，他说阿豹是个才华横溢的画家，正准备出国去开画展呢。

张总听完后心一沉，是呀，阿豹这样把莲娜救出来，那么阿豹会在莲娜的心中留有怎样的分量呀。这个刘贝贝，做这种恶事儿。莲娜受什么委屈都不和自己说，可见莲娜在心里和自己隔得有多么遥远。张总觉得自己很心痛，既为莲娜，也为自己。他知道自己有多么爱莲娜，可是莲娜就是不来找自己，被刘贝贝搞丢了工作，生活陷入了绝境，她什么都自己挺着，她是不想亏欠他张明哲的。可他为了莲娜真的甘愿被刘家净身出户呀。他对莲娜的深情莲娜是一点儿也没有感觉到，这次事件，阿豹又占了先，阿豹用自己的鲜血对莲娜宣告了自己对莲娜的爱，阿豹他爱的纯粹，爱的深情。而他张明哲却是这场灾祸的始作俑者，是他的前妻干的这种坏事儿，让张总情何以堪？

当然，如果是莲娜被逮进去了，哪怕一个晚上张总的心会有多痛他是知道的。还好阿豹这个傻小子替莲娜顶了这个苦难，当然，阿豹他也是要捞出来的，他前妻搞出的事儿，他不做补救，那莲娜不是要恨死他张明哲了。

"这个刘贝贝！你等着！"

张明哲骂了刘贝贝一句，开始打电话找人救阿豹。

60 我管你一辈子

阿豹被带进警局，警官开始给阿豹做笔录。阿豹说自己只是路过的人，不是违法小贩，他们抓错人了。

下半夜有人把电话打到了警界某个大人物那里，他知道今天晚上逮了一个很有影响的画家，而且，有记者拍了这次行动的照片，为了平息这次不良影响，需要马上放了这位画家。这是张总和肖刚、杨力通过各自渠道努力的结果。结论就是阿豹不是违法小贩，是个过路人，这是个误会，明天通过正当渠道马上放人。

阿豹前半夜被人严重骚扰后半夜被提到了一个单间，可以很舒服地睡觉了。阿豹也不知道出了什么事儿，自己居然一个人被关在一个房间里。

第二天，十点多钟，阿豹被人提出来，来到做笔录的办公室。有个警察对阿豹说，你没事儿了，走吧！阿豹就瘸着腿一拐一拐地走出了派出所的大门。

在门口阿豹看见了眼含热泪的莲娜、肖刚、林红、小李子。

莲娜的头上包了一个纱包，阿豹的脸上也还有些肿呢。他们跑过来扶住有些摇晃的阿豹。

这些人随着莲娜一起回到了莲娜家。大家围着阿豹嘘寒问暖的。阿豹忍住身上的疼痛开始有声有色地讲昨天晚上的惊险故事。肖文站得远远的听着阿豹的叙述，内心很惭愧。真的，要是他就没有这种勇气代替莲娜去扛这个难。

这时莲娜看大家都饿了，忙下厨做了一锅馄饨。肖刚一边贪吃着小馄饨一边发表高论："哎呀，莲娜，你太棒了！阿豹快把莲娜娶回家吧，就冲莲娜昨晚那么护你还这么好的做饭手艺，这么贤惠的女人，你到哪里去找？当然莲娜你没看见这次阿豹为了你把什么都豁出去了，还替你去了那个地方受皮肉之苦。莲娜对阿豹真是关心。阿豹你不声不响地走了，莲娜都快急得要发疯了，昨晚为救你，莲娜都快急晕过去了，感动得我差点流眼泪了，这个时代这个社会这种好女人不多了！我觉得你们俩是相爱的，自己却不知道，还在那里兜兜转转，瞎浪费时间。阿豹，抓住莲娜，莫要让幸福从自己的身边溜走哟！"

一语惊醒梦中人，大家一致赞同肖刚说的话！阿豹和莲娜一听都羞红了脸。

"阿豹，大姐早就和莲娜说了，你们两个会在一起的，嘿嘿，莲娜有多么爱你，为你做了那么多，真的像肖刚说的那样，抓住莲娜，抓住幸福，不要让莲娜从你身边溜走了！"林红也一边吃小馄饨一边轻声对阿豹说。

"就是，莲娜姐对阿豹哥可好了！那次为了找你，我们骑着三轮车把城中村东西南北都跑遍了，莲娜姐坐在车上冻得直哆嗦还舍不得离开，生怕阿豹哥你站在街头伤心难过挨冻。阿豹哥，我好羡慕你，这么好的姐姐爱上了你，你好幸福！要是我长的大些，我一定会追求莲娜姐，才不会让给你呢！"小李子嘴不闲着吃着可口的小馄饨。

"看，小李子都看出来莲娜这么爱你，阿豹，你真的是个傻小子！"

莲娜一听大家都这样说羞红了脸跑到厨房不出来了。只有肖文闷头喝汤，听着大家的议论苦着脸。阿豹心里笑开了花。

大家吃完小馄饨，肖刚和林红都准备走了，他们让阿豹好好地休息一下。把他们送走，小李子和莲娜把桌子收了。莲娜让小李子把自己的床先让出来给阿豹睡，小李子暂时睡客厅的沙发上。

莲娜在厨房收拾好了，然后给阿豹倒洗脸水洗脚水。莲娜仔细给阿豹擦脸上的伤痕，莲娜看见阿豹的身上也有好几块青紫的瘀伤，尤其背上，莲娜心疼不已。

"嘿嘿，没关系，这多是皮肉伤，没有伤筋动骨，倒是你厉害，一下子就把我撂倒了，伤筋动骨一百天，害得我现在还拖着腿走路，最有可能的是我这一辈子都会是瘸子了，这么个残废谁还会要我呢？那可是一辈子的事哟！"阿豹话里有话的说，他望着莲娜的脸，小心翼翼地揣摩着莲娜的心事。

"那，那……那我……就管你……一辈子……"她飞快地看了阿豹一眼，羞红了脸，阿豹一听欢喜得正要问个究竟，这时从大卧室里传出肖文暴跳如雷的吼叫声，这让阿豹和莲娜一愣。他们俩急忙来到大卧室，想看个究竟。

只见肖文手里拿了几张纸正气愤地对小李子吼叫着："你这是什么意思？你去查这个？你要是没有任何得病的反应，你会去查这个？我看看，你那时查这个和现在隔了多久？这个病是有潜伏期的，这些天，你和我住在一起，你这不是要害我吗？"

原来刚才小李子收拾衣服时，把床底下的旧旅行包里的东西腾出来，肖文无意中瞟了一眼小李子拿出来的这几张纸，待他仔细看清楚这纸上的内容时，他吓得蹦跳起来，这是艾滋病的查验报告呀！怎么小李子有这方面的隐情？自己和他住了这么些天，不会已经传染上了吧？

莲娜一看肖文这么暴跳如雷，她马上解释道："不是的，小李子的父母以前

169

卖血得了艾滋病，但去世好几年了，小李子没有得病，那不是艾滋病的查验报告么？还是大医院的检查机构，小李子是自己赚钱去检查的。这正是他对朋友负责任的表现。你怎么能这样说小李子呢？"莲娜觉得肖文有些不可理喻。

"莲娜，这我不得不说你了，你怎么这么不负责任地把不知道底细的人带回家来。快让他搬出去，我们不能和这个不知道底细的人住在一起。"

小李子可怜巴巴地看着莲娜。

"我看看，这是大医院的权威检查报告，小李子没有得艾滋病呀，你怕什么？何况小李子的父母去世好几年了，我们更应该同情关爱他，你怎么这么狠心呢？说这种话来伤害这个孩子！你怎么这么没有医学常识呢？小李子，你这个傻孩子，你没事干吗保存这么个招惹是非的东西？还带着它到处乱跑，赶紧撕了它！以后不要再给别人看见这个了！"阿豹一把撕了这几张纸，对肖文鄙视地说。

肖文的脊背开始冒冷气了，他的心痛苦得快被揪成碎片了。现在这三个人站在一起用那种讨厌他的眼神看着他，他觉得现在马上被叫骂"滚出去"的人是他肖文而不是小李子了！肖文一时慌了！肖文还没有料到，更让他心碎的事儿马上就要来临了，那是让他心碎一辈子的事儿。

61 前女友杀来了

这时有人敲门，他们暂时停止了争吵。他们走出大卧室来到客厅，只有肖文留在大卧室里没出来。

莲娜走过去开门，门口站着的是一位和莲娜岁数差不多大的年轻女人。

"请问肖文是不是住在这里？"这个女人的声音和她的样子一样干巴巴的。

"是的，肖文是住在这里，你是……"莲娜刚刚说完这句话，这个女人没有征兆的一个巴掌甩过来。

"你干吗打人？你是谁？你疯了？"莲娜懵了。

"你这个贱女人，勾引我男人背叛我，抛弃我，你们两个以为躲到这里我就找不到你们了吗？贱男人，快出来，快滚出来！"这个女人大声地骂出很难听的话，样子凶狠而泼辣。

"肖文，你这个没良心的，你快出来！你说跑就跑了，躲起来，以为我找不到你？你有了新欢就把我一脚踢开，你这个没良心的家伙，快出来！"

这个女人疯狂了，到处看，莲娜想去拽她，她就要踢莲娜。阿豹一看不得了，这个女人疯了，他想上前去抓住这个女人，可自己的拐杖在沙发另一头，没办法，他只有喊："小李子抓住她，不许她欺负你莲娜姐。"

"肖文哥，这个女人是找你的，你快出来挡住她呀。"小李子喊道。

肖文早就听见客厅里这个女人的声音了，他吓得全身毛孔一下子竖了起来，王慧，他的前女友找过来了。这个女人太泼了，他真的是烦透她了，也怕了她了。他把大卧室的门一下子关上，在门里反锁，自己怎么也不出来了。

王慧一听说肖文在大卧室里，她马上跑向大卧室，使劲拍门。

"肖文，你出来，快出来！你无声无息地把我甩了偷跑，做缩头乌龟，你还是不是男人？你还有没有良心？大不了我们一起同归于尽。"

阿豹、莲娜和小李子都听明白了，这个女人就是肖文的前女友王慧。听她这样讲肖文真的不是东西，不想和别人谈婚论嫁了，要分手一定要讲清楚，不能这样悄悄地就跑掉了，太不是男人了。

王慧哭喊叫骂了半个多小时，肖文还是缩屋里。王慧好像绝望了，她铁青着脸蓬头垢面地就往厨房跑去。莲娜一看急了，她怕王慧想开煤气自杀。王慧跑进厨房，莲娜先去挡天然气阀门，王慧却直奔菜刀，拿刀朝自己的手腕上一刀割了下去，莲娜看得心惊肉跳。

"小李子，快来，王慧想割腕自杀。"莲娜忙喊小李子，小李子马上跑进来，一把把王慧拖出厨房。莲娜赶紧看了看王慧的手腕，还好，虽然出血但是没有大碍，莲娜把抽屉里的急救箱拿出来给王慧手腕上缠上了绷带。

王慧又哭又闹又自杀已经折腾得快没有力气了，她躺在大沙发上抽泣的奄奄一息的样子，让人看了觉得真可怜。

阿豹看不下去了，他走到大卧室的门口叫了几声肖文快开门，肖文在里面无声无息的，阿豹气得一时性起，提脚要踹门，莲娜吓坏了，阿豹的腿还没有好怎么能做这个剧烈的动作。

"小李子，你来把门踹开。"

小李子退后几步提脚就开始踹门，小李子的力气还挺大，踹了不久门开了。肖文坐在窗前，脸色惨白，神情紧张，浑身瑟瑟发抖。

"是男人就快出来解决问题！"

肖文什么也不说，任凭阿豹怎么说他也不做声，不动身。

"肖文，你要是什么也不讲我们就走了，留下你们俩自己解决问题。"莲娜对肖文这种消极的态度很不满意，她想他们要是都走了，也许肖文和王慧会好好谈一下的。

"不要……莲娜你们……不要走，我很怕！"肖文好像要哭出来了，他脸上是极度的恐惧。

"那好吧，你出去和王慧谈一下，我们不走，陪着你。"

得到莲娜的承诺后，肖文才战战兢兢地被小李子扶着来到客厅。

"你这个缩头乌龟……你，你以为能躲得了一辈子？"王慧恨恨地用手指着肖文又开始滔滔不绝的控诉起肖文的条条罪行。

"肖文有什么你也分辩一下嘛，让我们也听听你的意见。"

肖文长叹一口气："别的你有种种不好，什么不贤惠，脾气不好，自私，刁蛮……我都不说了，都可以忍；我说结婚没钱买房就租房，你们家偏要逼我借钱去买，现在房价这么高，我哪里借得到钱？我们农村家庭培养我一个大学毕业生已经尽了自己最大的努力，我当然要供弟弟上大学了，你又不允许，说哪有这样当哥的。你们家说出钱买房不写我的名字，以后生了小孩姓你们王家姓，以后不许和我乡下的父母来往，这不是要我当倒插门女婿吗？这怎么可以？你们家这都是些歪理，我绝不会答应的。既然这样，我们两个人还有什么好谈的。"肖文终于鼓起勇气说了上面一番话。

"你要走为什么不和我当面分完了再走？"王慧问。

"我和你说了多少次，说俩人观点不同就分手吧，这样生活在一起天天吵闹有什么意思？你就要死要活的，割腕、上吊闹自杀，无理取闹，我能和你讲清楚吗？你就是胡搅蛮缠，死都不分，浪费大家的时间！我留了个纸条不是都说清楚了吗？已经分了！"肖文愤怒地说。

"我不管，他肖文对我就要负责到底，你这个臭女人别想和肖文双宿双飞，有我王慧在你们门儿都没有。"王慧又恶狠狠地瞪着莲娜说。

"我，我不是肖文的女朋友，你不要误会，我们只是普通朋友……"莲娜赶紧对王慧解释。

"哼，看你们在一起挺亲热的，你不止一次殷勤地接送他了吧，我都看见了。你别想什么好事儿了，你看起来岁数也不小了，怕是找男人乢困难了点儿，不要死皮赖脸地缠着肖文。敢和我抢男人，不自量力。"王慧轻蔑地对莲娜说。

"我……我……"莲娜不会吵架，尤其被王慧这么一说，一下子脸涨得通红，张口结舌地不知道说什么才好。

肖文这时什么也没说，他也不敢说，看王慧这样欺负莲娜他也只是难为情地张了张嘴巴，最后什么也没有说出来。

"哎，肖文，你那天在我的大屋子里是怎么和我慷慨激昂说的，还满大方的把那张卡摔在我的脸上！现在，你怎么没胆量，不敢承认了？当着你前女友王慧的面你敢把那天对莲娜说的什么誓言再慷慨激昂地说一遍吗?！"阿豹道。

"男子汉敢做敢当，对自己所爱的女人要勇敢忠诚，你现在这个熊样，我真的很怀疑你上次慷慨激昂的话，你不是个男人。"

阿豹很可惜地对着肖文连连摇头。然后他调整语调用非常正式的语气转向莲娜，脸色凝重一字一句地说："我，阿豹，现在对大家宣布：我爱莲娜，莲娜是我最爱的女人。我会一辈子保护她爱护她，我会用自己最大的能力去努力工作，为我爱的女人筑一个安静舒适的家，为我们以后的孩子建一个幸福和睦的家。莲娜你是一个美丽、知性、坚强、善良的好女人，我爱你。"

"什么？"莲娜听着阿豹突然当着这么多人的面郑重地讲出这么朴实又令人欣喜若狂的誓言，她有些不相信地喜极而泣。

小李子一听一下子高兴得跳了起来。

"好耶，阿豹哥好帅，你早就应该和莲娜姐真情告白了，你去美国开画展，我也要和莲娜姐一起去，阿黛拉已经说啦，她约我一起去呢！"

"真的？你要我和你一起去？"莲娜抬起盈满泪水的眼睛，不敢相信地问阿豹。

"嗯，我荣幸的邀请莲娜女士出席我的画展，可以吗？"阿豹非常绅士的微微弯腰向莲娜伸出一只手，莲娜有些颤抖地把自己的手放到阿豹的手心里。阿豹轻轻地牵着莲娜的手，向莲娜走近一步，怜惜地把莲娜眼角的泪水轻轻抹去。

这下王慧对莲娜这个剩女产生了一丝难以言状的嫉妒。

🌼 *62* **兵戎相见**

还没等莲娜、阿豹、小李子开始他们的高兴，又从打开的门里冲进来两个60岁左右的老人。

"好你个臭小子，敢欺负我女儿，想甩了我女儿，门都没有……"

王慧父母也已杀到，两个老夫妻一起朝肖文扑去，肖文吓得脸色灰白。

"停！快住手！"阿豹洪亮的声音吼起来。他把一个大凉水杯朝地上一摔，怒目圆睁瞪着俩老人。

"你们还不住手，我马上报110，你们就上拘留所去待几天，老子今天才从那里出来。"

两个老人抓挠肖文的手马上停了下来。

"我女儿被这个陈世美给害了，自从这个小子偷跑了以后，我女儿过的是什么日子哟……茶饭不思，睡不着觉，天天疯疯癫癫的，要上吊，要卧轨，要跳河……"王妈妈一把鼻涕一把眼泪的坐在地上哭诉，王爸爸也抹眼泪。

"肖文，你过来，我们一起进屋谈谈。"莲娜小声对肖文说。这一下被王妈妈看见了，她一下子爬起来，上前一把揪住莲娜的前胸衣服。

"你，你就是那个勾引肖文的女人吧。"王妈妈一个巴掌扇上去。

一旁看着的阿豹气得肝胆俱裂，一把把她的手腕子一抓。

"啊！"王妈妈大声喊痛，阿豹这才松了手。

"你们家老的小的都是出手非打即骂的角色，这么凶悍，哪个男人敢上你们家提亲？告诉你们，莲娜是我的未婚妻，你们谁要是再敢动她一根手指头，老子要你们好看！"

阿豹拿起手里的拐杖一下子把桌子上的玻璃杯盘全扫到地上，哗啦啦，东西全碎了，这下把王爸爸王妈妈给吓住了。

他们放开莲娜，不甘心地来到躺着的王慧身边，对自己女儿嘘寒问暖的。这时，他们才现出了老鸡护小鸡的原本面目。

173

这个状态根本谈不出个所以然来，莲娜想让小李子、阿豹先撤到阿豹那边的大房子里去，这里乱哄哄的，阿豹根本休息不成，客厅已经被王家那三口霸占了。在大卧室里肖文死死地拽住莲娜，请求莲娜别丢下他一个人面对这一家三口。他哀求说，莲娜你们再等一天，我的父母已经上火车赶来了，他们要从老家来这里帮他解决这个问题了。

第二天一大早，王家人又开始逼肖文谈话。肖文一言不发，不管王家说什么他就是不吭声。

王慧让肖文说个迎娶她的具体时间，开始逼婚了。

这时门外冲进一对儿50来岁的农村人，一看肖文被打的那个可怜样，这个农村大妈扔掉手里的包袱就冲上去拽住王慧的头发使劲儿往后拉。王慧妈一看自家女儿吃了亏，上前就去拽农村大妈的头发，两个老头儿也开始撕扯在一起。

"娘，你们怎么这么久才来救我，我都快被他们逼死了！"肖文的眼泪刷刷地掉了下来，好像这下有了主心骨了。客厅乱成了一锅粥。

阿豹真的是气急了，他拿起一只空暖水瓶朝地上狠狠地一摔。"乒乓"的巨大声响把滚在一起撕扯的人们震住了。

"你们再打，我马上就报警了，你们全都到警察局去解决问题！"

他们一听还真的是有些害怕了，全都住了手。

"你儿子是现代陈世美，他什么也不交代就偷偷跑了，你们肖家这次不给我女儿一个交代别想过关，我们就是缠上你儿子了，他哪里也别想去……"

"我儿子就是俏，你们女儿是自愿的。"

"你家儿子道德败坏，背着我女儿找了个第三者。"王家没得说了，把莲娜又给扯出来了。

阿豹气急了，一个花瓶甩过去，差点儿砸到那个信口胡说的王妈妈身上，没对准，花瓶"呼"一声落地碎了。王妈妈一下子吓得脸色灰白不敢出声了。

"我再一次强调，莲娜是我的未婚妻，你们谁再敢说她一句，别怪我收拾你们。"阿豹咄咄逼人的眼神把大家都吓住了，一时没人敢说话。

王慧就哭诉说肖文拖了她这么多年，她已经成了剩女，以后都不好找男人了，说分手就一定要拿一笔分手费给她，最少十万元。

肖文说自己没有那么多钱，要分手就是这样分手，给一万元补偿费。

莲娜心想，肖文是个太没有担当的男人，他们这个婚也没有必要结了，都打成这样了，作为男人还是要负大部分责任的。莲娜走回自己的小卧室里，从锁着的抽屉里拿出肖文给她还阿豹的那张卡。她走到肖文跟前诚恳地说："肖文，这是你借给我还阿豹的那十万块钱，一分都没有动，要是这十万元能解决掉你们两个人之间的恩怨我觉得值了！你说呢？"

肖文很震惊，还没有等他反应过来，王慧一下子从莲娜的手中抢去这张卡。

"娘，那个卡里有我存的十万块钱啊。"肖文哭天抢地的喊道。

这边肖文的娘一下子反应过来，马上就去抢王慧手中的那张卡。这下可热闹了，王妈妈和王爸爸也上去帮抢，肖爸爸也参加了抢卡的混战，一下子家里鸡飞狗跳的，两家人红着眼又拳打脚踢起来。看得莲娜心想，疯了，两家人全疯了。

"肖文，你是男子汉就满足这位女士的要求，把这十万给别人做补偿算了。你亏欠了别人你就要付出代价，这是天理！"阿豹振振有词地对着肖文吼道。

肖文悲愤地喊："你别说得这么好听，你当然不觉得十万算什么，你现在一幅画就可以卖十万、二十万，我呢？辛辛苦苦，这么些年来省吃俭用，从来不敢买好一点儿的衣服、鞋子，用的东西都是最便宜的大众货，给乡下的父母寄钱都没有超过五百元的。你看你赚钱多容易，就给别人当了两个星期翻译就赚了三万块，你知道三万元我要给别人修多少台电脑，装多少次系统？我赚的三万块就是你赚三十万元的概念呀！我当然不可能一下子付给她十万元哪。"

肖文的哭声打在了每一个人的心上。在场的人哪个不是赚辛苦钱的人？莲娜、小李子，都是在每天的认真工作，包括阿豹，画画不要命，没出名时钱也不是这么好挣，可是阿豹为了这么一天付出了多么大的努力辛苦，想想大家都不容易呀。

"你们还是坐下来，两家人好好谈谈你们彼此所需要的生活，谁都别为难别人，毕竟以前都是真心相爱过的人，怎么一翻脸就这么无情呢？做不成夫妻也是朋友么！多为别人好好想一想，人不能太自私，我们是外人也不好参与。两家不要再动手打架了，万一你们以后真的结成亲家，彼此这样伤害是最要不得的。我们要走了，不再奉陪了，你们的问题自己解决，大家好自为之吧！"阿豹对小李子和莲娜招了招手。

"我们现在就打包，我打电话找个搬家公司来把我们的东西都搬走！"阿豹的话就像圣旨一样，莲娜和小李子连连点头。

搬家公司的车子来了，肖文红着眼痛惜地看着莲娜和小李子、阿豹一样一样的把东西搬走。他的心似乎也被搬空了。那个心中的美好和温暖就用这种方式结束了，曾经他以为自己离幸福是那么近，可是这一切都被狂风暴雨打去了，消失得无影无踪。他知道自己就是个没有福分的人，得不到自己想要的幸福。自己没有阿豹那么宽阔的胸襟，没有阿豹有本事，没有阿豹的人格魅力，他输了，输的彻彻底底。或许从他在娘肚子里开始就输了，这里根本不是他的家。他知道就是他穷尽一生也无法在这个大都市里买得起属于自己的房子，或许是时候逃离这个曾经承载过他许多梦想的大都市了，他绝不能让自己的父母把祖宗留下的几间房产卖掉，跟着自己在这个大都市里漂浮，他不能。现在他最爱的女人要离开他了，或许这是最好的结局，莲娜跟着阿豹会幸福的，跟着自己也许只会颠沛流离。

肖文眼中流下痛苦的泪水，他无法改变自己的命运，只有真诚地祝福莲娜，这个他这辈子唯一深深爱过的女人，幸福快乐。

肖文很有礼貌地把阿豹邀请到狭小潮湿的洗手间里，他低下头难过地对阿豹说："阿豹，你赢了。我曾经以为自己离莲娜很近，离幸福很近，可是这种幸福不属于我，我很不甘心，可是我无法改变自己的命运。我把莲娜拜托给你了，你一定要坚持住，一定要让莲娜幸福。这个女人是我唯一深爱过的女人，你要是敢对她始乱终弃，我不会放过你的……"肖文开始哽咽。

阿豹感慨地点点头："肖文，我答应你，我一定会好好爱她，你放心，我向你保证，我绝不会做对不起莲娜的事儿，你……你自己好自为之吧！"

阿豹也有些伤感，他拍拍肖文的肩膀，走出洗手间。

肖文也走出洗手间来到莲娜的小卧室里，莲娜正在收拾自己的东西。

"莲娜，莲娜你要走了，我谢谢你对我这段时间的照顾。和你在一起，我终于感知到幸福是什么样的，不然，我这辈子……真的是白活了。谢谢你对我曾经的爱和关怀，我一点儿也不后悔对你表白自己的爱情，这是我第一次真正的爱情表白，或许你会觉得我不配，可是我真的觉得你也似乎……也曾经爱过我。这或许是我的错觉，可是我在此之前真的感觉自己很幸福。我承认我就是个很平凡的男人。一开始我想在这个大城市里靠自己打拼买房买车想让自己的老婆孩子农村的父母过上富裕的生活，可是现在这个梦醒了，我一没背景，二没有过人的能力和胆识，发财致富只能是我的一种平民的梦想。我现在意识到我只能娶一个和我一样平凡的女子过平淡的生活，这个大都市似乎不是我这种人应该待的地方。以后我们……我们也许一辈子也不会再见面了，你要好好的生活，你会活得很精彩，替我去外面看一看世界，恐怕我这辈子连一次出国看看的机会也不会有了……"肖文说着话慢慢有些哽咽了。

莲娜的眼中也渐渐湿润起来，她有些难过地拍拍肖文的肩膀。

"你要好好的，一切都会好起来的！"莲娜轻声地说。

肖文离开莲娜的小卧室，穿过客厅，他打开大门跑了出去……

63 崩溃

这天刘贝贝带着杨妈出去购物，在一个大商场某著名品牌化妆品柜台她选了两万多块钱的护肤用品，包装好后刘贝贝趾高气扬地刷卡结算时，导购小姐委婉地说，这张卡已经不能刷了。

众目睽睽之下刘贝贝没辙了，只好拿出皮夹子翻了翻，里面最多也就一千来块钱的样子，刘贝贝当时就闹了个大红脸，那些个被包装好的化妆品被那个导购小姐愤愤地塞到柜台下，刘贝贝狼狈地带着杨妈灰溜溜地跑掉了。

她这才明白过来她的卡被张明哲停掉了，刘贝贝拼命地打张总的手机，张总一看是刘贝贝的来电马上就把手机挂掉，继而关机了。

刘贝贝带着杨妈回家去,可是,下车来到自己家门口后,杨妈拿钥匙竟打不开张总家别墅的门了,仔细一看门锁已经换掉了。

刘贝贝头嗡的一个变两个大了,怎么这个可恶的张明哲竟然把家里的门锁给换了?这不就是不让她刘贝贝住了吗?刘贝贝气得把物业的工作人员找来,要他们把锁撬开。工作人员说,业主张明哲已经打了招呼,不许除业主以外的人员再进入这栋房子。请这位夫人以后不得再进入这个高档小区,现在,请她们出去,刘贝贝及杨妈被物业的保安请出了这个高档小区。

她本来想当坐地炮,大闹一场,可是,自己穿成个贵妇的样子哪好意思撒泼?看着杨妈可怜兮兮瞅着她的眼神,她一下子羞愧起来,以前杨妈那些谆谆教导都涌现在她的脑海,杨妈让她要看好张总,对张总要关怀,不然把张总搞愤怒了绝没有好果子吃的话,现在一一应验了。张明哲这次是来真格的了。

刘贝贝灰溜溜地回到刘爸爸的家,把自己这一天的遭遇对自己的爸爸妈妈哥哥嫂嫂愤恨地说了一遍。

刘启忍不住跳起来骂张明哲,说这个小子忘恩负义,要不是投靠他们刘家,没有刘家的关系,他张明哲哪有本事做这么大的生意,赚这么多钱。刘爸爸有些狐疑地问刘贝贝有没有做让张明哲很痛恨的事儿,刘贝贝一开始有些心虚说没有啦,后来在老头子的严厉逼问下,刘贝贝才把对莲娜做的那些事儿说了一遍。刘爸爸一下子就急了,指着刘贝贝的鼻子骂道:"你这个蠢到家的女人,怎么能干这些蠢事儿?你越是这样,张明哲越是痛恨你,越是疼惜那个女人,越要摆脱你,甩掉你。"

刘贝贝犟嘴说:"那你就威胁他,以后不会为他做生意再出力了!他没有了您的关照以后都别想再赚到钱了。"

刘爸爸气得大骂刘贝贝:"张明哲现在已经不是以前那个非要倚靠我们关系网的那个张明哲了,他的生意已经有很大的扩展,以后也许不需要我们也可以做得很开了,他已经用自己的钱打开了一个巨大的人脉关系网,而我们离开张明哲还能玩得转吗?我们本来还希望你能和他复婚,把他哄好,那就什么也不用担心了,现在可好,他干干脆脆地把你甩了,离开他我们才真的是无可奈何呀,哪里有比他更贴心更牢靠的人呢?"

刘爸爸气得捶胸顿足,把刘贝贝骂得脸色惨白,刘启也唉声叹气的。离开张明哲,他们刘家真的是无法继续发展。不过还剩下张刘桢这张牌可以打,只要把张总儿子捏在手上,他们还是有一丝希望的。

可是,没有想到,让刘家崩溃的事情接踵而至了!

这天张刘桢和同学在学校操场打篮球,不小心篮球从球场里蹦到学校的水泥地上了,张刘桢就去追篮球,恰巧有个有钱人家的公子哥儿正好买了一辆跑车,载着自己的女朋友在校园里炫耀,张刘桢突然一下子闯了过来,公子哥儿那脚没有来得及松开油门……"轰",张刘桢就被车撞得飞了起来……

学校第一时间通知了张明哲，张明哲带着小李子奔到了医院。

张刘桢流血过多，要输血，血库存血暂时告急，只能让他的亲人给他输血。医生看了张总的血型查验结果后百思不得其解，他自己嘀咕着说："不可能吧？你……你真是他的亲生父亲？"

医生这么一问，倒把张明哲给问愣住了。

"什么？我……我是他的亲生父亲呀，怎么了？"

医生有些疑惑地看了看张总，吞吞吐吐地说："你这个血型不可能生出拥有这个血型的孩子啊，是不是……弄错了？"

张明哲的脑子一下子炸开了，母亲曾经不经意的话在他耳边响起："这个娃怎么长得不像你呢？"

小时候张刘桢长得白皙，消瘦，五官很像刘贝贝，大家也都是说儿子像妈，女儿像爸，所以，张明哲也就没有去深究，现在儿子长大了，确实越长越不像张明哲了。还有，当时张刘桢是比预产期提前一个多月出生的！

刘贝贝和杨妈也随后急匆匆地赶到医院，她看了一眼张明哲，还没有说什么，医生就让护士赶紧给刘贝贝去验血，验血合格，然后护士就把刘贝贝让到专用抽血室抽血去了。

医生就用很同情的眼神看了张明哲一眼，张总觉得自己浑身冰冷……

一份亲子鉴定报告书摆在医院亲子鉴定中心的办公桌上。

医生把这份亲子报告书缓缓地递给张明哲，张明哲不敢看。

"张明哲与张刘桢不存在亲生父子关系，刘贝贝系张刘桢的亲生母亲。"医生那不带有任何感情色彩的声音念出了张明哲最怕的事实，他整个人崩溃了……

这就是张明哲此生最大的痛苦心酸，这种痛无法喊出声儿，他快疯了！

刘家今晚来了一个不速之客。悲痛欲绝醉醺醺的张明哲蹒跚地走到坐在大沙发上看电视的刘贝贝、刘爸爸、刘妈妈跟前，他悲愤地一把拽起刘贝贝的头发。

排山倒海的怒骂声充斥着刘家别墅的大客厅里。

"你看……这是亲子鉴定，张刘桢是你和谁的野种哈？你们刘家还不让我再结婚，不让我再有孩子，是让我断子绝孙啊！你们还是人吗？把自己风流成性的女儿塞给我，让我给这个野种当了十几年的爹啊……我一辈子被你们刘家支使得团团转，我悔呀，我好悔呀！……"张总捶胸顿足地大骂着。

刘爸爸疑惑地拿起那个亲子鉴定书，看完之后他也浑身颤抖得无法自制。刘爸爸确实不知道张刘桢不是张明哲的亲生儿子这件事儿。

张总快疯了，这真是个奇耻大辱呀，他见了什么就砸，就摔，就踢，就毁，不一会儿，刘贝贝被打得鼻青脸肿，刘家客厅的一个大鱼缸也被张明哲用凳子砸破了，满地流的都是水，整个客厅一片狼藉。

"莲娜……莲娜……快来救命呀……莲娜……莲娜……"刘贝贝吓晕了，可是她内心觉得现在只有喊莲娜的名字才能降住这个要杀人的张明哲。

果然张明哲一听见刘贝贝喊莲娜的名字他马上停住了脚步，有些艰难地抬起头四处张望着好像在找莲娜的身影，刘贝贝趁张明哲这时的迟疑，一下子从地上爬了起来跑上楼，找到一个房间赶紧躲进去，然后把门死死的反锁了。

她哆嗦着拿出口袋里的手机拨通莲娜的电话。

"莲娜……莲娜……快来救命……张明哲……要，砍人啦……"

莲娜吃完晚饭正在大屋子里的桌子前教小李子学函数，听见刘贝贝这罕见的求救电话她大惊失色。

他们驱车来到刘爸爸家的大门口，惊奇地发现已经有辆警车停在门口，小李子和莲娜赶紧跑进刘家，他们看见刘家客厅已经被毁得不成样子，张总和两个来执勤的警察在大声地争辩。原来是躲起来的保姆被这个疯狂的情景吓坏了，未经刘家同意自己擅自拨110报警了。

这两个警察是才调来管这一片的警察，还不太识这里水的深度，一进来看见张总还在疯狂地砸东西，地上还有一把大片刀，他们就一把揪住张明哲把他铐了起来，他们要带这个疯狂的人去警局先拘留了再说。

莲娜看见张总被他们拷上双手押上警车，张总这时一转头看见莲娜和小李子来了，他马上对小李子和莲娜喊："小李子快去给公司的郑律师打电话。"

莲娜看见以往稳重威严的张总和前几天阿豹被逮一样被警察塞进警车，难过地留下了焦急的泪水，她怕张总没有阿豹强势在那个地方被人欺负。

"您别怕，我们马上想办法救您，您一定要坚强。"莲娜对车里的张总喊道。

莲娜的眼泪和痛惜的话语被张明哲看得清清楚楚、听得明明白白，他狂暴的心好像突然没有那么痛了，他突然明确了一个念头，有了这个女人，他的世界就有了一缕温暖的阳光。

车门关上了，警车开走了。

小李子赶紧给公司聘请的郑律师打电话。郑律师听完小李子的述说之后吃惊不小，他让小李子马上了解一下事情的经过，说他这就去想办法解救张总。

张总在警察局里没待够三个钟头，就被人提出来，放了。

来接他的是郑律师、小李子还有莲娜。郑律师还要做善后的事儿，就先开车走了。张总低头含泪坐上莲娜开来的小面包车也离开了。

在五星级宾馆的停车场，张总狼狈地从莲娜这寒酸的小面包车上下来，他脸上有些血痕，不知道是怎么搞上去的。

张总带着莲娜和小李子上到酒店21层楼，来到张总在这个酒店长期包租的一套房间里，小李子进到房间赶紧给张总泡了一杯茶，随后给莲娜也泡了一杯。

张总疲惫地坐在沙发上。

"小李子你去我家拿一份资料，还要给我打包几件出差的衣服。"

张明哲似乎想把小李子支走，他想和莲娜待在一起。

莲娜一看这个阵势也马上站起来了。

"张总，那您洗一下就休息吧，我也该回去了。"

张明哲一看莲娜想走，他的眼圈一下子就红了起来。

"莲娜，你……能陪我在这里说会儿话吗，我现在很孤独，很痛苦……我不会对你怎么样的，这你放宽心，我张明哲不是那种不堪的人。"

莲娜想了想，现在丢下张总多少有些不人道，她还是相信张总的为人，不然，她也不会和他做朋友的。

"好吧……小李子你快去拿那份资料，莲娜姐在这里等你一起回去。"

小李子犹豫了一下，拿了别墅钥匙转身走出客房。

小李子一离开客房，张总好像一下子支撑不住了，他一下子紧紧拉住莲娜的手抽泣起来。男儿有泪不轻弹呀，张总这个在各种生意场上的常胜将军，这时却是一点没了主意，他已经乱了方寸，无法再气定神闲地装模作样了。

"莲娜，莲娜……我完了，我什么都没有了，儿子没有了，寄托没有了，人也要被他们刘家净身出户了，他们太狠了，刘家，我和你们有不共戴天之仇！"

莲娜默默地陪着张总坐着流泪。

她既为张总哭泣也为张刘桢难过，这个刚刚在医院被抢救过来的孩子要是知道了这个残酷的事实可怎么办呢？这个刘贝贝，由于她的无耻改变了她最亲近的两个男人的命运，也改变了她自己的命运，从幸福的顶点转变到凄苦的悲凉之中。刘家的好运到此为止，该散了！

"莲娜，我只有你了，你不能抛弃我，你不能离开我呀，你不能呀！"

张明哲张总突然又紧紧拽住莲娜的手用那种可怜的语调恳求莲娜，可是，莲娜一听张总这样说她马上就想把自己的手从张总的手里挣脱出来。

"莲娜……莲娜，你不要拒绝我，你不是很喜欢我母亲吗？为了她老人家你不要拒绝我，我不能没有你呀……"张总声调凄惨，莲娜有些害怕了。

"不，不可能，我们第一次见面你就提出不让后妻生孩子的无理要求刺激了我，我在第一时间就否定了你，所以，你不要再和我提这个要求。"

张总一听莲娜的这些话像被夯了一闷棍一样，他直愣愣地看着莲娜，他真的觉得这个世界太捉弄人了，以前，他对所有女人洋洋得意地说着自己已经有儿子了，不想再生孩子了，他直接拒绝那些女人让她们伤心流泪时，他从没有想到伤害别人的痛苦，可是，现世报马上就来了，他的骄傲成了他的奇耻大辱，耻辱啊！现在他知道莲娜为什么这么拒绝他了，他以前百思不得其解为什么莲娜屡屡拒绝他，莲娜从没有和他正面谈起过她对他以前提出的不让后妻生孩子的看法，由此看来其实莲娜是非常在意这个的。现在他已经没有孩子了，他已经锥心地感受到自己没有后代的痛苦了，他也知道了自己以前对女人提出这个非分要求对女人是多么残忍。钱财是什么？是浮云啊！是的，是他的自私给自己掘了一个坟墓。

他一下跪在地上"啪，啪"左右开弓扇了自己两记耳光，这是他该得的。

"哎，张总，您怎么自己打自己呀！快站起来。"

莲娜连忙来拉张总的手，不让他打自己的脸。

"我该打，我为自己的狂妄，我为自己的自私向你道歉，莲娜请你原谅我，我知道自己错了，错的太离谱了，你也看见了，我已经受到了惩罚，我的儿子……儿子竟然是别人的……现世报呀！莲娜，原谅我以前的自私，我们忘掉以前的一切误会，我们一起从头开始，我们结婚吧，你喜欢生几个孩子就生几个孩子，我们会过着幸福的生活，你不要拒绝我……"

张总流着泪又来抓莲娜的手，莲娜有些害怕地后退不让张总抓她的手。

"不，不，张总我不爱您，我不会和您结婚的……"

张总有些茫然，又有些犹豫，他看着莲娜慌乱又坚决拒绝他的样子，他心痛得无以复加，好像要碎掉了，他红着眼没有继续逼迫莲娜答应他。

他站起身从酒店的酒柜里拿出一瓶法国红酒，打开盖子，他就开始喝酒，直接像喝啤酒一样的对瓶灌，有些酒就从瓶口里流出来。

"张总您不要这样喝酒，这样喝您会喝醉的。"莲娜去夺他手中的酒瓶子。

"嘿嘿，喝醉了好……我已经没有人要了……没人管了……家破人亡，活得好失败，这样活着有什么意思，喝死了倒好。"张总自嘲道。

莲娜有些害怕，她马上给小李子打手机，让他快些过来。

"莲娜，莲娜你不知道……我……我第一眼就看上了你，喜欢上了……你……我开始单相思了……我……我……想为你做任何事儿，我……我爱上了你，像个毛头小伙子一样……情窦初开……莲娜……莲娜，我爱你……"张总用手指着莲娜笑嘻嘻地说。

莲娜不知自己该怎么回答他，只能劝他不要再喝酒了。

"莲娜，你，你让我这里很痛，很痛……"张总"啪，啪"拍着自己的胸脯，他说着话，眼睛里流着泪水。

"你……你为什么不爱我呢？我……我可以把心掏出来给你看，莲娜……莲娜，我好痛苦，好悔恨，要是当时我不和你说婚后你不能生孩子你会不会答应和我交往呢？嗯？你回答我。"张总醉了。

"看见你为了钱受那么多苦，我爱莫能助，心好痛。你不知道，我每天都为你担心，怕你晚上摆摊被人欺负，我有几次晚上开车偷偷地去看你摆摊，看见你在寒冷的晚上冻得直跺脚我心如针扎呀！……"

莲娜听张总说的这些话有些想哭，她低头想了想，要是在酒店咖啡厅张总不说那个过分的要求自己会不会和张总试着交往呢？

可是，莲娜现在有了阿豹，有了阿豹的爱情，就是金山银山堆在她的面前她也不会多看一眼。

"不会，我不会接受您，因为……因为我不爱您。"

莲娜不想伤害张总，可是，她觉得自己不能欺骗张总。

"莲娜……莲娜……你太狠心了，没有你，我今后的人生还有什么意思……不，不，我忍受不了没有你的生活……失去你，我比死了还要难受……莲娜，不要抛弃我，你说，你不会离开我的……你会和我结婚，我们要生好几个孩子……"张明哲急了，他歇斯底里地抓着莲娜的胳膊让莲娜答应他的请求。

"不，我不能，我不爱您，我不会和您结婚生孩子。张总您不要悲伤，您是个这么优秀的企业家，您以后一定能遇到您的真爱，生好几个可爱的孩子。"

莲娜要挣脱张总抓她的手，可是张总的手像铁钳子一样紧紧抓着莲娜不放手，就像抓着一根救命稻草一样。

"我不要和别人真爱，你就是我的真爱。莲娜，我求求你，不要拒绝我，不要抛弃我，不然我真的不想活了，莲娜不要拒绝我，给我一条生路……"

"不……不……"莲娜不知道该说什么，她只是无奈地说着不。

"你是真的想我死，是不是？好，我死给你看，连你也要抛弃我，我真的不要活了，我……我……从这里跳下去，一了百了……"

张总说完就朝落地大窗户跌跌撞撞地走去，他颤颤巍巍地抖着手把窗户推开，一只脚就跨过去了……这一举动可把莲娜吓坏了，她急忙追过去抱住张总的另一条腿。

"张总，您下来……您下来好好说……不要冲动……"

"你答不答应？你不能离开我，你答应要和我结婚，要和我生孩子，不然，我现在就跳下去……"

莲娜急得没有办法，这要是张总跳下去，那不就完了！

她马上随口答应："好，您下来，不跳楼我就答应您，您快下来啦！"

果然张总一听莲娜说这个话，马上由悲转喜，腿又跨回来了。

"你，你说话要，要算数，莲娜我爱你！我要和你结婚。"

张总腿脚不利索的被莲娜搀回到沙发边上，坐下，莲娜马上要去给他倒茶，张总紧紧抓着莲娜的手不让她离开。

"我……我抓着你……你别想……再……再逃跑……"张总好像已经筋疲力尽了，他只是紧紧地抓着莲娜的手，不松开。

这晚小李子陪着崩溃的张总度过漫长的夜。

64 绝好商机

莲娜回家后一看表已经后半夜两点多钟了。阿豹正在等她回来。

莲娜一进屋就发现了问题，屋子里好冷，原来阿豹今天画画太专心了，屋子里晚上十点多钟就冷下来了，原来是炉子灭掉了，没有小李子和莲娜在，这个炉子阿豹就是弄不好，莲娜赶紧要出屋生炉子，阿豹立刻拦住她。

"别去了，没有煤了，我太笨了，应该早点告诉小李子去买煤的。"

莲娜说："那我去吴大妈那里借几块煤，晚上这样太冷了。"

阿豹又拦住莲娜说："吴大妈和吴大爷去他们儿子家商量事儿了，房子快拆迁了，可是他们吴家的要求拆迁办还没有满足，他们准备拖延，要当钉子户呢。他们家的煤都锁在屋子后院呢，哎，几块煤也要锁起来，怕我们去偷他们的。"

"哎呀，那怎么办？好冷呀。"莲娜有些犯愁。

"正好，他们都不在家，我们今晚可以……钻到一个被窝里……互相取暖了。"阿豹说完这个话就来搂住莲娜，莲娜一下脸红了。

从阿豹在肖文那边当着肖文和小李子的面表白对莲娜的爱情之后，莲娜和阿豹都没有两个人单独待在一起的机会，这段时间发生的事情太多了。

阿豹伸手紧紧地抱住了莲娜……

"宝贝，今天真的好想你，一个人待在这么冷的大屋子里，想得更甚。"

莲娜第一次听阿豹这样情意绵绵的叫她，简直像被电击了一般，这么新奇甜蜜的感觉莲娜长这么大还是第一次感受。莲娜觉得幸福塞满心胸，整个人都变得轻盈起来，浑身充满活力，这种感觉太迷醉了，莲娜脸红红的，像喝醉酒一样，天哪！这就是爱情么？太神奇了！

"宝贝，你真漂亮。"阿豹也脸红红的，这声"宝贝"是从他心底呼唤而出的。阿豹知道自己对莲娜的爱是不掺有任何杂质的真爱！这是他这辈子第一次这么真的去爱一个女人，这种爱可以用他所拥有的任何东西去交换！

虽然已经三月初了，可是没有暖气的大屋子里晚上还是冷得够呛，尤其是后半夜更冷，阿豹眼睛亮闪闪的把莲娜拥进被子里，俩人衣服也没敢脱，他们紧紧地抱在一起互相取暖……

莲娜的心中有些挣扎，她爱阿豹，很爱很爱，尤其是阿豹这次英雄救美，莲娜从心底已经彻底接受了阿豹的爱情，她也肯定了自己对阿豹的真心和爱恋，她怎么能不喜欢和阿豹这样紧紧地拥抱在一起，甜蜜的亲吻，肌肤相亲呢，可是莲娜还不太想和阿豹马上拥有这些。

莲娜想让自己的大脑清醒一下，她万般不舍的借口上洗手间，然后急匆匆地钻进隔壁自己的小隔断。阿豹觉得自己要是和莲娜就这样继续待在一起，他会情不自禁的，可阿豹又不想莲娜被冻坏了，阿豹就想了一个好办法。阿豹说服莲娜，让莲娜和他一起去一个比较著名的温泉宾馆泡温泉，这样晚上就不冷了。

到了温泉池，莲娜看见好几个不同的池子里冒着温润的热气，这么晚了，客人已经不多了，只有三三两两的几个人。

"哎，宝贝，快来，这个温度的水真舒服呀！"阿豹用欢快地声音让莲娜也脱下浴袍坐进温泉池里。

莲娜正在感受着温泉水的可爱，一抬头，她看见阿豹亮闪闪的眼睛正用欣赏的眼神看着她穿比基尼的身子，她害羞地低下了头。

"宝贝，你的身材这么好，以后给我做模特吧。"

莲娜被阿豹赞许的有些窘，她不敢用眼睛正视阿豹的眼睛。

他们慢慢地靠近，阿豹轻轻地用胳膊环围着莲娜的肩膀。

缠绵在不停地放大……

头晕乎乎……莲娜被阿豹牵着来到外面的柜台……阿豹开了一个酒店房间。莲娜紧紧地跟着阿豹走，她知道从此以后不管阿豹这个男人走到哪里，她都会跟着这个男人走，不管是天涯还是海角，她愿意跟随着他浪迹天涯……

痛并快乐着……那声轻轻的呢喃是阿豹心中最美的音符。

洁白的床单上一朵鲜红的"蓓蕾"正在怒放……

阿豹不敢相信，莲娜还是处女之身。"宝贝，我爱你，爱你一辈子！"阿豹紧紧地抱住莲娜激动得无法言语。

经过这一晚莲娜已经变成了真正的女人，她的美是那样的独特和芬芳……在这个夜晚，他们两个相爱的人儿在彼此的心里种下了一棵爱情的树苗，这颗树苗在未来的岁月里被浇水施肥长成参天大树。

阿豹已经不让莲娜再去摆地摊了，莲娜的地摊生涯告一段落。

这段时间张总好像也很忙，自从那次分别之后他给莲娜打了一个电话，说自己要忙一阵子，忙完了再来找莲娜。小李子每天也忙得不行，问他在干什么他也不说他在忙些什么。是张总让小李子别说什么的，其实，张总现在转移财产的动作加快了，他不能便宜刘家人，莲娜名下的财产已经有很大一笔数了。

这天从美国来了一位朋友——韦伯，韦伯是来参加一个品牌周活动的。

韦伯邀请阿豹去参加这个品牌发布会，顺便聚聚。阿豹想这是个介绍莲娜和韦伯认识的极好机会，这次要把莲娜隆重推荐给韦伯，接下来组建公司就顺理成章了。这次见面要给莲娜好好包装一下。

这天晚上，阿豹让莲娜穿上那件黑色晚礼服和貂皮披肩，并吩咐莲娜不要说自己是个小贩，只说自己组建了一个公司，正在寻找好的经营项目就可以了。

阿豹打电话给小李子问可不可以把上次公司的宝马车借来用几天，小李子在电话里回答说没问题，下午下班小李子就把那辆白色宝马车开回来了。

阿豹在大屋子里简陋的桌子上给莲娜和小李子讲了自己想把这个奢侈品品牌总代理拿下来的计划。他给莲娜和小李子讲了怎样把韦伯这个奢侈品品牌中国总代理拿下来的策略，他说让莲娜来经营，公司马上就着手开始注册，但是最少要500万的注册资金，现在阿豹手上没有这么些钱，这些融资由阿豹来想办法，不行的话找一家有实力的公司一起合作。

小李子要协助莲娜，这次要当莲娜的助手把莲娜的派头和范儿烘托显现出来，联手把莲娜包装成一个精明的商界精英的样子。

阿豹让小李子看见韦伯要机灵，处处要对莲娜显得殷勤有礼。小李子点头答应了。

　　小李子心里有想法，那些转移到莲娜名下的财产都是张总支使小李子办的，小李子知道莲娜名下已经有了那么大一笔资产，要是想拿下韦伯这个总代理，资金是绰绰有余了，可是，小李子和张总不敢告诉莲娜，怕莲娜知道是坚决不同意这样做的。

　　可是眼见阿豹为了拿下这个项目给莲娜来做，却为资金伤透脑筋，小李子很揪心哪，要想拿到这么大一笔钱哪里这么容易，虽然这是个好项目，可并不容易，阿豹和莲娜现在是两手空空很难成功。要是找张总合作这个项目一定能够成功，以张总对资金的运作是游刃有余，还有公司那么成熟的团队，加上阿豹对奢侈品的理解，对艺术的品味，莲娜姐怎么会不成功呢？可是怎么办呢？阿豹和张总现在是情敌呀，为了莲娜姐他们都在不遗余力地付出，在内心里小李子还是希望阿豹和莲娜姐在一起的，可是想想张总对莲娜的那种爱，更不含糊，小李子就有些犯难了，不知道该帮谁。这三个人的关系，能合作吗？

　　以小李子对张总的了解张总一定会抓这个商机的，商人都是看得见利益的，公司也在想朝这个领域渗透，可是苦于没有一个好的商机，像韦伯这样时尚界的人还只有阿豹这种人可以与之打交道，张总这样的纯商人韦伯是不感兴趣的。可是，阿豹和莲娜会不会和张总合作就很难说了。

　　小李子有些犯难了，究竟怎么办呢？小李子很想莲娜姐能成功，小李子想到这里有些释然，助莲娜姐成功是最重要的，至于爱情那就是天注定了！小李子乘莲娜在阿豹的指导下精心化妆的时候悄悄走出大院去，在外面街道上给张总打了这个关键的电话，果然，张总马上让小李子把那个奢侈品的品牌名称告诉他，他让小李子等他的电话。过了二十几分钟张总打电话过来说让公司的高级市场调研员查了这个品牌，在中国确实还没有总代理商做推广，这是个介入的绝好机会。小李子说了自己的担心，说他怕莲娜和阿豹不接受张总公司的介入，张总就在电话里面说了一席话，小李子频频点头……

🌸 65　第一桶金

　　在五星级酒店的多功能会议厅，他们三个看见了韦伯。

　　阿豹隆重地介绍了莲娜及小李子，韦伯用优雅的微笑点头和他们打招呼。

　　秀后的招待酒会上韦伯和阿豹相谈甚欢，小李子跟在他们后面默默地听着。秀场完后，阿豹和莲娜请韦伯去一家酒吧继续喝酒。离开秀场韦伯情绪就比较轻松起来，谈话也越来越放松，后来韦伯从他的公文包里拿出一包装饰品配件样式给莲娜和阿豹看，问莲娜能不能在中国找到能做出同样款式的供货商，他们想在中国找到价格便宜的供货商。他们已经开始找了，但还没有找到满意的，韦伯这次来也想看看中国市场自己找一找看。阿豹说莲娜这几天抽空可以帮韦伯跑一跑看一看。韦伯很高兴。

阿豹又很正式地和韦伯谈了他和莲娜希望做那个奢侈品中国总代理的事情，韦伯点点头。最后，他们很愉快地结束谈话。

阿豹和莲娜自己打车回去了，小李子用宝马送韦伯回去。小李子趁机说莲娜是个非常有实力的公司老板，受莲娜和阿豹的委托以后由他来具体和韦伯谈那个奢侈品总代理的事宜，前一阶段的商业谈判由他和韦伯谈，谈到最后差不多了最后再由莲娜和阿豹来拍板。韦伯连连点头，小李子说的莲娜的公司规模和实力让韦伯很满意。

第二天，小李子把韦伯接到张总的公司。韦伯看见莲娜公司所处的地段是CBD的黄金地段租金非常昂贵，办公室装修得也很气派。张总作为莲娜的合作伙伴和韦伯见面，所有商业上的资金运作由张总这个合作者来做，品牌市场和艺术总监由莲娜和阿豹来做，一套完整的商业方案令韦伯非常满意。这个莲娜的公司做事情很高效，专业，敬业，给韦伯留下了很好的印象。

谈的差不多了，韦伯说他马上把这个方案传递给欧洲总部，总部讨论筛选之后再给回信。张总很会做生意，他的专业稳健给韦伯留下了深刻的印象。

这些天莲娜也没有闲着，她很勤奋，每天到全国最大的小商品批发市场带着样品去跑货，做比对，寻找工艺相当的产品。这种产品在江浙一代的民营企业里有不少，她给厂家打了很多电话，拿到了很多的资料和样品报价。

在韦伯快回国时，莲娜和阿豹把这些样品给了他，韦伯看后非常欣喜。他没有想到这些厂家做的这些款式这么精美，而且价廉物美，他对莲娜的高效勤奋留下了深刻的印象。"我们之间的合作是很有希望的。"韦伯对阿豹说。

阿豹和莲娜并不知晓小李子和张总做的一切，他们以为韦伯说的合作是真的和阿豹、莲娜之间的合作呢。

韦伯回国了。阿豹开始和在美国的陈虎商量用自己的画抵押拆借200万元人民币，陈虎同意了，可是，还差300万让阿豹很伤脑筋。阿豹和陈虎打电话时小李子在旁边听见了，看着阿豹有些焦头烂额，小李子很焦急可是也无法明说，他怕现在阿豹知道了他们和韦伯的合作生气不愿意做，那就前功尽弃了。张总说等合作成功了再和阿豹和莲娜说，他们就是不愿意干可总代理也拿下来了，那时再做阿豹和莲娜的工作。他说他一定能说服阿豹和莲娜和他一起合作的。这就是张总的胸怀。

三月底阿豹准备画画很忙，阿豹的画展被延后，最后定到在四月底举行。

不久，韦伯给阿豹和莲娜带来好消息，说莲娜给找的一家江浙企业做的货样达到了他们公司的要求，价钱谈得也很不错，他们公司已经下了一个大订单。由于阿豹和莲娜帮助韦伯联系的厂家，韦伯拿到了总货物百分之几的佣金，这些也有阿豹和莲娜的功劳，他给了阿豹和莲娜他佣金的一部分，按欧元计算折合人民币将近税后 120 万元人民币。

　　这可是真金白银呀，阿豹真的没有想到他和莲娜的第一桶金就这样挖来了。机会总是给有准备的人，这话说得一点儿没有错。

　　这家欧洲奢侈品公司在最后入选的五家申请总代理的中国合作者中最终选择了莲娜和阿豹、张总做了总代理。这是一个多月以后的事情了。

　　这些阿豹和莲娜都不知道，他们俩人正绞尽脑汁地在那个四处漏风的大破房子里想办法找资金和合作伙伴，在这里他们畅想自己的远大理想，一步一步地朝自己的理想去奋进⋯⋯

　　就在莲娜和阿豹忙忙碌碌地奋斗着的同时，传来一个不好的消息，吴大妈家的房子终于要拆了。

　　吴大妈和吴大爷一家子和拆迁公司的人杠起来，他们一家的口号是：抗争到底，决不妥协！

　　阿豹和莲娜也慌起来，这里已经住不了了，他们开始四处找房子，可哪里也不合适。阿豹要画画，房子太小了不行，起码要 150 平方米的空间，要大些的客厅当画室。

　　阿豹打电话问肖刚有没有这种地方，肖刚说他自己有一间将近 180 平方米的房子在城郊结合部，不过是个毛坯房，老婆嫌远买了好几年还没有住过。当时肖刚买的时候价格很便宜，可是现在那里也已经涨得如天价了，CBD 的大后方么。肖刚的老婆想把这个房子卖掉，买个远郊的别墅。肖刚说如果阿豹想要这个房子的话他可以便宜些卖给阿豹，但是阿豹去美国办画展要提携他一下。

　　阿豹算了算，肖刚给的这个价钱比较合适，用赚来的 120 万元做个首付还差一点儿，他和莲娜再想办法添几万就可拿下，其他的房款贷款 20 年。但是这样他们还是拿不出装修房子的钱来。之后做生意他们俩可以拿这个房子去银行做抵押，一举两得，他便和莲娜商量以他们两个人的名字把这套房子买下来。

　　莲娜愁苦地说："我们哪里有钱买这个房子呢？"阿豹变戏法似的给莲娜看韦伯给他们的那 120 万元，看着银行卡上的 120 万元莲娜流下了眼泪，阿豹也哭了⋯⋯前一段时间阿豹没有告诉莲娜他们从韦伯这里赚的 120 万，他想求婚的时候再告诉莲娜他们两个人已经赚了 120 万，可现在却以这种方式让莲娜提前知晓了。

　　莲娜苦尽甘来了！真的是实现了她的梦想："房子、老公一把抓！"呵呵！阿豹和莲娜抱在一起痛哭流涕，用这种方式庆祝他们的胜利⋯⋯

　　在内心深处，阿豹真的是深深地感激莲娜给他带来了新生。

　　"宝贝，我去纽约开画展赚到第一笔钱就马上回来装修这个房子，我要在我们美丽的新房子里娶你，和你一辈子恩恩爱爱永结同心，白头偕老，你说好吗？"阿豹擦了一把眼泪情意绵绵地对莲娜说。

莲娜害羞地点点头。

现在，没有钻戒，没有婚纱，没有烛光，只有一套没有装修的毛坯房，还有20年的贷款，可是莲娜已经答应了阿豹的求婚。勤奋、善良、真心相爱、一起奋斗，有了这些就是一切幸福的源泉！

林红和西蒙已经等不及阿豹和莲娜了，他们两个已经先结婚了，他们现在已经带着小燕子去欧洲幸福地度蜜月去了。

阿豹问莲娜："现在只有这个毛坯房栖身，可以吗?"莲娜含泪笑着说："只要有个空间，跟着你住破土窝都行。"

"现在厕所没有铺地砖那里不能洗澡，太委屈你了！"

"没关系，我们先去外面的公共澡堂去洗，我们就从贫贱夫妻的白手起家开始我们今后的生活吧，我坚信我们会越过越好。"莲娜坚定地对阿豹说。

"嗯，我们以后有的是时间慢慢把我们的房子越弄越漂亮，然后再生个小 baby，你说好不好?"阿豹笑眯眯地看着莲娜的脸笑着问，莲娜害羞地点头。

66　玫瑰婚戒

吴大爷、吴大妈和几个儿子与拆迁公司的战火逐渐升级。

这边不让拆，那边非要拆，僵持了好几天。

这一天气氛紧张了起来，一大早推土机也开来了。

这边吴大爷和吴大妈的三个儿子、两个女儿也都来了，这一边组成了房子保卫阵，那边来了几十个带着安全帽，手拿钢钎、铁铲的拆迁工作人员，他们在一个小头目的带领下开始强拆房子了。

吴大爷和吴大妈奋起反击，他们俩冲在保家第一线，那种拼命的劲头让拆迁的人有些胆寒，一时间拆迁又陷入僵局。

一直挨到下午一点儿多钟，拆迁队有些耗不起了，他们商量之后下了最后通牒，用手持喇叭喊了最后一次话，让里面的人退出房子，拆迁正式开始。

这下真的炸了窝了。推土机轰隆轰隆朝前开去……

"不许开，不许开……"

有些瘦的吴大爷一马当先，吴家的人要冲过去阻拦，那些戴安全帽的拆迁人员一起阻挡，在大家的尖叫声中，"轰隆"，最外面的一堵墙被推倒了。

"啊！"一时间，骂声、喊声、叫停声此起彼伏。

莲娜此时正买了盒饭回来给阿豹充饥，车子已经开不进来了，莲娜是下车走过来的，她穿过那些大型机械，走到近前去，正看见推土机推的那面墙倒了下去！

她惊叫一声把盒饭扔掉，心颤抖得发疯了一样跑上前去，这堵墙不正是他们住房的那堵墙吗？阿豹还在里面没有出来呢。

莲娜尖叫着跑上前去，在一堆破砖烂瓦中，人们看见有一个人在瓦砾里面不停地手脚乱动，这个人正是阿豹呢。

外面的争吵没有干扰到这个画疯子，他耳朵上带着耳机正在听美妙的音乐忘我画画呢！突然，旁边的墙就倒塌了，这个画架正好靠在这堵墙前呢！墙一推倒就把阿豹埋在这堵墙的瓦砾里面了，画架也被毁了，人也差点儿出意外。

大家把阿豹抢出危险地，莲娜心痛地扑过去。

这里吴大爷一看自己家的墙被强行推到了，他心里痛得怪叫一声，拿起一小桶汽油就往自己身上倒。他很激动地让大家退后，不要再拆房子了。

拆迁的人一看吴大爷这么拼死护房，也被吓住了。

有人一看这个阵势拿起早就准备好的灭火器反转过来就朝吴大爷的身上喷去，霎时，一股呛人的喷雾弥漫在拆房现场……

乱了，乱了……一切都那么混乱，无序了。警车已经开来了，现场拉起来黄色警戒线……

莲娜把口耳鼻里都是灰尘的阿豹搀扶到空地，心痛地仔细检查阿豹的全身上下，上帝保佑！幸好没有伤到要害部位，只是身体有些地方擦伤。

现场有些人被带走了，推土机轰轰隆隆地开进拆迁现场。很快，这里就被推的一片狼藉。屋子荡然无存了！

莲娜和阿豹还抢出了几幅阿豹正在画的画儿，还好，大部分值钱点的东西莲娜昨天已经转移走了，剩下的床呀、书柜呀、桌子呀这些准备今天找大车来搬运的家具转瞬间都找不到了……

莲娜把满身尘土的阿豹载在车子上朝他们城郊结合部的毛坯房开去。莲娜不停地给阿豹讲毛坯房现在被收拾成什么样了，莲娜想让这些冲淡刚才的事情。

莲娜开着小面包车载着她心爱的人儿在这个县城里四处转悠。在一个叫不出名的巷子里，她瞄见了洗浴室的招牌，一看这个歪歪倒倒的招牌莲娜就知道不是个高级的地方，可是阿豹不想再转悠下去了。

"不用讲究了，就在这里洗七块钱一个的澡吧，以后要节约每分钱为新房子攒装修和还贷款的钱呢。"这是从阿豹这个时尚潮男的嘴巴里说出的话。这个无名巷子里七块钱一次的低档澡堂，以往的阿豹看都不会去看一眼。他以前是要住高档公寓，住五星级酒店，洗高级温泉的时尚人士呀！即使没钱也不会来这个地方，要不是莲娜带他来这里，他都不知道有这种洗澡的地方，可是，现在和莲娜在一起，阿豹改变了，他可以不穿名牌，不用名牌，把身外之物都看成是"浮云"，只有相濡以沫的真情才是生活的必需。

阿豹真的是变了，面对艰苦的条件，他已经安然自若了，阿豹已经成熟了。

"走吧，我今天要去买很多东西，要做很多的菜。"莲娜湿着头发对走出浴室的阿豹说。

"嗯，我还要买红酒，红蜡烛，玫瑰花，蛋糕……因为，今天是我们的洞房花烛夜！呵呵……"阿豹兴奋地说。

一进入这个婚房阿豹那个激动！毛坯房的客厅真大，有30多平方米。现在毛坯房的墙上是裸露着的灰泥墙，什么也没有挂，家里空荡荡的，没有什么家具，连椅子都没有，房子中央只有一只孤零零的白炽灯。厨房里有一个燃气炉接上了天然气，可以炒菜，电饭煲插在插座上，放在地上可以煮饭，切菜的小木案板放在一只捡来的小木凳上方便切菜，锅碗瓢盆和调料都放在地上，一个铁盆放在水龙头下可以洗菜……

"这样太简陋了，真的难为你了，我们明天去买些家具吧。"阿豹第一次看见自己的毛坯房是这样。

"嗯，好呀！附近有一个二手家具市场，我们明天就去买些旧家具，很便宜的！"莲娜兴奋地呼应着阿豹的提议。

"你看，洗手间里的那个洗手架就是我在这个小区的空地上捡来的，还这么好就被别人丢掉了。"阿豹看了看厕所里的洗手架，被莲娜擦洗得干干净净。

"好，宝贝，你真能干！"阿豹赞扬莲娜道。

莲娜开始做饭炒菜，阿豹就在那里摆弄玫瑰花，装饰临时的婚房。他在白炽灯泡上包上一个红色的卡纸，马上客厅里就有一种温暖的色调出来了，喜气洋洋的。弄完玫瑰花，心满意足的阿豹拿锤子往墙上钉钉子，他要把自己的油画挂在墙上，增加跳跃的色彩。

"宝贝，快来看呀，我挂的这几幅新画的油画好不好？"

挂上了画儿，阿豹得意地大声喊叫正在炒菜的莲娜来看他的新作。莲娜拿着铁铲匆匆地跑到客厅来看，阿豹的画作被挂到墙上，真的好棒呀！他这些天的努力没有白费。

"亲爱的，你画得太棒了，我太喜欢了！"

莲娜挥舞着炒菜铲子赞美了好几声阿豹的油画儿，又赶紧跑去厨房继续握住炒菜锅子，炒着锅里的瘦肉炒芹菜。

"那当然，我们的墙是世界级别的高级灰么，衬托得我的画儿就更出色了！"

阿豹得意地退后几步，摇头晃脑的仔细欣赏自己的杰作，他得意极了，这么美好的婚姻生活就要开始了。

他们没有桌子，莲娜和阿豹想了一个好办法，他们把两个装书的纸箱子拼起来当桌子，莲娜在箱子上铺了一块干净的格子桌布，阿豹把买来的红酒、大红蜡烛、精致的蛋糕摆在这个"桌子"上，莲娜把炒好的几个菜放在桌子外圈，霎时，香飘四溢的菜香把人都熏陶醉了。阿豹还把买来的玫瑰花放进一个盛开水的大口瓶子里，摆在桌子的正中央，哎，太浪漫了，该有的烛光晚餐的东西都有了。莲娜在地板上放了两个棉垫子，现在天气还是不暖和的，直接坐在水泥地上还是很凉的。

阿豹开始开红酒了。莲娜想了想觉得少了些什么，她最后想起来了，她把从超市里买的大红喜字贴在客厅的正面墙上，这下才对了，最重要最有气氛的东西是这个啊，阿豹看着大红喜字欢呼鼓掌。

"啊，好棒呀！"没有豪华阵容的婚礼开始了。

他们开始了自己简单但是庄重的婚礼仪式。

没有婚纱，没有礼服，只有一对刚在公共浴室洗了个澡，头发还湿漉漉地披散着的美丽新娘和质朴的新郎。

阿豹找了半天才找到两个纸杯子，莲娜帮着阿豹用这两个纸杯子代替高脚酒杯倒了两纸杯红酒。

"陈豹先生和莲娜小姐的婚礼正式开始。"阿豹和莲娜面对面站着，阿豹正式地说道。

"哎，对了，我忘记放婚礼进行曲了。"

阿豹赶紧从自己的包包里拿出 CD 机，霎时浪漫的婚礼进行曲在这个毛坯房的巨大空间里响了起来。

"来，宝贝，和你的夫君正式地喝杯交杯酒。"

莲娜和阿豹恭恭敬敬地拿着纸杯正儿八经地喝了一个交杯酒。

"哎，我们是不是应该先说婚姻誓言再喝交杯酒呀。"莲娜好笑地问阿豹。

究□□□□□□□□□□□□□□□□□□□□，呵呵，没关系，我们不讲
说□□□□□□□□□□□□□□□□□说好不？来，现在我们开始
说□□□□□□□□□□□□□□□□□上又想到一个细节没做。
□□□□□□□□□□□□□□□□□□里，我们来戴上。"

向□□□□□□□□□□□□□□□□，只有编了这对玫瑰婚戒来
豹□□□□□□□□□□□□□□你看行不？"俊朗深情的阿
□□□□□□□□□□□□□□□□愿意。
□□□□□□□□□□□□□□□娘莲娜戴上。戴着玫瑰花冠
的□□□□□□□□□□□□□丽，她脸上红晕般的光辉像

□□□□□□□□□□□□□也给阿豹戴在手上。两只戴着

□□□□□□□□□□□对着天上的星星和月亮发誓。
□□□□□□□□□□的岁月里愿意与莲娜在一起
□□□□□□□□□誓道。

"我，莲娜，爱他，敬他，一生不离不弃。"

在这个没有证婚人的夜晚，只有星星和月亮陪伴着他们，为他们证婚，有这，就足够了。

两个人眼含热泪，紧紧地拥抱在一起……

67 信任危机？

生活开始变得甜蜜，浪漫，有序……

莲娜是个过日子的好手，阿豹是个骨子里就浪漫的人，即使住在毛坯房里，他也会不时地在画画间隙去小区外面不远的树林子里捡些植物来种进花盆里，放在桌子上兴致勃勃地和莲娜观赏，有时还会去捡些怪怪的石头当宝贝一样摆在墙角，献宝似的给莲娜看。这些热爱生活的举动让有些内敛的莲娜觉得很有情趣，平凡生活应该是不时地有些小浪漫才会觉得回味无穷，才有滋味。

小李子现在忙得很，经常出差，有时一个星期也不回来一次。

莲娜忙着做网店，网店的生意很好，已经找了两个小姑娘在上班了。杨兰已经不太去那个房子居住了，因为杨兰已经怀孕了，她正喜洋洋地享受着老郑及婆婆的宠爱，因为已经B超出肚子里是个男孩儿。她和老郑的结婚问题已经提到日程上来了，不久就快做新娘子了。李婷还在执迷不悟地做着小三儿。

林红和西蒙结婚后辞去了工作，她已经接手主管网店的内务管理，莲娜则负责进货发货及外部的一切工作。

莲娜知道要拼命赚钱了，毛坯房以后每个月的贷款，她和阿豹的生活费用都需要钱。阿豹现在画画这么忙但还是要抽空去教人画画，赚取生活费用。

阿豹和莲娜开办公司的资金缺口很大，这是阿豹心里比较着急的地方。在莲娜面前阿豹总是乐呵呵胸有成竹的样子，每天莲娜一出门阿豹就要打电话联系朋友找合伙人，这件事谈起来很艰难……

这天，阿豹接到韦伯的电话，韦伯说告诉阿豹一个好消息，说他们拿到代理的事情已经明确了。以前，他一直没给阿豹打电话是因为总部讨论得很厉害，总代理不明确，可是昨天已经明确了，选定了莲娜、阿豹和张总的公司。

阿豹呆若木鸡，无法相信，这像个噩梦一样啊！

这个电话让阿豹陷入到一个无法自制的狂怒中。单纯善良的莲娜难道是这种两面三刀的人吗？莲娜难道和张明哲背着他做了什么不耻的交易？如果是这样阿豹将无法原谅。

下午下班后莲娜买菜回家。"老公，你看我今天买了你喜欢吃的基围虾，很新鲜呢，还是活的……"莲娜走过来给坐在那里发呆的阿豹看她挑的基围虾，她没有看见阿豹的那种表情。

阿豹气得把莲娜递过来的虾一把抓过来狠狠地摔到地上。

"你这是怎么了？谁惹着你了？干吗这样？"莲娜惊讶得张大了嘴巴。她无法理解阿豹为什么做出这样暴怒的举动。

"你背着我做的好事儿！你是不是觉得我穷，没有钱，你要这样对待我？我阿豹绝不是个吃软饭的男人，你和那个张明哲想要侮辱我门儿都没有，你要是喜欢他的钱干吗要嫁给我？你和我结婚然后和他暗渡陈仓。我无法原谅你。"

阿豹气得脸色铁青，手脚发抖。

"老公，你这样发火我真的不明白是为什么？到底是怎么回事儿？"莲娜急忙上去想安抚火暴的阿豹，她去握阿豹的手被一把甩开。莲娜婚后第一次被阿豹这样狠狠地推开，心里像针扎一样难受，眼泪流下来了。

"老公你要说明白，我不知道你这样是为什么？我真的无法理解！"

"好！你说，你和张明哲背着我干了什么好事儿？你说呀。"

莲娜委屈地说："我们什么也没有干！我们背着你干了什么呀！"

"你们背着我合作，去拿韦伯的总代理，把我当猴耍？看着我天天给人求爷爷告奶奶的打电话找合作人，呕心沥血地为你的事业奔忙，你看着我这样是不是很好玩？你说你和那个张总到底是什么关系？他会无缘无故给你投资？你知道你们的公司注册资金是多少？几千万元啊！你和他没有什么关系他会为你投资这么多钱？你把我当傻子！我太穷了，差点儿连房子的首付款都付不出来，现在连装修房子的钱都拿不出来，还让你住在洗澡设备都没有的毛坯房里，这太可笑了。你和他有这么多钱，那你为什么还要可怜兮兮地和我这样'卑贱'地住在一起？你去住他的别墅呀，现在又和我这样过穷日子，我无法理解你的脑子里在想什么！你现在要和他去过好日子我不拦，请你不要来要我！"

阿豹泪流满面愤恨无比地说完这些话，穿上衣服，拿起拐杖，夺门而出。屋子里只剩下呆若木鸡的莲娜，阿豹说的话她一点也不明白！

在张总的客厅里，莲娜坐在大沙发前，小李子给莲娜倒茶。

看着莲娜疑惑不解的样子，小李子就把这件事情的前因后果讲给莲娜听，莲娜无法相信小李子说的这些，就像听一个天方夜谭的故事一样震惊。怎么可能现在她的名下有那么多财产，像做梦一样不真实。小李子说那个合作的事儿就这么成功了，那件她和阿豹急得焦头烂额四处求人都无法办到的事情就这样被张总无声无息地办到了，太不可思议了。

莲娜竭力捋清自己的头绪，她和阿豹吃了那么多的苦！得之不易的爱情在她眼里比这些莫名其妙的财富更重要，不要不属于自己的东西这是她做人的原则。

她大声地说："你的钱我一分也不要，所有和你沾边的事我都不会去做。"

张总样子有些憔悴，神情落寞，眼神有些忧郁。亲子鉴定对他的打击显然是无法估量的，现在他又为了和刘家脱离关系，把可以规避的风险都梳理了一遍，

剩女奋斗记

能转移的财富都想方设法转移了。当然，莲娜名下的财产最近又增加了一大块。这也是没有办法的办法，张总现在除了莲娜对谁都不相信。

听了莲娜的话张总没有做声，他不知道自己该说什么，莲娜拒绝财富是他预料到的，可是，现在他除了这样办也无别的办法可想呀！

"莲娜我求求你，就算你帮我一个忙吧，出了那么大的事情我死的心都有了，现在我也不敢和自己的父母说起这件事儿，我母亲还没有彻底康复，修复术还没有做，我哪敢告诉她老人家？你体谅我的难处吧！可是，我真的不能便宜那个刘贝贝便宜刘家，他们太贪得无厌了，我不能把一辈子的心血白白拱手送给他们，何况……何况那个孩子也不是我的……骨血……"张总哽咽着有些说不下去了。

莲娜觉得张总这么个大男人真的有些可怜，他是在商场上叱咤风云的人物呀，可却被刘贝贝一家算计得太狠了，这样被欺负确实太可怜了。确实现在他这个可怜样子她不帮他谁来帮他呢？

可是这笔这么大的财产不是她的她确实不能要呀。最后她做了一个决定。

"好吧，我先声明，我不会要你一分钱，但我可以帮助你拥有它们，毕竟是你辛苦赚来的，但你必须证明这些钱和财产是干净的。我现在就写个声明证明那些在我名下的财产不是我合法拥有的，全是你张明哲的，你要答应我你和刘家了结了这些恩怨之后就把这些财富从我名下全部转走。"莲娜说出了自己的底线。

"我向你保证，那些钱和财产全都是干净的，是我用干净的手段挣来的，莲娜，我不会害你的。"张总连忙向莲娜保证。

"至于这次合作，我可以解释清楚，这样开始背着你和阿豹也有些迫不得已的苦衷。莲娜，你是个不需要别人帮助的女人，这样的性格在商场上是个大忌，你必须知道所有的生意必须和周边的人合作才可能成功，光靠你一个人单打独斗是不可能做好的。你、阿豹、我，我们三个之间没有什么不可调和的矛盾，合作的结果就是双赢，为什么我们之间不可以呢？我理解阿豹的心情，他不愿意和我合作的原因也知道，可是，以你们的条件不可能马上找到很好的合作伙伴，因为你们没有国际贸易的经验，别的伙伴不了解你们，可是我了解你们，我才会在你们身上投资，我欣赏你们独到的眼光和初生牛犊不怕虎的野心。你们无意之间也培养出小李子这个对商机这么敏感的人才，是他在关键时刻的建议我才参与其中，我也是做了大量的商业评估才下决心和你们一起合作的，相信没有我的参与你们也是拿不下这个项目的。在你们还在苦苦寻找合作人的时候，我们已经拿下这个项目，这就是你们力不从心、无法解决的问题所在……"

张总还没有说完，莲娜接上了："你说的都对，可是，阿豹不会同意和你合作的，我……我也知道自己几斤几两，也许我就是个只能做个小网店的小老板，做不了那种大生意，我无法接受这样大手笔的合作，我只想和阿豹平平静静地过自由的生活，没有这么大的野心，总代理我可以出面帮你签字拿下来，但是我们之间合作还是不要了。"

莲娜这个回答让张总有些出乎意料。

莲娜在酒店的桌子上写了声明和签下总代理合同之后，就离开了张总的套房。她在小李子的陪同下出了电梯，走向自己的昌河小面包车……

这时莲娜的手机响起来了。

"什么？他喝醉了，在你们小酒馆发疯？你们小酒馆在哪里？"

68 合作

阿豹在离家不远的一个东北小饭馆吃饭喝酒。

张总拿出大把的钱来投资莲娜这件事情狠狠地刺激到他一向骄傲的神经。

真是大手笔呀！是啊，他阿豹没有钱，求爷爷告奶奶的四处求人也拉不来投资，而张总只要动动手指头就一切搞定，这泾渭分明的对比太刺激阿豹这颗敏感的心了！这太伤他的自尊了。他知道自己现在怎样努力在财务上也比不了张总一根小指头。

其实阿豹这个人对钱没有什么贪厌之心，他不愿意牺牲自己的画家事业去做纯粹的商人。这次这么折腾也是为了他心爱的女人莲娜，他没能做到让莲娜心想事成，觉得很难过，很有挫败感。可是，最后结果却是这样，是莲娜利用了张总的钱想让自己成功么？还是他根本没有了解透莲娜？还是她太有功利思想？一个终究要选择物质的女人对阿豹的打击是巨大的，走了一个薛丽已经足够了，要是连莲娜这么淡薄财富的女人最后也被物质击倒，他对女人就没有信心了。是他太幼稚了吗，相信这个世界真的还会有不受物质污染的爱情？

可是他又是那么爱莲娜，他怕莲娜因为什么不可知的原因而离开他，他真的承受不起这个结果。那些孤独寂寞的日子他已经过够了，他知道找到莲娜就是找到了他的幸福，他无法割舍莲娜。阿豹喝醉酒后就哭了，哭得很伤心。

小酒馆老板受不了这个大男人在他那个小店里哭得稀里哗啦，他上去劝阿豹，阿豹开始骂人，还摔酒瓶，踢凳子。

这不，莲娜和小李子接到这个电话就急火火地开车赶来这里收拾残局了。

看到莲娜来了，阿豹真的像看见救命稻草一样，他紧紧地拉住莲娜的手哭得稀里哗啦，他内心非常的矛盾。

莲娜付了小酒馆老板钱后，和小李子把阿豹搀扶到她的小面包车上去了，阿豹是被小李子背上三楼去的。

小李子把阿豹放到大卧室里新买的一个大双人床上，在这个黑洞洞四面都是灰水泥的寒酸大卧室里就这么一张大床，什么家具都没有，这和张总那金碧辉煌的别墅真是天壤之别呀！

这是阿豹和莲娜的新婚洞房呀，能在这么简陋的地方结婚，这需要多么大的勇气和爱呀！小李子太钦佩莲娜姐的朴实无华了，只要有阿豹的爱情，一切都不是问题。

看着莲娜用充满爱意的眼神看着阿豹，在灰暗的白炽灯下为他脱鞋宽衣，小李子知道莲娜已经选择了阿豹，选择了阿豹的毛坯房，选择了做一个每月要交按揭依然艰难奔忙辛苦工作的平凡妻子的命运。

莲娜看了看已经晚上十点多钟了，就让小李子赶紧回张总那里去。莲娜对小李子说："阿豹现在这个样子哪里听得进去，明天再给他解释吧。"

阿豹和莲娜拒绝参加总代理的一切筹备事务。

虽然这个品牌是以莲娜为法人的公司签下来的项目，可是莲娜不参与组建这个品牌的一切事务，这让张总很头疼。

这天下午，张总亲自打阿豹的电话约请阿豹一个人前来赴约，他说这是两个男人之间的对话，问题要由两个男人来解决，他激阿豹让他一定要前来。阿豹接完电话脸上不屑地一笑，这个富豪让他一个人去赴约是让他去赴鸿门宴吗？有什么好怕的，这个暴发户，还装出一副挺绅士的派头，电话里口口声声地叫着"阿豹先生请你一定要赴约，我晚上在××饭庄的 08 号包房等你，你一定要来！不见不散"。

呵呵！去就去，有什么了不起。阿豹也没有刻意打扮，他穿了一件咖啡色的粗毛毛衣，外面穿一件黑色的薄皮夹克，随便在脖子上搭了一条黑灰色的薄格子围巾，一条黑色的休闲裤，黑色休闲皮鞋，看似随意，可衣料款式讲究时尚，一米八五的身高，是个标准的衣服架子，再配上阿豹独特的气质，酷中带帅而且其中还掺杂着艺术家那种味道。他手上挂着一个小巧玲珑的不锈钢拐杖，卓尔不群的品味让已经坐在包房里的张总惊叹不已。他早就听说过阿豹这个人，可是还从没有正式见过面。这次为了莲娜，他们第一次坐到了一起。

看见意气风发的阿豹，张总真希望自己一下子年轻十几岁才好。

看着这么优秀的男人，张总觉得有些自叹不如了，遇见这样强劲的对手非得有绝对自信的人才能不怯场呀，张总觉得一股巨大的压力扑面而来，他马上挺直腰杆，暗暗给自己打气。

"你好，阿豹先生，欢迎你的到来！"张总站起身来，礼貌地伸手要和阿豹握手。阿豹也非常绅士地伸出手去和张总握。两个男人各怀心事轻轻握手可却在心里互相比较着。阿豹在仔细打量着这个情敌富豪张总。

张总现在瘦了不少，魅力指数还是相当高的，那种事业成功的笃定的气势扑面压来。

张总让服务员拿来菜单点菜，他客气地让阿豹先点，阿豹也不客气，非常大方地打开印制精美的菜单开始点菜。

阿豹对吃好像很有研究，他点菜的派头，对菜式烹饪的小小的刻薄要求，使人觉得阿豹对各种大菜的烹饪很在行，讲究菜式烹饪的人是家境富裕的表现。张总看见阿豹点菜的样子就知道阿豹是个在富裕环境中长大的孩子，这是个很讲究生活品质和质量的有修养的男人。

比比阿豹张总觉得有些自愧不如，他从小在很贫穷的生活环境中长大，年轻时对金钱就非常渴望，而阿豹不是这样的人，他是在比较富裕的环境中长大的孩子，对精神追求比较注重，这种人用金钱是打动不了的。可是现在面对莲娜这个他唯一付出真爱的女人，张总多么想把握住自己的命运，但面对强大的阿豹他张明哲能如愿吗？他不服输，他一定要拼一把，他要争取自己的幸福。

阿豹看着张总，心潮澎湃，面对这个强劲的情敌他绝不能软弱，一定要把自己的幸福紧紧把握住。

两个人面对面地坐着。一场不动声色、针锋相对的较量就要开始了！

"阿豹先生我们喝点儿什么酒？"张总满面笑容地问阿豹。

"喝五粮液吧，这个酒口感很淳厚，入口很绵长，有种和恋人相爱的感觉，就如我和莲娜的爱情，回味无穷。"阿豹不动声色来了一个下马威。

张总微微一笑没有接茬。

"来瓶上好五粮液。"

张总对恭敬站在一边的服务生说，服务生微微弯腰点头，去拿五粮液酒了。

酒很快上来了，阿豹点的各色菜式也开始陆续上来了。

服务生给阿豹和张总每人斟满眼前考究的小酒杯，张总端起酒杯。

"来，我们之间都互有耳闻却没有见过面，今天有幸与你这个著名艺术家面对面喝酒，缘分，一起干了这一杯。"张总非常谦虚地对阿豹说。

"是的，莲娜经常在我面前提起您，说您是个非常成功的企业家，今天终于一睹您的风采，幸会！干！"

看不出阿豹也很会耍嘴皮子，这种恭维话也是一串一串的。

两个人一仰脖子豪迈地干了这杯酒。

放下酒杯两个人拿起筷子赶紧吃菜，生怕自己空腹喝酒被对方灌醉了，落了下风。

阿豹属于先发制人那种，张总选择后发制人，这是他老狐狸的本色，他要的结果还没有说到，不能和阿豹现在就针尖对麦芒，他要温水煮青蛙，对阿豹首先挑明和莲娜的爱人关系不予回应，只是劝阿豹不停地喝酒。

连干三杯后阿豹就放下酒杯猛吃菜，他不端酒杯了，他怕自己喝多了听不清这个老奸巨猾张总的话里藏针，中了他的圈套上了他的当。张总看劝不动阿豹喝酒了，很有些佩服阿豹这个小伙子的定力。

"阿豹先生，我现在抛砖引玉先说一句，我们今天能不能把对莲娜的爱和事业分开来谈？"

张总确实是老奸巨猾，他只有这样说才有可能让莲娜来到他的公司工作，莲

娜只要能出来工作，他就有很多机会接触莲娜，那一切就好办了！

阿豹有些年轻气盛，但也觉得张总说得很有道理，莲娜的爱情和事业确实应该分开来说，他就不自觉地点点头。

"好，你点头就是同意了，我们先来谈谈莲娜的事业。"张总赶紧说。

"我们都知道莲娜是个非常执着的人，她不是一个躲在男人后面的小女人，她勤恳，敢担当，能吃苦，有商业头脑，最重要的一点儿是人品好。这是她以后能成功的最重要的一个因素，所以，我们两个作为爱护她的人不能阻碍她成为一个商界精英，不能让以后的莲娜只能做一个家庭妇女、全职太太，这个你认同么？"张总问。阿豹无法不同意，他又点点头。

"那么，我们就应该给她制造好的机会，好的平台。试想，要是我一开始就告诉你要和你们合作你会给我这个机会吗？而我是个商人，撇开我们三个人之间的恩怨，单单来看这个商机，你们和我合作应该是最好的选择，我们之间互相非常了解，能够充分地融合互补。你我之间有了莲娜这个桥梁可以很快地沟通，把这个事业做好做大。没有你的优势，没有莲娜的勤奋，没有我们公司团队的专业，没有我们公司强大的实力，这个项目是绝对拿不下来的。"

张总一口气说了很多，阿豹低下头没有说话。

他怎么能不知道拿下这个总代理有多么难呢？他手机电话都快打爆了，那些合作者有多么的贪厌，几乎还没有和他谈什么合作意向就想利用阿豹和韦伯搭上话然后把他甩掉。

张总的一席话确实让他很受震动。他其实仅仅就是个激情的艺术家，对做生意根本无法掌控，他没有经过商场的历练，没有和别人合作的经历，像这次和韦伯的合作真的只是他的一次激情冲动，是为莲娜冲动的一次冒险。张总说的这通话他是非常认同的。可是爱情是排他性的，是自私的，他的心里就是不想所爱的莲娜和张总有各方面的接触。他怕张总抢走莲娜，面前的张总是个多么有魅力的成功人士，儒雅，风度翩翩。

"我说的话你以为怎么样呢？你应该没有理由拒绝我们之间的合作吧！"张总满怀期待地问阿豹。阿豹无法不点头。

"那好，为我们的合作成功再干一杯！"张总举起斟满五粮液的酒杯向阿豹致意，阿豹不得不也举起手中的酒杯和张总一碰，他们一仰脖把这杯酒痛快地喝了下去。

"那好，说定了明天你们来公司碰面，专业团队我这里已经组建好了，你们也可以自己再招些你们心目中的人。大家把这个项目做起来！"

"可以是可以，但你要答应我的条件！把莲娜的新公司从你的公司里搬出来，我们要找个符合这个品牌形象的时尚地界来做这个品牌！"

阿豹的提议一下子让张总有些兴奋不起来了！这样不就活生生地把莲娜和他张总隔离起来了么？

张总的脸色有些不悦，可是他马上掩饰了一下，依然面带笑容。

"好吧，就照你说的，在财富中心怎么样，那里集中了许多跨国公司，在那里办公对这个品牌提升很有助力吧！"张总微笑着说。

"嗯，那里不错，在那里办公就好，我和莲娜可以开始按你给的这些条件上任了，现在来谈谈我们三个人之间的问题吧！"

阿豹现在马上要打消张总觊觎莲娜的心思，把他们三个人之间的关系明朗化。张总微微地点头，他觉得合作问题已经圆满解决了，现在是该来谈谈莲娜的爱情问题了。

"阿豹，不管我们三人之间怎么解决，不要把这个结果带到我们之间将要开始的合作上，好吗？"张总对阿豹说，阿豹点点头。

"好，我和莲娜已经订婚了，我们决定我从美国开画展回来就正式结婚，您就不要再掺和我和莲娜之间的事了，请您多关照！"阿豹简单明了地对张总说了这些他早就想说的话。

张总有些意味深长地笑了。

"阿豹，你太年轻了，不成熟，你现在要和莲娜结婚是不是有些太冲动了？"张总声音不大可是阿豹觉得听起来很刺耳。

"我年轻？我和莲娜正当适婚年龄，你情我愿，怎么就不能结婚了？"

"你说要结婚，经过莲娜父母的同意了吗？何况，你现在的经济情况好像还不足以支撑一个家庭的需要。你和莲娜现在身无分文，住在一个什么都没有的毛坯房里，这样是对自己深爱的女人的好的交代吗？莲娜父母看了不会心酸吗？有担当的男人就应该让自己所爱的人过上好日子，可是你呢？从莲娜开始认识你，你带给她的就是痛苦和艰难。我看着很心痛！"张总说着有些激动起来，言辞有些不客气了。

阿豹一听张总的话有些气愤起来："我以为，夫妻只有同甘共苦，一同发家致富，过上小康生活，才是女人最好的成长模式。一个富豪把什么都是现成的奉献给一个女人，房子、车子、公司都得来太容易了，夫妻双方还有什么患难与共的经历呢？我不和你比拼财富，富人到处都是，莲娜不屑嫁这种人。我和莲娜现在虽然只有一个毛坯房，可是我们之间有同甘共苦的经历，有把破旧的小家用勤劳的双手变成窗明几净漂亮房子的决心。这个过程才是婚姻最真实的内容，这样的婚姻才是最稳固的。"阿豹很快速地说完这些话，有些恨意地看着张总。

张总低下头喝了一口水又说："年轻男人自己都不成熟，在这个开放的时代，面对种种诱惑是很难抵挡住的，我不希望莲娜在你还不成熟的时候嫁给你，成为你不成熟的牺牲品。难道你认为我爱莲娜比你少么？只是因为当初我刚认识莲娜时犯了一个大错误，相亲那天晚上我没有坚持把莲娜送回家，才让你出了车祸。你赖住莲娜，霸占她，把她拖进贫苦的生活中，你逼她马上还你十万元，这笔钱让她过着痛苦贫困的生活，她为了还你的债拼命工作着，每天上完班还要给你做饭、洗衣，然后出去摆夜市，你还天天责骂她，折磨她，让她受尽苦难，这些难道不是你这个不成熟的人做的事吗？你的不成熟让莲娜受了多少痛苦？这样的你，我能把莲娜交给你吗？"张总有些讥讽道。

"是的，这些都是事实，我无法否认，可经过这些痛苦我已经成长了，我懂得了莲娜对我不计一切的付出，以后就是由我来对她这样不计一切的付出了。我会好好爱她，照顾她，让她幸福……"阿豹有些脸红的辩驳道。

"我不相信你，人的品性哪有这么容易会改变……"

"您要相信我，我是个一言九鼎的男子汉，我说到就要做到！"

"你说什么也没有用，莲娜一天没有结婚，我就有追求她的权利……"

两人都开始激动了……

阿豹回到小区，看见自己家的窗户已经亮起了灯光，他的心中一下子温暖了起来，眼睛有些潮湿。这个毛坯房就是自己心目中无比神圣的殿堂，虽然现在有些简陋，可是这是自己和莲娜在这个大都市的第一个栖身之地，是他们两个人的避风港，是他们艰难爱情的见证。

"老公你回来了？"

莲娜笑盈盈地迎上来给阿豹自然地递上拖鞋，就这个动作让阿豹感动不已。他紧紧地抱住莲娜，好像怕莲娜跑掉了一样。

"老公，你怎么了？"

"老婆，我想通了，明天我们就去新公司看看吧，做这个总代理可以实现你的很多梦想。把这个品牌做好，我们也可以为这个社会多做些贡献，以后钱赚多了，我们也建几所希望小学，让更多的孩子能上学，你说好么？"阿豹问莲娜。

"好，你终于想通了？我可以把林红也带进去。"莲娜很高兴阿豹竟然想通了。

69 震惊的消息

莲娜开始去财富中心上班了。她把林红也一起带到这个工作团队里去了。

在这个团队里工作人就像被绑上了飞快驰骋的战车。莲娜脚不沾地的忙碌着，因为这是最忙碌的时刻，一切从零开始，有很多东西要多学。张总通过猎头公司招来一个做过某品牌的专家来帮助莲娜工作，莲娜非常努力。

阿豹现在画画很忙，他马上就要去美国开画展了。他只抽时间来公司开过几次会。阿豹来公司开会的日子就是公司里那些花痴女职员的节日，这样的靓男，又酷又帅，又有艺术家的独特气质，就连阿豹挂着小巧玲珑的不锈钢拐杖走路的样子都被她们形容帅呆了。

有次张总来这里视察，体验了一把阿豹在公司的被追捧，那些女职员眼睛冒火盯着他看的火辣辣的眼神，看得张总直摇头。张总心里就更为莲娜担心得不行，而莲娜忙忙碌碌的好像看不见这些，这更增加了张总要追求莲娜的决心。

开完会，在咖啡室里，张总和阿豹谈完公事，张总就对着阿豹讥讽起来。

"你看你，你来这里就像个招蜂引蝶的花花公子，莲娜和你在一起真是太没有安全感了。我不会同意把莲娜交给你的。"

阿豹生气地回击道："说些和您身份相符合的话吧，不要在这里胡言乱语。"

张总接着说："来公司工作要正经点，别四处放电，我们公司也不允许办公室恋情。你不许在公司里和莲娜卿卿我我的，让别的职员看见影响不好。"

说完，他转身就走出咖啡室留下阿豹一个人在那里生气。

现在的莲娜像一个上了发条的机器人，她风风火火干劲十足地从事着热爱的事业，她带领着手下的员工一起朝着既定的目标前进着。

阿豹去美国开画展的日子已经到了，莲娜这里却越来越忙，因为品牌在中国上市的日子就快到了。莲娜不能丢下这里的工作和阿豹一起去美国，她很难过，阿豹安慰了莲娜一个晚上，说以后的画展一定让莲娜去给他揭幕。

就这样阿豹在一个美丽的早晨和肖刚及肖刚的妻子范芳一起飞往美国。莲娜和小李子去送他们，这是自莲娜和阿豹居住在一起后第一次分离。

和莲娜的分别是阿豹心中无法计量的哀伤，终于还是以泪撒别机场，莲娜也哭得倒在小李子的肩头上。

以后的夜晚里，莲娜忙完工作就上网接收阿豹的邮件，这个时候的阿豹在美国是白天呢，阿豹也会在展会的空隙给莲娜长途电话报告画展在美国的火暴情形。这天晚上阿豹极其兴奋地告诉莲娜他的一幅油画卖了十万美元，明天阿豹就给莲娜汇回来五万美元。他想让莲娜拮据的手头可以宽松一些。

"老婆，你去大肆的采购一些品牌服装，你也需要穿一些高档品牌的服装，提升你的档次，为我们的品牌争光，别老存钱舍不得！以前是老公我太穷了，给你买不起名牌的衣服，太羞愧了，现在你不要太节约了，我还要再卖画继续挣钱，回来以后我们就有钱装修房子了，以后可以让我的一些外国朋友来我们家看我的画儿。以前咱们没有家，没有画室，都不好意思请他们来，怕丢了中国著名画家的脸，现在好了，我马上赚到钱，我们的房子就可以变得很漂亮了……"

听着阿豹喜气洋洋的越洋长话，那种高兴的语调，莲娜激动得掉下了眼泪。

画展两个多星期后结束了。阿豹对莲娜说肖刚和他有个周游美国的计划，这次他们准备借哥哥陈虎的福特大房车一起去。

莲娜每天都能从邮件里接到阿豹发回来的美丽照片，她把这些照片打印出来带在身边，有空的时候就偷偷地拿出来仔细观赏。

这天莲娜接到很久没有音讯的薛丽的电话，莲娜用宝马车把流产大出血的薛丽从一个小破出租房里接上去医院。原来薛丽跟的这个煤老板根本就是个有妇之夫，说要娶她都是骗她的，现在这个煤老板又搭上一个妖艳的嫩模把怀孕的薛丽一脚踢开，并诬蔑说她肚子里的不知道是谁的野种。薛丽悲愤交加，怀孕又没工作，她只好把以前的那些名牌贱卖了……看着做完手术捡回来一条命的薛丽，莲娜无言以对。

她临走时在薛丽的病床上留下三万元钱。"你好好养病，回家吧！别在这里混了，好好想想自己以后要走的路。靠别人是靠不住的。"看着莲娜薛丽哗哗的流泪，她和莲娜的命运彻底翻了个个儿，人生是多么无常呀！

可是从某天开始莲娜就再也没有接到过阿豹的邮件和照片了，她再也没有听见阿豹每天从大洋彼岸打来的电话。阿豹的手机也关机，莲娜快急疯了。

连肖刚的手机也打不通了……上帝呀，这是怎么啦？莲娜恨死自己了，她从没有问过陈虎在美国的电话号码，没有问过阿豹老家的具体地址和电话，莲娜连阿豹的身份证号码都没有记住。她一时慌了！

他让小李子去问韦伯，韦伯却说阿豹已经有好几天没和他联络了。

这天，仿佛从地狱里传来了一个可怕的消息，肖刚悲痛欲绝地从大洋彼岸打来了一个电话。

"阿豹在美国旅游途中，由于汽车翻了，已经不在人世……"

莲娜听完这个消息天旋地转，晕了过去！

70 命运的车轮

"莲娜姐你快醒醒，姐你醒醒呀……"小李子急切的呼唤声仿佛来自天上。

"阿豹……老公……你在哪里，我要和你见面……就算你是在地狱我也要去见你！"莲娜在高热昏迷的状态中，梦呓般的述说着。

莲娜在昏睡了三天后的黄昏醒了过来。莲娜看见高高的玻璃窗台上闪着熠熠的光芒，她仿佛看见阿豹正站在那里向她招手微笑，莲娜不由自主从床上爬起来朝着那个笑脸幸福地走去……正当莲娜要跨过窗台的时候，从厨房里端蜂蜜水过来的小李子看见了，小李子吓得扔掉手里的杯子飞奔过去一把拽住就要掉下去的莲娜。

"莲娜姐，你这是干什么呀？你不要吓我，快回到床上躺下来。"

小李子死拉活拽地把晕晕乎乎的莲娜弄到床上重新躺了下来。

"小李子……我要去和阿豹相会……他在那里向我招手呢！"莲娜迷迷糊糊的说着这种像梦游一样的胡言乱语。

张总知道莲娜的状态后让小李子把莲娜接到他以前买的一套一楼公寓里去

住，他怕莲娜又要做出跨窗户的危险举动。他把以前自己家里的一个保姆喊回来，每天照顾神情恍惚的莲娜。

莲娜暂时不能工作了，小李子和林红担起了品牌公司的重任。

张总好像开始倒霉了。他的前岳父刘爸爸出事了，因为贪污腐败，收受贿赂，巨额财产来源不明，刘爸爸被"双规"了。刘启好像早已嗅到了危险的气息，提前就带着妻女悄悄出国溜走了。张总知道刘启在国外有两个秘密账户。刘爸爸被"双规"后，他们把很多事情都推到张总身上，幸好张总是个非常精明的人，他每次被刘爸爸派遣干事儿的时候都秘密录了音，从录音上分析他最多也就是跑腿胁从犯，他不是官员，只是一个商人，也没有巨大的贿赂罪证。

张总认罪态度良好，积极协助警方调查，他目前没有被限制行动，只是被限制离境，警方要他随传随到。

张总家以前的财产全部暂时扣押，封存，公司总部也被暂时停止运转。张总遇到了前所未有的困难。

可是张总悄悄转移到莲娜名下的财产幸运地没有被涉及，他在海外投资的项目也没有被涉及。目前在国内只有这个欧洲品牌的项目在正常运转。

现在，以前的别墅都被封存了，刘贝贝家的一切财产也都被封存了。

刘贝贝自己没有什么财产，娘家的财产从此也没了，最可怜的是张刘桢，这个以前的天之骄子，是张总的宝贝，现在连自己的亲爹是谁都不知道。目前全家三口就靠外婆3000多块钱的退休金生活，穷得叮当响，悲惨得很。

杨妈看见刘家落到这种悲惨的境地，早就跑掉了！

贵族学校一年将近15万的学费是交不起了，张刘桢只得转到附近的普通高中就学。刘贝贝短短的时间从天堂到地狱，她的样子也变得苍老。

这天莲娜吃完早饭突然吐得稀里哗啦，她无法停止难受的干呕。

看莲娜吐得那么难受的样子，保姆也出去买菜了，张总没有办法只好开着莲娜那部昌河小面包车送莲娜去医院看病。

内科医生听了张总对莲娜病情的描述，让张总带莲娜去妇产科检查一下，说莲娜很像是怀孕的征兆。张总有些疑惑，他把莲娜带到妇产科，经过尿检，试纸在护士的手里一下子变色了。

"你老婆怀孕了！"医生对有些迷糊的莲娜和疑惑的张总说道。

"我怀孕了，我怀孕了，是我老公阿豹的孩子，哈哈，我怀孕了，是我老公阿豹的孩子。"莲娜突然亢奋的状态让医生有些惊骇。

"莲娜女士，你以后注意动作不能太大，小心伤着孩子！"医生提醒莲娜。

"好的，医生，谢谢你的提醒，我会小心的。"莲娜高兴得快疯掉了！

这个消息对张总来说有些苦涩。他对阿豹就这样走了心里很矛盾，阿豹不在

203

剩女奋斗记

了就没有人和他争莲娜了，可是，这对莲娜来说是多么残忍的事情。现在莲娜的肚子里有了阿豹的孩子，这究竟是好事儿还是……

晚上小李子回来了，莲娜欢欣鼓舞地告诉小李子她怀了阿豹的骨血，她要当妈妈了，说着说着莲娜痛哭了起来。

"莲娜，你别哭，医生说孕妇老是哭对肚子里的胎儿不好。"张总提醒莲娜。

"是的，我不能哭，这样对阿豹的孩子不好，谢谢您，张总。"

意外的怀孕让莲娜清醒了，这难道是阿豹在天上守护着自己的妻儿吗？

同一时期，张总的母亲张妈要做脑壳修复手术了，可是，思维已经清醒的张妈不愿意上手术台了，说动脑袋会很危险，怕自己死在手术台上，儿女们都劝不了。张妈最后有两个要求，要看看自己的孙子张刘桢和未来的媳妇莲娜，不然她不会上手术台，没办法，张总就把落魄的张刘桢找出来，问了张刘桢的近况，说了以前的奶奶想看她的孙子，张妈还不知道张刘桢不是她孙子这个事实。

张刘桢看着张总哭了，这段磨难让这个以前傲慢得连自己的父亲都不看在眼里的张刘桢快速长大了。

"孩子，你好好劝奶奶让奶奶动手术，你还要好好准备高考，想考哈佛爸爸还是支持你，以后的学费爸爸来想办法。虽然你母亲对不起我，你也不是我亲生的孩子，毕竟我们有十几年的父子之情。你要好好学习好好做人，改掉以前傲慢自私的坏习气，以后学好本事找个好工作，好好赡养你母亲，虽然她不是个好女人、好母亲，可毕竟是她给了你生命……"

张刘桢泪流满面，他不停地点头，最后张总把张刘桢紧紧地抱在怀里，他对刘家的怨恨在这一刻似乎已经减轻了不少！

张总小心地开着那部宝马车，他不能让自己的家人知道自己已经落魄的消息，这个宝马还真的是在关键时刻可以装装门面。

车里载着张刘桢和莲娜，副驾驶座位上坐着小李子，他们两个人轮流开车，为了保护莲娜肚子里的胎儿，他们不敢走土路，怕颠簸伤到莲娜的胎儿。走了一天他们才到张总老家的县医院。

张妈在病房里看见她最想看见的两个人，哭得稀里哗啦。她紧紧地握着张刘桢的手，哭着说奶奶想死孙子了，以前怎么都不来看奶奶。张刘桢想起自己以前轻慢地对待张总家乡人的那个张狂样子惭愧不已。

张妈接着紧紧地握着莲娜的手，说自己临死前的唯一愿望就是希望莲娜做她的儿媳妇，叫她一声妈，要是这次她上手术台万一醒不过来就再也听不见莲娜喊她了，莲娜终于忍不住大声哭了起来，她哽咽地叫了张妈一声"妈"。张妈泪流满面欣喜地答应了，然后上了手术台。

三个小时后张妈醒过来了，手术很成功。

204

由于刘爸爸收取贿赂数额巨大，还有很多财产来源不明，他被判了死刑，缓期两年执行，反正是留了一条老命。张总被判一年徒刑，缓期两年执行。

刘贝贝更惨，什么都没有捞到，她和张总签的净身出户的协议也成了废纸，张总没有财产可执行。也要感谢她，由于她的贪厌，张总转移了一些财产，这些财产为张总以后东山再起保留了火种。几年后张总又是一条好汉。

张总一直爱着莲娜，在某个夜晚张总单膝跪地，手里拿着一只玫瑰花向莲娜求婚，他说为了莲娜肚子里的孩子有个身份，自己愿意做这个孩子的爸爸。

"你为什么还要娶个怀着别人孩子的女人做妻子呢？"莲娜泪流不止。

"这也许就是我的命运。"张总也流下了感慨的泪水。

他们结婚了，莲娜十个月后生下了一个胖胖的小男孩。他们给他取名为豹海，因为阿豹的骨灰是撒在海里的。

一年后莲娜又怀孕了，这次是龙凤胎。抱着这两个刚出生的孩子，已经五十的张总泪流满面。

这天下午，莲娜和保姆在自家的后院里带着豹海和两个坐在婴儿车里的孩子在晒洗好的床单。

莲娜有一点点发胖，可能是生下孩子不久的原因。代理的品牌已经做得非常有起色了，虽然还没有正式去上班，可是小李子每天带回来的资料莲娜是要过目的，莲娜真是做生意的好手。

张总已经解除监控，他要重整旗鼓大干一场了。

莲娜晒完床单坐在白色的木椅子上慢慢的喝茶。看着蹒跚走动在栅栏里玩泥巴的豹海，莲娜的眼中浮起了微笑。这个孩子长得很像阿豹，俊朗的小脸蛋，很是让莲娜爱惜不已。睡在摇篮里的那对龙凤胎兄妹长得像张明哲，胖胖的很可爱。

此刻，莲娜不知道在她家栅栏不远处有一辆贴着黑色车膜的车子，里面正有一双眼睛望着正在喝茶的莲娜和玩泥巴的小男孩，这个男人看着他们母子，眼里的泪水滑落下来。

"阿豹哥，我们走吧，不然莲娜姐会察觉到你的存在，那就不好了。"坐在方向盘前的小李子对着后座上趴在窗口看着莲娜和那个小男孩的男人说。

"不要，小李子。我就上去偷偷地抱我儿子一下，好么？"

这个被小李子称做阿豹哥的男人确实是已经"死了"三年的阿豹。

当初在美国那个环游计划只完成了一小半，在加利福尼亚的高速公路上阿豹驾驶的大房车和一辆卡车相撞，阿豹被撞到了头，在医院里一直昏迷不醒。肖刚和范芳也受伤了，不过没有生命危险，医院后来宣布阿豹为植物人。

肖刚知道阿豹对莲娜有多么爱恋，阿豹对肖刚说办完画展赚到钱马上就回去正式和莲娜结婚，阿豹天天幸福地和肖刚提起莲娜，莲娜，莲娜……可现在阿豹已经这样了，难道要让莲娜这个已经快 30 岁的女人为阿豹终身不嫁吗？莲娜要是知道真相一定会一直守在阿豹这个植物人的身边不离不弃。这个女人有可能做出这样痴情的事情来。

哥哥陈虎难过地说自己不能这么自私地让莲娜这个女人为自己的弟弟阿豹默默地奉献她的青春、生命和幸福。于是他们讨论后决定让肖刚给莲娜打电话说阿豹在美国出车祸已经死去了。

莲娜一听到阿豹出车祸走了，就慌了神，许多疑点她也没有去证实，比如阿豹的墓碑在哪里，死亡证明等。她那时是迷迷糊糊的，被悲伤打击过大，直到发现自己怀孕了才清醒过来。后来她打电话问肖刚阿豹埋在哪里，肖刚说阿豹的骨灰撒进了大海，在美国进行了海葬。在每年阿豹故去的这一天，莲娜都要去海边吊唁阿豹……

阿豹在美国的一所医院里躺了两年后竟然醒了过来，可是他的记忆丧失了，连哥哥陈虎也记不得了。他坚持进行了一年的康复训练，直到前不久的一次事故，阿豹不小心被别人打到了头，才使记忆又突然恢复了，他想起了以往的一切事情……

他打莲娜的手机，莲娜的手机早换掉了，他打毛坯房的座机电话，电话已经停机了。阿豹想起来奢侈品总代理中国公司的电话，他打越洋电话找莲娜，有人把阿豹的电话转到小李子的座机上，小李子才惊闻阿豹的遭遇。

小李子痛苦地哭了……在一个咖啡馆里，小李子把这些年来莲娜的遭遇说给从美国飞回来的阿豹听，当阿豹知道自己已经有个孩子叫豹海时，阿豹哭得无法自已，他马上冲动地要去找回自己的妻子和儿子。

小李子死死地拉住阿豹不让他去，小李子流着眼泪对阿豹说莲娜已经和张总结婚了，张总深爱着莲娜，为了让阿豹的儿子有个家，有个父亲，有个名分，他和怀有阿豹骨肉的莲娜结婚了。他对豹海视如己出，现在莲娜已经又和张总有了一对龙凤胎孩子，一家人过着幸福而安宁的生活，如果阿豹这样突然出现把莲娜和豹海带走，张总的孩子将没有母亲，莲娜也要和她的龙凤胎孩子骨肉分离，莲娜会这样选择吗？不管怎样选择，莲娜从此就没有了安宁。

以莲娜这么爱阿豹的心，让她在阿豹和那么小的亲生骨肉之间做选择，莲娜将坠入怎样可怕的煎熬和痛苦？不可以，不能够！所以阿豹不能出现。

"阿豹哥，我带你去看你儿子豹海一眼后你就走吧，远远地离开他们母子不要再回来了，如果你爱莲娜姐，你就牺牲你一个人的幸福来换取孩子们和莲娜一起生活拥有母爱的幸福吧，不要再来打乱这里的宁静和安宁了。阿豹哥我求你了！"小李子流着泪咬着牙说道。

说完他狠下心打着车，车子缓缓地移动起来，从莲娜和孩子们的身旁慢慢经过。

阿豹看见莲娜抬起头奇怪地看着这辆车子，阿豹刚高声喊出"莲娜"，就被小李子一反手把他嘴巴给捂住了……

莲娜看着这辆车越开越远。她歪着头沉思，刚才明明好像听见阿豹的声音在喊"莲娜"呀！

　　又是自己的幻听吗？又快到阿豹第三年的忌日了。

　　今年莲娜想带着豹海去抛撒阿豹骨灰的美国海岸去吊唁阿豹，那里是离阿豹最近的地方……